Staal

Qualitätsorientierte Unternehmensführung

Qualitätsorientierte Unternehmensführung

Strategie und operative Umsetzung

von

Rolf Staal

1990
in Zusammenarbeit von
VDI-Verlag GmbH
Düsseldorf
und
Schäffer Verlag für Wirtschaft und Steuern GmbH
Stuttgart

CIP-Titelaufnahme der Deutschen Bibliothek

Staal, Rolf:
Qualitätsorientierte Unternehmensführung : Strategie und operative Umsetzung / von Rolf Staal. – Düsseldorf : VDI-Verl. ; Stuttgart : Schäffer, Verl. für Wirtschaft u. Steuern, 1990
(Technik und Wirtschaft)
ISBN 3-18-401011-2 (VDI-Verl.) Gb.
ISBN 3-8202-0587-X (Schäffer) Gb.

Umschlaggestaltung: Atelier Reichert, Kornwestheim
Schrift: 10/12 p. Bembo
Satz (Text): Steffen Hahn FotoSatzEtc., Kornwestheim
Satz (Abbildungen): In Medias Res Dieter Horn, Erdmannhausen
Druck und buchbinderische Verarbeitung: Freiburger Graphische Betriebe GmbH & Co. KG, Freiburg i. Br.

Vorwort

In der Wirtschaft der freien Welt hat die Konkurrenz seit Jahrhunderten eine bedeutende Rolle gespielt. Ständig wurden neue Mittel und Wege gefunden, im Kampf um bestehende Märkte und Marktanteile, Produkte und Dienstleistungen preiswerter und qualitativ hochwertiger anzubieten.

Der Handwerksmeister im Mittelalter war z. B. Einkäufer, Unternehmer und Verkäufer in einer Person. Seine Existenz hing weitgehend von der Qualität seiner Arbeit ab, sei es in Form eines Produktes oder sei es in Form einer Dienstleistung. Mit zunehmender Industrialisierung trat mehr und mehr der Arbeiter an die Stelle des Handwerkers. In der Folge dieser Entwicklung ging eine innere Bindung des arbeitenden Menschen zu seiner beruflichen Tätigkeit deutlich zurück. Massenproduktion, Fließbandarbeit und Arbeitsteilung führten dazu, daß den einzelnen Menschen nur noch wenig mit dem von ihm Geschaffenen verbindet. Der Wettbewerb zwingt, sowohl auf den nationalen als auch internationalen Märkten, zu immer weiteren Kostensenkungen, die traditionell durch eine ständige Automatisierung und Rationalisierung zu realisieren versucht werden. Ferner soll intensive Forschung dazu beitragen, neue oder modifizierte Produkte mit hohen Renditen auf den Markt zu bringen, um veraltete, unrentable Produkte zu ersetzen bzw. neue Kundenwünsche zu erfüllen.

Im Kampf um die Märkte haben sich in den letzten Dekaden zwei weitere Faktoren wesentliche Bedeutung verschafft: Qualität und Qualitätsverbesserung.

Dieses Werk soll dem Leser einen Überblick über die wichtigsten Strategien vermitten, um einerseits Entwicklungen der Kunden und der Konkurrenz zu verstehen und um andererseits Chancen zur Verbesserung der Konkurrenzfähigkeit durch erhöhte Qualität und reduzierte Kosten für das eigene Unternehmen zu erkennen.

Natürlich liegen diesem Werk, neben jahrelangen Erfahrungen auf diesem Gebiet, auch noch andere Publikationen zugrunde. Besonders hervorzuheben ist in diesem Zusammenhang die aktive Unterstützung von Herrn G. Howland Blackiston, dem Präsidenten des Juran Institute Inc., der mir sowohl durch seine Anregungen als auch durch das zur Verfügung gestellte wertvolle Material sehr geholfen hat. Nicht zu vergessen sind weiterhin die Personen, die sich zum Teil recht kritisch mit der Materie auseinandergesetzt haben. Ein besonderer Dank gilt ebenfalls Herrn Günter Ahrens für sein wiederholtes, stilvolles und dezentes Korrekturlesen, das dieses Werk auch mit·geprägt hat.

East Greenwich, im Juni 1990 — Rolf Staal

Inhaltsverzeichnis

Seite

Seite

1. Globales Qualitätsbewußtsein, Qualität als Zielsetzung

Seit dem Ende des zweiten Weltkrieges und besonders in den siebziger und achtziger Jahren hat sich eine starke Internationalisierung im Handel entwikkelt, die durch die globale Automatisierung in der Informationstechnik noch beschleunigt wurde. Wie schnell eine Entwicklung im weltweiten Rahmen um sich greift, hat sich im Oktober 1987 bei den Kursstürzen auf dem internationalen Aktienmarkt gezeigt.

Die positiven Aspekte der Internationalisierung können darin gesehen werden, daß früher ferne Märkte heute in praktische Nähe rücken. Dies ermöglicht manchmal hohe Produktionsvolumen. Absatzrisiken werden dann oft durch die Vielfältigkeit der Märkte gemildert oder sogar aufgehoben.

Nachteilig hingegen ist die Konfrontation mit der globalen Konkurrenz. Tendenzen und Entwicklungen auf den einzelnen Märkten sind manchmal vom nationalen Standpunkt aus schwierig zu erkennen oder richtig einzuschätzen. Dabei ist es wichtig, Tendenzen und Entwicklungen frühzeitig zu erkennen und rechtzeitig Entscheidungen zu treffen, um sich langfristig erfolgreich auf dem internationalen Markt zu behaupten.

In den letzten Jahren, besonders in den achtziger Jahren hat sich international ein Gefühl für Qualität ausgebreitet, das ohne Beispiel ist. Nicht nur Einzelunternehmen, sondern ganze Industriebranchen haben ihr Hauptaugenmerk dieser Qualitätsstrategie gewidmet. Qualitätsverbesserungen gingen meistens einher mit Kosteneinsparungen, was manchem Unternehmen einen Konkurrenzvorsprung verschaffte. Dies erklärt zum Teil, daß z. B. international etablierte Firmen plötzlich harte Markteinbußen hinnehmen müssen und daß z. B. kleinere oder unbedeutende Unternehmen plötzlich einen signifikanten Wettbewerbsvorsprung erhalten.

Ein klassisches Beispiel hierzu ist der Hersteller schwerer Motorräder, Harley-Davidson, der durch die japanische Konkurrenz beinahe dem Bankrott zum Opfer fiel. Durch die qualitätsorientierte Unternehmensführung konnte eine Wende herbeigeführt werden, und Ende 1987 war die Firma wieder in der Gewinnzone. Nähere Einzelheiten hierzu sind im Kapitel 6 zu finden.

Diese Beispiele sind nicht auf Firmen oder Unternehmen beschränkt. Nationale Entwicklungen auf diesem Gebiet des Qualitätsbewußtseins lassen sich mittlerweile klar erkennen. Das Beispiel Japan bedarf kaum der Erwähnung, es ist hinlänglich bekannt. Erwähnt werden sollten dagegen Südkorea und Hongkong. Bis vor kurzem wurden diese Länder als Schwellenländer in der Gruppe der Industriestaaten angesehen. Doch auch hier zeigt sich eine Entwicklung, die stark dem japanischen Beispiel ähnelt. Die Produkte sind nicht nur kostengünstig, sondern die Qualität steigt ständig und dies nicht allmählich, sondern in Riesenschritten. So haben sich diese Länder mittlerweile in Bezug auf die Qualität ihrer Produkte einen beachtlichen internationalen Ruf erwerben können.

Diese Entwicklungen können sich für die nationale Wirtschaft, falls nicht rechtzeitig erkannt, als nachteilig erweisen. Unternehmen, welche international erfolgreich waren, sind im Ausland plötzlich einer starken Konkurrenz ausgesetzt. In Einzelfällen führt dies sogar zu einem signifikanten Rückgang im Marktanteil. Einer solchen Entwicklung ist unter Umständen schwer zu begegnen, wenn trotz der oben erwähnten Internationalisierung der Märkte schließlich doch große geographische Entfernungen einer intensiven Marktbetreuung hinderlich sind.

Auch auf dem hiesigen oder europäischen Markt machen sich die oben erwähnten Entwicklungen bemerkbar. Immer hochwertigere Produkte ausländischer Produktionen mit zum Teil hervorragender Qualität konkurrieren mit bisher fest im Markt etablierten Erzeugnissen einheimischer Hersteller.

Schon immer war es das Bestreben, sich der Konkurrenz gegenüber einen Vorsprung zu erhalten oder zu verschaffen. Dies wurde entweder durch einen Kostenvorteil, einen Qualitätsvorteil oder durch eine Kombination dieser Faktoren ermöglicht. Diesen Bestrebungen sind natürliche Grenzen gesetzt. Besonders auf dem Gebiet der Kostenreduzierung scheint sich eine Abflachung anzubahnen. In diesem Zusammenhang muß man zusätzlich die strikten hiesigen behördlichen Maßnahmen erwähnen, welche z. T. dem ausländischen Produzenten scheinbare Vorteile verschaffen. Es sei nur an die Vorschriften zur Produktionsaufnahme neuer Erzeugnisse oder zur Erweiterung bestehender Produktionen sowie an die Abwasser- und Abluftbestimmungen erinnert.

Trotz all dieser negativen Tendenzen scheint es, als gäbe es bisher nicht voll genutzte Chancen, die Wettbewerbsposition zu stärken, nicht nur auf dem inländischen Markt, sondern auch oder besonders auf den internationalen Märkten. Diese Chance ist die *stetige* systematische Qualitätsverbesserung. Diese Strategie beinhaltet nicht nur die Verbesserung der Qualität der veräußerten Produkte, sondern bezieht sich auf sämtliche Stufen der Veredelung und schließt sowohl die Rohmaterialien ein als auch das weite Gebiet der Dienstleistungen. Ferner ist zu bedenken, daß Qualitätsverbesserungen in den meisten Fällen mit einer Kostenminderung einhergehen. Diese Behauptung ist zwar in der herkömmlichen Vorstellung umstritten, soll aber im Laufe dieses Werkes durch entsprechende Beispiele belegt werden.

Das Ziel dieser Qualitätsverbesserung im weitesten Sinne – oder besser definiert: „qualitätsorientierten Unternehmensführung" – ist daher: ständige Verbesserung der Konkurrenzsituation durch ständige Verbesserung der Qualität und ständiges Reduzieren der qualitätsverbundenen Kosten. Diese Strategie vermittelt den Unternehmen einerseits einen Einblick, mit welchen

Methoden die internationale Konkurrenz versucht, einen Konkurrenzvorsprung zu erreichen, auszubauen oder zu erhalten. Andererseits kann diese Strategie dazu dienen, die eigene Konkurrenzfähigkeit besonders unter langfristigen Gesichtspunkten zu stärken. Die hier beschriebene Strategie kann dazu dienen, im eigenen Unternehmen ein Qualitätskonzept aufzubauen oder ein vorhandenes zu erweitern, das den eigenen betrieblichen Bedürfnissen und Gegebenheiten entspricht. Das Ziel dabei wäre, die ständige Qualitätsverbesserung systematisch im gesamten Unternehmen einzuführen, um in Bezug auf Kosten und Qualität einen signifikanten Konkurrenzvorsprung zu erreichen, zu erhalten und auszubauen. Dieser Prozeß der ständigen Qualitätsverbesserung sollte niemals aufhören. Zuerst wird vielleicht der Konkurrenzvorsprung erreicht, dann sollte ständig daran gearbeitet werden, ihn zu erhalten. Schließlich sollte er fortwährend ausgebaut werden.

Ständige Qualitätsverbesserung bedeutet: den Konkurrenzvorsprung
- erarbeiten
- erhalten
- auszubauen

2. Qualität und Konkurrenzfähigkeit

2.1 Warum brauchen wir stetige Qualitätsverbesserung?

2.1.1 Qualitätsniveau – relativ gesehen

Ein qualitativ hochwertiges Produkt mit hohem Marktanteil zieht gewöhnlich Konkurrenz auf sich, da von seinem Verkauf Gewinnchancen erwartet werden.

Auch wenn das Qualitätsniveau eines Erzeugnisses absolut gesehen nicht sinkt, kann sich über einen längeren Zeitraum die Marktposition für dieses Produkt verändern oder sogar verschlechtern. Dies kann durch Aktivitäten der Konkurrenz erfolgen, wenn ebenbürtige oder qualitativ hochwertigere Produkte angeboten werden. Eine dieser Aussage entsprechende Qualitätsstrategie wird heutzutage von vielen Unternehmen angewandt, im Inland und besonders im Ausland. Sie führt dazu, daß Hersteller von Produkten mit bisher minderer Qualität scheinbar plötzlich Marktanteile erobern, die traditionell den Herstellern qualitativ hochwertiger Produkte vorbehalten waren.

Markteinbußen, basierend auf Qualitätsnachteilen, sind schwer wiederzugewinnen. Oftmals sind Jahre erforderlich, um eine Qualitätsstrategie zur Rückgewinnung von Marktanteilen erfolgreich im gesamten Unternehmen einzuführen.

Erschwerend wirkt oft eine frühere Vormachtstellung auf dem Markt. Es hat sich im Unternehmen das Gefühl der Sicherheit bis hin zur Überlegenheit gebildet. In manchen Fällen führt diese Haltung so weit, daß erst schwere Markteinbußen ein kritisches Überdenken und eine erforderliche Korrektur der Unternehmensstrategie ermöglichen.

Wie bisher gesehen, ist ein einmal erreichtes Qualitätsniveau keine Garantie für den Erhalt einmal eroberter Marktanteile. Auch wenn sich keine absoluten oder relativen Qualitätsnachteile abzeichnen, gibt es Gründe, ein Unternehmen qualitätsorientiert zu führen. Ein Konkurrenzvorsprung in Qualität und Kosten währt immer so lange, bis die Konkurrenz diesen Vorteil aufholt. Daher ergibt sich von selbst die Notwendigkeit, ständig die Qualität zu verbessern und die zum Erhalt der Qualität aufgewendeten Kosten zu senken. Diese Strategie kann wesentlich dazu beitragen, den Konkurrenzvorsprung über einen langen Zeitraum zu erhalten und die Existenz nicht nur der Produkte, sondern des Unternehmens zu sichern.

2.1.2 Höhere Qualität – geringere Kosten

Oftmals hört man, daß höhere Qualität mit höheren Kosten verbunden ist. Dafür mag es gewisse Argumente geben. Die Praxis jedoch hat gezeigt, daß höhere Qualität durchaus mit geringeren Kosten verbunden sein kann.

Es leuchtet jedem Chemiker ein, daß eine Erhöhung der Ausbeute durch verbesserte Einhaltung der Herstellungsbedingungen zu geringeren Einheitskosten führt, da eine größere Produktmenge erhalten wird beim Einsatz gleicher Menge an Rohmaterialien, Energie und Arbeitskraft. Außerdem erhöht sich die Kapazität, und die eventuell anfallende Menge Abfallprodukte wird pro Einheit Endprodukt reduziert.

Eine Schreibkraft hat vielleicht 8 Prozent der diktierten Briefe zu korrigieren und neu auszudrucken. Wird der Prozeß der Briefherstellung von 92 % z. B. auf 100 % verbessert, werden die Kosten gesenkt, die Kapazität wird bei gleichzeitiger verbesserter Qualität erhöht.

In einem Unternehmen, gleich ob die Ware ein Produkt oder eine Dienstleistung darstellt, gibt es eine Vielzahl von Prozessen, die wiederum Produkte oder Dienstleistungen zum Ergebnis haben. Alle diese Prozesse erfordern eine bestimmte Qualität und bedingen Kosten. Die qualitätsorientierte Unternehmensführung richtet sich auf alle diese Prozesse. Kosten, verursacht durch mangelnde Qualität, betragen in der herstellenden Industrie bis zu 20 und 25 % und bis zu 40 oder 50 % vom Umsatz im Dienstleistungsbereich. Die Reduzierung der durch mangelnde Qualität verursachten Kosten ist eine große Chance, die Konkurrenzfähigkeit zu erhöhen. Es gibt wenige Strategien, die dieses Potential systematisch genutzt haben.

Traditionell wird hohe Qualität durch eine entsprechend eingerichtete Qualitätskontrolle, Qualitätslenkung und/oder Qualitätssicherung erreicht. Der Aufwand dafür ist je nach Industriezweig mehr oder weniger groß. Diese traditionelle Qualitätsstrategie konzentriert sich auf die Aktivitäten, die *nach* der Herstellung wirksam werden und richtet sich mehr oder weniger auf das richtige Sortieren in „gut“ und „schlecht“, „brauchbar“ und „unbrauchbar“. Dann wird durch Einhalten des Qualitätsstandards festgelegt, wie unbrauchbares oder schlechtes Produkt verwertet wird: Überarbeiten, Reinigen, Untermischen, Umkristallisieren, erneute Qualitätskontrolle, Verschrotten oder Verkaufsversuch mit geringem Preis.

Die qualitätsorientierte Unternehmensführung sieht den Aufwand für diese Schritte als Qualitätskosten, welche *vermieden* werden können. Der Herstellungsprozeß soll so geändert und dann kontrolliert werden, daß alle Erzeugnisse brauchbar sind, d. h. den Anforderungen des Kunden entsprechen und die Qualität bereits durch die Prozeßführung garantiert und nicht durch Sortieren erreicht wird. Ist Qualität im Prozeß eingebaut, können die Kosten für Inspektion, Umarbeiten, Reinigen, Sortieren, Mischen, Verschrotten eingespart oder drastisch reduziert werden. Außerdem wird der Prozeß viel zuverlässiger und konstanter. Seine Ergebnisse werden vorhersagbar.

„Qualitätskosten“, die eingespart werden können, betragen, wie bereits oben erwähnt, je nach Industriezweig bis zu 20 oder 25 % vom Umsatz. Ihre Eliminierung ist oftmals ohne signifikante Investitionen zu erreichen. Im traditionell geführten Unternehmen haben die „Qualitätskosten“ und die ständige Qualitätsverbesserung zuweilen nicht die gebührende Bedeutung und manchmal fehlen die organisatorischen sowie methodischen Mittel, um dieses Potential systematisch zu nutzen.

Ein Unternehmen mit einem Umsatz von beispielsweise DM 250.000.000,– hatte Qualitätskosten von etwa DM 25.000.000,–. Wenn man davon ausgeht, daß pro Projekt im Durchschnitt etwa DM 100.000,– gespart werden, so ergibt sich in diesem Beispiel eine Anzahl von 250 Projekten, welche bearbeitet werden müßten. An jedem Projekt arbeiten zwischen 5 und 10 Mitarbeiter. Dies bedeutet, daß zwischen 1.250 und 2.500 Mitarbeiter neben ihrer regulären Tätigkeit an den Projekten zur Qualitätsverbesserung beteiligt sind. Das Unternehmen in diesem Beispiel hatte insgesamt etwa 2.500 Mitarbeiter. Aus diesen Fakten ergibt sich, daß eine Strategie zur Qualitätsverbesserung im Unternehmen flächendeckend eingeführt werden muß, um in einer angemessenen Zeit entsprechende Verbesserungen zu erreichen. Andererseits erkennt man an diesem Beispiel, daß mit einem Lippenbekenntnis und halbherzigem Einsatz zwar die Behauptung aufgestellt werden kann, man tue etwas, um die Qualitätskosten zu verringern, doch wird sich mit einem Minimum an Einsatz kein grundlegender Wandel ergeben, weder bei den Qualitätskosten noch in der Stellung am Markt. Hier ist die Unternehmensspitze gefordert, entsprechende Maßnahmen zu ergreifen.

2.1.3 Sicherung der Marktanteile, Konkurrenzvorsprung

Eine Erhöhung der Qualität bei gleichzeitiger Reduzierung der Kosten bietet dem Unternehmen eine verbesserte Marktposition aus verschiedenen Gründen. Die Qualitätserhöhung kann dem Kunden ohne Preiserhöhung angeboten werden, da sie ohne zusätzliche Kosten z. B. für Material, Arbeitskraft oder Investitionen erreicht wird. Ein sich dadurch ergebender Vorsprung ist von der Konkurrenz schwieriger aufzuholen als eine Preisreduzierung. Im Gegenteil, ein Preisnachlaß ohne Qualitätsverbesserung bedingt meist nur einen kurzfristigen Vorsprung, abgesehen von Preisänderungen, hervorgerufen durch Wechselkursverschiebungen. Falls ein Kunde zwischen zwei Lieferanten bei gleichem Preis der Ware wählen kann, wird er in jedem Falle die Ware mit der höheren Qualität wählen. Wird die Strategie der stetigen Qualitätsverbesserung systematisch angewandt, kann der dadurch gewonnene Konkurrenzvorsprung sicherlich gehalten oder ausgebaut werden.

Die Kostenreduzierung, basierend auf Qualitätsverbesserungen, ergibt für sich allein gesehen bereits einen Vorteil. Die traditionellen Methoden zur Kostenreduzierung (siehe nächstes Kapitel) werden hinlänglich auf breiter Basis genutzt und sind zum Teil sogar restlos ausgenutzt.

Die Fähigkeit, die eigenen Fertigungsprozesse statistisch (siehe statistische Prozeßführung, Kapitel 4.2) zu beschreiben, bietet u. a. eine Möglichkeit zur Sicherung oder zur Vergrößerung der Marktanteile. Viele Kunden benutzen ähnliche Strategien, wie im Kapitel 5 noch näher beschrieben wird. Der Trend geht immer mehr dahin, nicht nur Waren bestimmter Spezifikation zu kaufen, sondern der Kunde wünscht schon Informationen über den Fertigungs- bzw. Herstellungsprozeß. Diese Forderung hat nichts mit Spionage oder Modeerscheinungen zu tun, sondern gibt dem Kunden die Auskunft darüber, wie stetig bzw. zuverlässig die Herstellung ist, ob die Parameter, die Einfluß auf die Qualität des Produktes haben, stabil sind und ob der Herstellungsprozeß zuverlässig und sein Ergebnis vorhersagbar ist.

Ferner interessiert den Kunden, ob die Leistungsfähigkeit (Prozeßfähigkeit) des Prozesses seinen Erwartungen entspricht. Es genügt heute nicht mehr, dem Kunden die Einhaltung der Spezifikation zu garantieren. Diese Auffassung ist aus verschiedenen Gründen nicht mehr haltbar und wird bereits von vielen Unternehmen abgelehnt. Es interessiert vielmehr, wie der Prozeß abläuft, welche Qualitätsschwankungen auftreten. Die Einhaltung der Spezifikationen wird traditionell dadurch erreicht, daß die hergestellte Ware 100 % inspiziert und dann entsprechend in „gute“ oder „schlechte“ Anteile eingestuft wird. Die „schlechten“ oder nicht typgerechten Produkte werden dann überarbeitet, untergemischt oder dem Abfall zugeführt. Daher hat sich, besonders in der amerikanischen Automobilindustrie, der Begriff Q 1 eingebürgert. Gemeint ist hier die Qualität der Ware direkt nach der Herstellung, ohne irgendwelche Korrekturen. Die statistische Betrachtung bezieht sich auf diesen, den ursprünglichen Prozeß der eigentlichen Herstellung.

Die Notwendigkeit der 100 %igen Inspektion, das Sortieren, Umarbeiten und Untermischen verursacht zusätzliche Kosten. Man spricht hier von Kosten, verursacht durch mangelnde Qualität. Der Kunde verlangt, daß entsprechende Aktivitäten systematisch reduziert werden, siehe hierzu auch Kapitel 5: Kundenerwartungen. Der urspüngliche Prozeß soll stabil und somit zuverlässig sein, d. h. sich in statistischer Kontrolle befinden. Dies garantiert die für den Hersteller niedrigsten Kosten. Dadurch können außerdem die Vorräte reduziert und Verzögerungen, durch Qualitätsschwankungen verursacht, vermieden werden. Ein solcher (Ideal-)Zustand ist weiterhin eine Voraussetzung für „Just in Time“-Produktion (Einzelheiten siehe Kapitel 4.4). Eine 100 %ige Inspektion, wie auch immer begründet, deutet oft auf außerordentliche Qualitätsschwankungen hin. Die statistische Prozeßführung hat zum Ziel, den Herstellungsprozeß so zu optimieren, daß Qualitätsschwankungen entweder ganz vermieden oder so rechtzeitig erkannt werden, daß daraus keine Kosten, verursacht durch mangelnde Qualität, entstehen.

Die Anwendung der statistischen Prozeßführung (Statistical Process Control: SPC) sagt dem Kunden ebenfalls, daß ständig an der Reduzierung der Qualitätsschwankungen des Prozesses gearbeitet wird, um die Prozeßfähigkeit zu verbessern, auch wenn diese bereits den Erwartungen entspricht. Die Anwendung der statistischen Prozeßführung sagt ferner, daß eine Vielzahl von Mitarbeitern – Arbeiter, Vorarbeiter, Meister, Ingenieure, Techniker, Handwerker, Büroangestellte usw. – an diesem ständigen Verbesserungsprozeß teilhaben.

An dieser Stelle sei ausdrücklich darauf hingewiesen, daß SPC *nichts* mit der graphischen Darstellung von Qualitätsdaten zu tun hat. Eine solche Einstellung führt in eine falsche Richtung. SPC ist ein Prozeß der ständigen Beobachtung und Verbesserung des Herstellungsprozesses, wobei Regelkarten dazu dienen, die richtigen Entscheidungen zu treffen: Ist die soeben beobachtete Schwankung ein Teil der im Prozeß begründeten Grundschwankung oder liegt eine spezielle Ursache vor, die sich lohnt herausgefunden zu werden. Ist diese Schwankung positiv, so sollte die Ursache erkannt und dauernd aufrechterhalten werden. Ist die Schwankung negativ, so sollte ebenfalls die Ursache erkannt werden mit dem Ziel, Vorkehrungen zu treffen, damit diese in der Zukunft nicht wieder auftritt.

Ein weiterer Gesichtspunkt sei hier erwähnt. Sehr oft stößt die Frage nach SPC auf Ablehnung, ganz gleich, ob eine Inititative zu ihrer Nutzung von innerhalb oder von außerhalb des Unternehmens stammt. Die genannten Gründe sind vielseitig:

- Wir garantieren die Einhaltung unserer Spezifikationen, und es geht niemanden etwas an, wie wir dies erreichen.
- Dies haben wir bisher nicht gehabt und werden wir auch in Zukunft nicht haben, wir sind führend auf dem Markt.
- Die Konkurrenz macht es auch nicht.
- Dazu haben wir keine Zeit.
- Wieder eine neumodische Erscheinung.

Andererseits werden heute oftmals schon Zertifikate mit Angaben über die Qualität der Produkte der Lieferung beigefügt. Der Kunde, falls im Gebrauch und in der Anwendung von SPC geübt, kann in diesem Falle sehr einfach feststellen, ob sich der Herstellungsprozeß der gelieferten Ware in statistischer Kontrolle befindet. Der Kunde braucht nur eine Regelkarte der Daten der Zertifikate anlegen, um diese Auskunft zu erhalten. Auch wenn alle Daten der Zertifikate innerhalb der Spezifikationen liegen, besagt das nicht notwendigerweise, daß sich der Prozeß in statistischer Kontrolle befindet. Im Gegenteil, Erfahrungen zeigen, daß die überwiegende Mehrzahl aller Herstellungsprozesse *nicht* in statischer Kontrolle liegt, wenn SPC nicht konsequent angewandt wird. Eine Weigerung, SPC einzuführen, öffnet der Konkurrenz Tür und Tor.

Ein Produktionsprozeß, der sich in statistischer Kontrolle befindet und der eine Prozeßfähigkeit aufweist, welche kleiner ist als die Kundenerwartung, führt heute dazu, daß Kunden langfristige Abnahmeverträge eingehen und sogar andere Lieferanten ausschließen. Eine solche Beziehung zwischen Lieferanten und Kunden wird als „Single Source" bezeichnet. Es ist leicht einzusehen, daß solche „Single Source"-Beziehungen zwischen Kunden und Lieferanten sehr schwer aufzubrechen sind, wenn sie erst einmal erreicht sind.

Diese Erkenntnis veranlaßt manche Unternehmen, sich in der Anwendung des aufgezeigten Systems intensiv zu engagieren, sowohl in bezug auf ein breit angelegtes Trainingsprogramm als auch in Zeit und Kosten. Das Bild der langfristigen qualitätsorientierten Unternehmensführung zielt auf die „Single Source"-Beziehungen zwischen Kunden und Lieferanten. Gefestigt werden diese Beziehungen noch durch die Anerkennung des Lieferanten durch den Kunden als „anerkannten Lieferanten" („certified supplier").

Die beschriebene Strategie bietet dem Unternehmen ferner den Vorteil, dem Kunden SPC zu erläutern, falls dieser nicht selbst schon hinreichend über die Methode unterrichtet ist. Es gibt Unternehmen, die Kunden einladen und SPC erklären und demonstrieren, ja sogar an internen SPC-Schulungen teilnehmen lassen. Eine solche Kooperation führt oft zu „Single Source"-Beziehungen und zur Sicherung von Marktanteilen. Es wurde bereits oben gesagt, daß das Durchbrechen einer solchen Beziehung seitens der Konkurrenz schwierig ist. Ein Preisnachlaß durch die Konkurrenz ist meistens erfolglos. Der Kunde, besonders der mit SPC erfahrene Kunde, ist manchmal sogar bereit, die angebotene Qualität mit einem höheren Preis zu honorieren. Bisher war lediglich von SPC die Rede als Mittel zur Sicherung der Marktanteile. Die Anwendung der „universellen Sequenz" der Qualitätsverbesserungen kann dem Kunden ebenfalls demonstrieren, daß Kosten, verursacht durch mangelnde Qualität, ständig reduziert werden und daß die Qualität ständig verbessert wird. Diese Methode bezieht sich nicht nur auf die Qualität der Produkte, sondern auch auf Dienstleistungen und läßt sich im gesamten Unternehmen anwenden, in der Produktion, Forschung und Entwicklung, Verwaltung, Lagerhaltung, im Einkauf, Verkauf und Marketing. Diese Methode hat sich auch im reinen Dienstleistungsgewerbe bewährt.

2.2 Traditionelle Kostenreduzierung

Die *Automatisierung* wird oftmals zur Kostenreduzierung verwendet und häufig wird dieses Ziel damit auch mehr oder weniger erreicht. Der Nachteil jedoch besteht im hohen Kapitalaufwand, der mit der Automatisierung verbunden ist. Hingegen erreicht man eine Reduzierung der Kosten, verursacht durch mangelnde Qualität, oft mit einem extrem niedrigen Kapitalaufwand oder sogar ohne jeglichen Einsatz von Kapital. An dieser Stelle sei auf die statistische Prozeßführung verwiesen. Gerade bei der Automatisierung ist es wichtig, auf die Variabilität hinzuweisen. Es gibt Fälle, in denen sich die Schwankungsbreite des Prozeßergebnisses nach der Automatisierung als unverändert oder sogar als größer erwies im Vergleich zur Situation vor der Automatisierung. Die Anwendung von SPC zeigt deutlich, ob auch nach der Automatisierung spezielle Ursachen für Schwankungen im Ergebnis vorliegen, die eliminiert werden können. Auch wird durch die Automatisierung manchmal eine Übersteuerung verursacht. Hingewiesen sei hier nur auf die zuweilen beobachteten Sinusschwankungen von Registriergeräten in Kontrollräumen.

Ferner muß daran gedacht werden, daß traditionelle Methoden zur Kostenreduzierung vielfach erschöpft sind und von der Konkurrenz ebenfalls hinreichend genutzt werden.

Die qualitätsorientierte Unternehmensführung zielt nicht darauf, bestimmte Fehler zu korrigieren, sondern Kosten, verursacht durch mangelnde Qualität, zu erkennen, die Ursache hierfür zu finden, diese Ursachen zu eliminieren, und zwar so, daß diese Kosten in der Zukunft vermieden werden. Sie nutzt also einen systematischen Prozeß der Fehlerverhütung. Dies beinhaltet sowohl organisatorische wie technische Maßnahmen. Die angewandte Strategie soll die Werkzeuge zur Verwirklichung dieser Zielsetzung zur Verfügung stellen.

Oftmals hört man das Argument: „Dieses Ziel haben wir schon immer verfolgt." Der Unterschied zwischen Wirklichkeit und Behauptung kann durch ein kleines Experiment erhellt werden:

Der Produktionsleiter eines kleinen Unternehmens war der echten Überzeugung, daß die qualitätsorientierte Unternehmensführung in seinem Zuständigkeitsbereich keine Chance hätte, da alle Möglichkeiten der Qualitätsverbesserung bereits systematisch ausgeschöpft seien. Zustände, die der Verbesserung bedurft hätten, existierten nicht. Die Mitarbeiter in diesem Betrieb wurden zu einem Brainstorming gebeten. Das Ziel war, Chancen zur Verbesserung aufzuzeigen, die möglicherweise doch nötig wären. Das Ergebnis war eine Liste mit 78 (achtundsiebzig) Möglichkeiten zur Verbesserung.

Da nur typgerechte Ware an Kunden ausgeliefert wurde und keine Reklamationen bezüglich Produktqualität auftraten, bestand ferner die Behauptung:

„Unsere Prozesse befinden sich in statistischer Kontrolle." Daher wurde ein zweiter Test in gegenseitigem Einverständnis durchgeführt: eine Regelkarte der Q 1-Ware, also von Material, das unmittelbar nach der Herstellung angefallen war, wurde erstellt. Diese Regelkarte zeigte, daß der Prozeß sich nicht in statistischer Kontrolle befand. Auch die statistische Auswertung *nach* dem Mischen ergab ein ähnliches Bild.

Auch Forschung und Entwicklung dienen häufig dazu, entweder Herstellungskosten zu senken oder Ersatzprodukte mit niedrigeren Herstellungskosten zu entwickeln. Dies wird besonders dann akut, wenn Patente auslaufen und somit der Patentschutz entfällt. Es ist hinreichend bekannt, daß Forschung und Entwicklung sehr kostenintensiv und zeitaufwendig sind.

Manche Firmen wählen heute einen etwas modifizierten Weg, um ihre Patente weitestgehend zu verwerten. Die Zeit des Patentschutzes wird genutzt, um mit Hilfe der qualitätsorientierten Unternehmensführung einen optimierten Herstellungsprozeß zu erreichen, der ein Minimum an Qualitätskosten aufweist und innerhalb statistischer Kontrolle liegt. Ferner wird während der Zeit des Patentschutzes ständig an der Prozeßfähigkeit gearbeitet, um diese stetig zu verbessern. Fällt der Patentschutz für einen solchen Herstellungsprozeß weg, ist es für die Konkurrenz äußerst schwer, den im eigenen Unternehmen vorhandenen Technologiestand zu erreichen. Ist es bis zu dem Zeitpunkt gelungen, den Zustand „certified supplier" zu erreichen und kam es zum „single source", so sind optimale Bedingungen für ein langjähriges Bestehen eines Produktes gegeben.

In manchen Fällen sind alle herkömmlichen Methoden der Kostenreduzierung praktisch erschöpft und ausreichende Gewinnmargen werden trotzdem nicht erreicht. Die Gründe hierfür sind nicht immer beim Management zu finden. Es sei nur auf den internationalen Vergleich der Arbeitskosten hingewiesen. Mit Arbeitskosten von DM 32,67 je Stunde nahm die Bundesrepublik Deutschland 1987 knapp hinter der Schweiz den zweiten Rang im internationalen Kostengefüge ein, wie das Institut der Deutschen Wirtschaft (IW) ermittelte:

Schweiz	33,03	Italien	24,27
Bundesrepublik	32,67	Frankreich	22,41
Norwegen	29,61	Kanada	22,37
Schweden	27,61	Australien	18,91
Niederlande	27,56	Irland	17,70
Dänemark	27,20	Großbritannien	17,68
Belgien	26,26	Spanien	16,66
Japan	25,12	Griechenland	8,18
USA	24,57	Portugal	5,32
Österreich	24,49		

Diese Angaben entsprechen DM je Arbeitsstunde und beziehen sich auf die Gesamtkosten. Beim Direktentgelt für tatsächlich geleistete Arbeit liegt die Bundesrepublik mit DM 17,70 zwar nur im Mittelfeld, jedoch bei Personalzusatzkosten liegt sie mit DM 14,97 an der Spitze, vor allem wegen der Zahlungen für arbeitsfreie Zeiten wie Urlaub, Feiertage etc.

Für die Konkurrenzfähigkeit auf dem internationalen Markt ergeben sich wegen der Lohnstruktur in Westdeutschland sehr oft Schwierigkeiten, und für manche Produkte ist der Standort Bundesrepublik daher sogar ungünstig. Um so mehr gewinnt der Gesichtspunkt der Kostenreduzierung an Bedeutung. Besonders wenn die traditionellen Möglichkeiten mehr oder weniger ausgeschöpft sind, gewinnen zusätzliche Chancen der Kosteneinsparung einen hohen Stellenwert. Eine Analyse der Kosten, verursacht durch mangelnde Qualität, könnte zeigen, ob sich hier eine reelle Chance zu ihrer Reduzierung bietet.

3. Qualitätsorientierte Unternehmensführung als Strategie

3.1 Umfang

Die Ansprüche der Kunden und der Druck der Konkurrenz werden immer stärker, und daher wird für viele Unternehmen in den kommenden Jahren die qualitätsorientierte Unternehmensführung in dieser oder jener Form Realität werden müssen (Einzelheiten in Kapitel 5). In manchen Fällen wird vielleicht der Schwerpunkt auf ständiger Qualitätsverbesserung liegen, in anderen Fällen mag der Schwerpunkt mehr in Richtung der statistischen Prozeßführung liegen. Oftmals geht die Initiative von den Kunden aus, welche mehr oder weniger stark auf die Einführung entsprechender Strategien drängen. Manchmal werden Lieferanten auch zu Veranstaltungen in das Haus der Kunden eingeladen, um diese Unternehmen auf geeignete Strategien aufmerksam zu machen oder um diesen Unternehmen Hilfestellung bei ihrer Einführung zu geben.

Die Firma X hat Erfolge mit der Strategie der statistischen Prozeßführung, und daher wird auch dem Lieferanten der Firma X sehr dringend empfohlen, diese Strategie bei sich einzuführen. Natürlich hat der Lieferant Interesse daran, den Kunden zu halten und den Umsatz zu sichern. Außerdem könnte dieser Lieferant erkennen, daß sich mit dieser Strategie auch andere Marktanteile sichern lassen. Im Endeffekt könnte dieser Lieferant darauf aufmerksam werden, daß die Anwendung im eigenen Hause Kostensparungen und Qualitätsverbesserungen nach sich ziehen könnte. So zieht diese Strategie von Unternehmen zu Unternehmen. Wenn sich dann die ersten Erfolge einstellen, wächst die Begeisterung, und die anfängliche Unsicherheit weicht der Erkenntnis, die richtigen Entscheidungen getroffen zu haben. Andere Gesichtspunkte haben dann kaum eine Chance, entsprechendes Gehör zu finden. Die Überzeugung, die richtige Methode zur Qualitätsverbesserung gefunden zu haben, kann bis zur Engstirnigkeit führen. Man findet sie zuweilen bei entsprechenden „consultants“. Sie vertreten vielfach lediglich eine einzige Strategie, diese dann oft ohne irgendwelche Kompromisse und mit dem Verständnis, daß „ihre“ Strategie alle Aspekte abdeckt und führend auf dem internationalen Markt ist. Dieses sogenannte „Tunneldenken“ sollte vermieden werden. Unternehmen oder Organisationen müssen sich zuerst einen Überblick über die verschiedenen Strategien verschaffen, bevor eine Entscheidung zugunsten einer speziellen Richtung oder einer Kombination verschiedener Strategien gefällt wird.

Oftmals werden Überlegungen angestellt, von welcher Position der Unternehmensstruktur aus die Aktivitäten betreut werden sollen. Da es sich sowohl bei der ständigen Qualitätsverbesserung als auch bei der statistischen Prozeßführung um Aktivitäten der verschiedenen Abteilungen handelt, liegt der Gedanke nahe, die Verantwortung allein den Abteilungen zu überlassen. Andererseits sollten auch der Einkauf, die Forschung, die Verwaltung und andere Dienstleistungsgruppen eingeschaltet werden, um so alle Bereiche des Unternehmens abzudecken, denn früher oder später werden auch die Rohstoffe und die Produktentwicklung mit in diese Strategie einbezogen. Natürlich liegt es nahe, in diesem Falle an eine zentrale Koordinierung zu denken und für das Unternehmen eine einheitliche Strategie, wenn auch nicht in allen Einzelheiten, so jedoch in den Grundzügen anzustreben. Besonders bei großen Unternehmen mit vielleicht mehreren Niederlassungen wird man eine Flexibilität vorsehen müssen, um den spezifischen Bedürfnissen und Gegebenheiten der verschiedenen organisatorischen Einheiten Rechnung zu tragen.

Da die Aktivitäten der ständigen Qualitätsverbesserung oder der statistischen Prozeßführung sich an der Basis oder im Mittelfeld der Organisationsstruktur abspielen, trifft man manchmal auf eine gewisse Ablehnung der Unternehmensleitung, sich mit diesen Themen auseinanderzusetzen. Manchmal wird die Zuständigkeit ganz abgelehnt mit dem Hinweis, dies sei eine Sache der Produktion oder der Qualitätskontrolle. Sicherlich sind diese Abteilungen besonders stark von diesen Strategien betroffen. Das bedeutet jedoch nicht, daß diesen Abteilungen auch die organisatorische Verantwortung für die Strategie zugeteilt wird. In vielen Fällen, in denen die Aktivitäten und die Verantwortung von einzelnen Abteilungen ausgingen, blieben die Aktivitäten auch in den Abteilungen stecken. Die erfolgreichsten Anstrengungen auf diesem Gebiet sind dort zu finden, wo die Unternehmensleitung aktiv die ihr gebührende Rolle übernahm. Es sei an dieser Stelle ausdrücklich darauf hingewiesen, daß ein erfolgreiches Vorgehen nur mit der aktiven Unterstützung der Unternehmensleitung erreicht werden kann.

Ein weiterer Gesichtspunkt, der Beachtung finden sollte, ist, welche anderen Strategien oder Systeme im Unternehmen bereits vorhanden sind und bei der Einführung der qualitätsorientierten Unternehmensführung berücksichtigt werden müssen. Hier ist an erster Stelle an die Qualitätszirkel zu denken (Erläuterungen hierzu siehe Kapitel 4.3). Falls das Unternehmen bereits Qualitätszirkel eingeführt hat oder im Begriff ist, diese einzuführen, können z. B. folgende Fragen auftreten:

- Ist nicht bereits mit der Einführung der Qualitätszirkel der Grundstein für ständige Qualitätsverbesserung gelegt?
- Wird nicht der Stellenwert der Qualitätszirkel durch die Einführung neuer zusätzlicher Methoden drastisch reduziert?
- Wird die Einführung zu vieler Methoden die Mitarbeiter nicht nur verwirren?

An dieser Stelle sei nur bereits darauf hingewiesen, daß Qualitätszirkel einen wichtigen Ansatz darstellen, aber in keiner Weise die qualitätsorientierte Unternehmensführung ersetzen. Im Gegenteil, Qualitätszirkel als auch andere Formen der Mitarbeiterbeteiligung wie z. B. Lernstatt ergänzen diese Strategie, ersetzen sie jedoch nicht.

Weitere Überlegungen können in Verbindung mit anderen bestehenden Abteilungen auftreten:

- Wie verhält sich dieses System mit der Qualitätsplanung, Qualitätskontrolle, Verfahrenstechnik, Forschung?
- Sind mit diesen Abteilungen nicht alle Voraussetzungen für eine optimale Qualität gegeben?
- Fällt nicht das Gebiet der Qualitätsverbesserungen in eine dieser Abteilungen?

Qualitätsplanung	Qualitätssicherung Qualitätskontrolle	Qualitätsverbesserung
Wer sind die Kunden? Was sind die Kundenerwartungen? Erarbeitung von Produkteigenschaften, welche den Kundenerwartungen entsprechen Erarbeitung von Prozessen, welche Produkte mit den erforderlichen Produkteigenschaften liefert Übertragung von der Planung in die Ausführung	Ermittlung der aktuellen Leistung (Produkteigenschaften) Vergleich der aktuellen Leistung mit den vorgegebenen Zielen Aktionen entsprechend den Differenzen	Erstellen der Infrastruktur Identifizierung der Projekte zur Verbesserung Erstellen der Projektteams Bereitstellung von Ressourcen: – Training – Motivation, um: – die Diagnose durchzuführen – die Therapie zu stimulieren – Sorge zu tragen, daß das neue Niveau der Qualität erhalten bleibt Einführung und Anwendung von statistischer Prozeßführung

Bild 1

In den meisten Unternehmen existieren zahlreiche Chancen zur Qualitätsverbesserung, trotz der oben zitierten vorhandenen Abteilungen und Zuständigkeiten. Diese Tatsache allein zeigt, daß dieses vorhandene System nicht in der Lage war, von sich aus Unzulänglichkeiten zu beseitigen. Warum denn sollte von diesem Zeitpunkt an das vorhandene System in der Lage sein, plötzlich diese Unzulänglichkeiten zu meistern?

Ferner sei auf einen weiteren Gedanken hingewiesen. Gesetzt den Fall, bei der Einführung der systematischen Qualitätsverbesserung würde die Verantwortung einer existierenden Abteilung zugeordnet. Die bestehenden Prioritäten würden wahrscheinlich wenig geändert und die Qualitätsverbesserung eine untergeordnete Priorität erhalten. Diese würde sicherlich mit der Zeit weiter absinken, bis hin zu dem Zeitpunkt, als noch keine qualitätsorientierte Unternehmensführung existierte. Mit anderen Worten, diese neue Strategie fällt dem Alltag zum Opfer und es ist lediglich eine Frage der Zeit, bis sie im Sande verläuft.

Die richtige Einordnung dagegen wäre, die Strategie der stetigen Qualitätsverbesserung als *Ergänzung* zu den Aufgaben der bestehenden Abteilungen und Organisationen anzusehen. Wie *im Bild 1* ersichtlich, bestehen die Abteilungen Qualitätsplanung, Qualitätskontrolle und Qualitätsverbesserung nebeneinander und ergänzen sich in ihren Aufgaben.

Ein weiterer Grund für eine Abtrennung zu bestehenden Abteilungen sei an dieser Stelle angeführt. Die Funktionen der Qualitätsplanung sowie der Qualitätskontrolle sind auf einzelne Abteilungen begrenzt. Die Qualitätsverbesserung dagegen kann nur dann erfolgreich praktiziert werden, wenn diese von vielen Abteilungen unterstützt und abteilungsübergreifend angesehen wird. Jede Abteilung und jeder Mitarbeiter hat seinen Platz in dem überbetrieblichen Prozeß der Qualitätsverbesserung. Die Verantwortung kann nicht einfach auf eine andere Abteilung abgeschoben werden. Daher ist es nicht opportun, die Qualitätsverbesserung einer bestehenden Abteilung zuzuordnen.

Im Bild 2 ist das Ziel der qualitätsorientierten Unternehmensführung als Qualitätskettenreaktion dargestellt. Die Erhöhung der Qualität bewirkt eine Reduzierung der Kosten. Fehler werden vermieden, Verzögerungen treten nicht mehr auf, nicht typgerechte Ware braucht nicht umgearbeitet bzw. verschrottet zu werden, die Anlagen erzielen einen höheren Auslastungsgrad und die Rohmaterialien werden effizienter, d. h. unter Erzielung einer höheren Ausbeute eingesetzt.

Reduzierte Kosten ergeben eine verbesserte Produktivität, denn die Effizienz aller Produktionsfaktoren wird gesteigert. Dies bewirkt eine verbesserte Konkurrenzsituation in Verbindung mit erhöhter Qualität, was unter Umständen einen signifikanten Einfluß auf die Sicherung des Marktes oder sogar auf das ganze Geschäft – Produktlinie – haben kann. Kann aber der Marktanteil abgesichert werden, sind gleichzeitig die Arbeitsplätze gesichert. Ist der Vorsprung gegenüber der Konkurrenz groß genug, kann eventuell sogar der Marktanteil vergrößert und somit die Arbeitsplätze vermehrt werden.

Verbesserung der Qualität

↓

Reduzierung der Kosten

Weniger: Fehler, Verzögerungen, Umarbeiten,
verbesserte Nutzung der Anlagen,
Rohmaterialien

↓

Verbesserte Produktivität

↓

Höherer Marktanteil

durch verbesserte Qualität, durch reduzierte Kosten

↓

Sicherung des Marktes/Geschäftes

↓

Sicherung der Arbeitsplätze

↓

Vermehrung der Arbeitsplätze

Bild 2: Qualitäts-Kettenreaktion

Ein interessanter Gedankengang sei hier angedeutet: Falls sich diese Art des Qualitätsdenkens durchsetzt und die Konkurrenten die Qualitätskettenreaktion durchlaufen, könnte man fragen: Was passiert langfristig mit dem Unternehmen, das ein qualitativ hervorragendes Produkt und einen hohen Marktanteil genießt und diese Reaktionen *nicht* durchläuft?

Im Bild 3 sind die traditionelle Unternehmensführung und die qualitätsorientierte Unternehmensführung unter verschiedenen Gesichtspunkten gegenübergestellt:

Zu Punkt 1 im Bild 3: Die Verantwortung für die Qualität obliegt traditionell der Qualitätskontrolle und der Qualitätssicherung. Die Produktion stellt her, die Qualitätskontrolle stellt fest, ob das Hergestellte brauchbar ist. Der Rest wird untergemischt, umgearbeitet oder vernichtet. Bei der stetigen Qualitätsverbesserung ist *jeder* Mitarbeiter, der irgendwie am Prozeß beteiligt ist, für die Qualität mit verantwortlich. Dies bezieht sich nicht nur auf die Produktion selbst, sondern auf alle direkten oder indirekten Tätigkeiten, z. B. die Tätigkeiten in Abteilungsbüro, Werkstatt, Anwendungstechnik, Einkauf, Verkauf,

Lohnbüro, Patentabteilung, Versand, Lager usw. Im traditionellen System wird die Verantwortung oftmals möglichst einer anderen Abteilung zugesprochen, während bei der stetigen Qualitätsverbesserung alle Mitarbeiter Verantwortung auf sich nehmen.

	Traditionelle Unternehmensführung	Qualitätsorientierte Unternehmensführung
1. Verantwortung für Qualität	Qualitätskontrolle Qualitätssicherung	Mitarbeiter, welche am Prozeß beteiligt sind
2. Primäre Qualitätswerkzeuge	Spezifikationen Toleranzen	Universelle Sequenz der Qualitätsverbesserungen; statistische Prozeßführung
3. Effekt auf Produktivität	↑ Qualität ↓ Produktivität	↑ Qualität ↑ Produktivität
4. Datenanalyse	Plan-Ist-Vergleich	Qualitätskosten, Variabilität
5. Beziehungen zwischen Abteilungen	gegeneinander	kooperativ, miteinander
6. Verbesserungsmethode	Motivation	Qualitätskostenanalyse Prozeßanalyse
7. Management-Funktion	Feuer löschen	Stetige Q-Verbesserung Stetige Prozeßverbesserung
8. Ziel	Einhaltung der Kundenanforderungen	Stetige Q-Verbesserung Stetige Prozeßverbesserung
9. Perspektive	kurzfristig	langfristig

Bild 3: Traditionelle und qualitätsorientierte Unternehmensführung

Zu Punkt 2 im Bild 3: Im traditionellen System werden als primäre Qualitätswerkzeuge Spezifikationen und Toleranzen herangezogen. Im Gegensatz dazu dienen die „universelle Sequenz“ und statistische Prozeßführung dazu, die Qualität systematisch und stetig zu verbessern, ja sogar über die Spezifikationen und Toleranzen hinaus. Diese ändern sich vielfach mit der Zeit und werden ständig enger. Daher können die neuen Qualitätshandwerkzeuge wie die universelle Sequenz und die statistische Prozeßführung dazu dienen, sich auf zukünftige, engere Toleranzen vorzubereiten, um zum gegebenen Zeitpunkt den neuen, schärferen Anforderungen des Kunden gerecht zu werden.

Zu Punkt 3 im Bild 3: Im traditionellen System ist die erhöhte Qualitätsanforderung der Kunden meistens mit einer Erniedrigung der Produktivität verbunden, da, um den erhöhten Anforderungen gerecht zu werden, mehr bzw. schärfer inspiziert wird, was mit den engeren Spezifikationen meistens höheren Ausschuß, Umarbeitungsraten, Abfall zur Folge hat. Das Resultat: Die Produktivität fällt mit steigender Qualität. Beim System der stetigen Qualitätsverbesserung hingegen wird bei steigender Qualität die Produktivität erhöht, da der *Prozeß* so geändert wurde, daß ohne Umwege Ware, die den Kundenwünschen entspricht, geliefert werden kann.

Zu Punkt 4 im Bild 3: Im traditionellen System besteht oftmals die Datenanalyse im Begutachten der Geschäftslage durch Vergleich von Plan- gegen Istzustand und den entsprechenden Differenzen. Bei der stetigen Qualitätsverbesserung hingegen werden a) systematisch ständig die Qualitätskosten beobachtet und b) die Prozesse systematisch ständig auf Variabilität (zufällige und systematische) untersucht, um aa) die Qualitätskosten zu reduzieren und bb) die Variabilität zu reduzieren, d. h. die Qualität ständig zu verbessern.

Zu Punkt 5 im Bild 3: Aus dem Obenerwähnten geht eindeutig hervor, daß im traditionellen System die Beziehungen der verschiedenen Abteilungen wie Marketing, Produktion, Qualitätskontrolle zuweilen gegeneinander gerichtet sind, während bei der stetigen Qualitätsverbesserung die Beziehungen auf Kooperation beruhen und sich weg von Konfrontation fortbewegen.

Zu Punkt 6 im Bild 3: Im traditionellen System herrscht Motivation als Verbesserungsmethode vor, während bei der stetigen Qualitätsverbesserung die Qualitätskostenanalyse und Prozeßanalyse als Verbesserungsmethode überwiegen.

Zu Punkt 7 im Bild 3: Die Funktion des Managements im traditionellen System ist vielfach mit „Feuerlöschen" beschäftigt, da Spezifikationen und Toleranzen sich häufig ändern und Prozesse nicht ständig das liefern, was man von ihnen erwartet. Bei der stetigen Qualitätsverbesserung besteht seine Funktion in der Einführung und dem Praktizieren der stetigen Qualitätsverbesserung sowie dem Bereitstellen der erforderlichen Ressourcen wie Personal, Zeit, Training, Organisation, Prioritäten.

Zu Punkt 8 im Bild 3: Das Ziel beim traditionellen System ist die Einhaltung der Kundenanforderungen. Bei der Strategie der stetigen Qualitätsverbesserung ist das Ziel tatsächlich, wie die Bezeichnung schon andeutet, die stetige Qualitätsverbesserung, auch dann, wenn alle Kundenanforderungen erfüllt sind, als Vorbereitung auf die Zukunft und zum Ausbau des Vorsprungs gegenüber der Konkurrenz.

Zu Punkt 9 im Bild 3: Die Strategie der Einhaltung der Kundenanforderungen kann nur als kurzfristige Maßnahme angesehen werden, da diese häufig nur kurzzeitig gelten. Hingegen ist es bei der stetigen Qualitätsverbesserung das Ziel, systematisch die Qualität zu verbessern bei gleichzeitiger Reduzierung der Kosten zum Vorteil des Lieferanten, der Kunden und des eigenen Unternehmens.

3.2 Voraussetzungen

Die erfolgreiche Einführung und das Erhalten bzw. Stärken der qualitätsorientierten Unternehmensführung erfordert viele Einzelaktivitäten, die für sich gesehen vielleicht nicht von großer Bedeutung erscheinen. Sie können aber auf das Ganze einen großen Einfluß haben. Man könnte hier an den Vergleich mit einem Puzzlebild denken. Es gibt viele kleine Einzelteile, aber alle zusammen am richtigen Ort zum richtigen Zeitpunkt ergeben ein komplettes Bild. In manchen Fällen mag ein Unternehmen noch diesen oder jenen Punkt hinzufügen, um den entsprechenden unternehmerischen oder organisatorischen Bedürfnissen gerecht zu werden. Es sollte jedoch keiner der folgenden acht Punkte außer acht gelassen werden, es sei denn, nach entsprechenden Diskussionen und Erörterungen im Unternehmen.

3.2.1 Einführungsplan

Besonders zu Anfang ist es wichtig, einen Plan mit möglichst allen wichtigen Punkten zur Einführung aufzustellen, damit alle Beteiligten, besonders die Mitglieder im Lenkungsausschuß, über das Ausmaß des Vorhabens im Bilde sind. Falls die Einführung ohne einen Plan erfolgt, könnten hier oder dort Überraschungen auftreten, besonders dann, wenn im kleinen Maßstab angefangen wird und nach anfänglichen Erfolgen eine Ausweitung stattfindet. Eine solche Salamitaktik kann in Unbehagen, ja sogar Widerstand enden, wenn im Laufe der Einführung immer mehr Aspekte entdeckt werden.

Das kann so weit führen, daß mit immer mehr heimlichen Überraschungen gerechnet werden muß, was Unbehagen hervorruft. Es ist ehrlicher und erfolgreicher, gleich zu Anfang alle Aspekte auf den Tisch zu legen und diese in einen Plan zusammenzufassen. Anfangs wird es sich sicherlich mehr um einen Einführungsplan handeln, in dessen Verlauf sich dann ein regulärer (Qualitäts-)Plan entwickeln sollte. Hier denke man an eine Parallele: das Finanzwesen. Zuerst wird ein Finanzplan für einen zukünftigen begrenzten Zeitraum aufgestellt. Während dieses Zeitraumes wird in regelmäßigen Abständen der Plan mit dem Ist-Zustand verglichen: Kontrolle der Finanzen. Zusätzlich gibt es darüber hinaus in manchen Firmen offizielle Aktivitäten oder auch Programme zur Verbesserung der Finanzen, z. B. Programme der Kostenreduzierung. Bei der qualitätsorientierten Unternehmensführung sieht es ähnlich aus. Zuerst wird der Plan erstellt, dann regelmäßig mit dem Ist-Zustand verglichen, um Korrekturen vorzunehmen oder Prioritäten neu festzulegen. Hieraus ersieht man gleichzeitig, daß diese Aktivitäten nicht vorübergehender Natur sind, sondern daß es sich hier um eine langfristige Unternehmensstrategie handelt. Dieser Plan wird ferner in wesentlichen

Zügen seinen Niederschlag im Maßsystem finden, welches hilft, die Strategie in die allgemeine Geschäftsordnung zu integrieren.

Zuerst wird ein Lenkungsausschuß sich über die grundsätzlichen Punkte einigen, die für ein Unternehmen im Plan enthalten sein sollten (im Bild 4 Blatt 1). Die Diskussion darüber gibt der Unternehmensleitung (nochmals) die Gelegenheit, sich alle wichtigen Aspekte ins Bewußtsein zu rufen, die mit der Einführung der qualitätsorientierten Unternehmensführung verbunden sind. Jedes Mitglied im Lenkungsausschuß sollte sich über die Konsequenzen der einzelnen Punkte im klaren sein. Auch muß der zeitliche Ablauf des Planes in groben Zügen umrissen sein, damit eine Vorstellung gewonnen werden kann, in welcher Zeit was bewerkstelligt werden soll. Dieser Gesichtspunkt ist beim Training sehr wichtig. Falls der Plan z. B. vorsieht, alle Mitglieder innerhalb

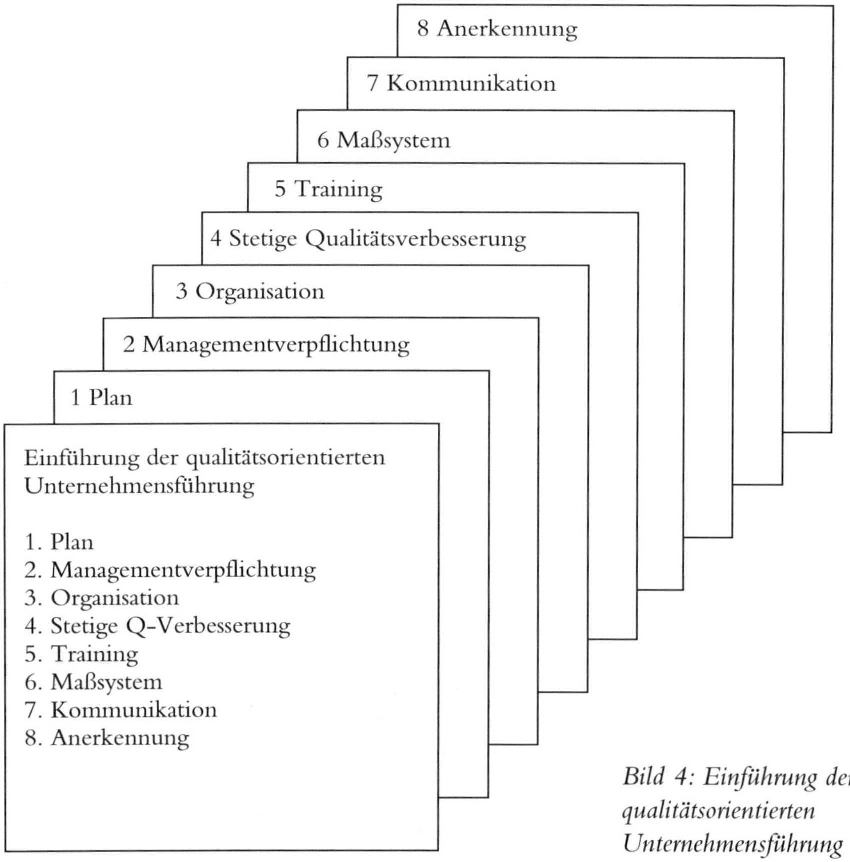

Bild 4: Einführung der qualitätsorientierten Unternehmensführung

eines Jahres an einem Training in statistischer Prozeßführung teilhaben zu lassen und im Unternehmen 2.500 Mitarbeiter beschäftigt sind, bedeutet dies ca. 100 Kurse, was wiederum bedeutet, daß vier Mitarbeiter als Trainer für die Kurse zur Verfügung gestellt werden müssen oder von außen Hilfe in Anspruch genommen werden muß.

Wenn die Hauptpunkte für den Qualitätsplan aufgestellt sind, wird jeder Punkt einzeln definiert und die jeweiligen Ziele werden festgelegt. Es könnte auch ein Netzplan mit allen Punkten und dem zeitlichen Ablauf aufgestellt werden, wie im Bild 5 als Beispiel dargestellt. Dieser Netzplan kann dann als Richtschnur für die Einführung dienen, wobei der aktuelle Stand gegenüber dem Plan eingezeichnet wird. Dieser Plan trägt auch wesentlich zur Kommunikation bei.

Die Tatsache allein, daß ein solch detaillierter Plan von der Unternehmensleitung (Lenkungsausschuß) aufgestellt wird, läßt erkennen, daß es sich hier um Tatsachen, Aktionen und nicht um leere Worte handelt. Daher stellt dieser Plan auch einen Beweis für das Engagement dar.

Woche	1	2	3	4	5	6	7	8	9	10	11	12	13	14	15	16	17	18	19	20
Plan	Planerstellung					Plan 1			Plan 2				Plan 3			Plan 4			Plan 5	
Management-Verpflichtung	Definition			Aktion 1			Aktion 2			Aktion 3				Aktion 4				Aktion 5		
Organisation					Lenkungsausschuß					Q-Direktor-Beauftragte										
Stetige Qualitäts-verbesserung						Auswahl der Methoden							Bereitstellung der Mittel							
Training											Trainingsplan				Ausführung 1					A 2
Maßsystem														Erstellen				Ausprobieren		
Kommunikation	Kommunikationsplan							Aktion 1			Aktion 2			Aktion 3					Aktion 4	
Anerkennung																	Planerstellung			

Bild 5: Netzplan zur Einführung der qualitätsorientierten Unternehmensführung

3.2.2 Managementverpflichtung

Wie bereits im vorherigen Abschnitt angedeutet, ist es unbedingt erforderlich, daß die Unternehmensführung aktiv an der Entwicklung, Einführung und Erhaltung der Qualitätsstrategie und der qualitätsorientierten Unternehmensführung teilnimmt.

Die aufgezeigten Aktivitäten beinhalten einen signifikanten Wandel im Führungsstil des Unternehmens. Auf allen Ebenen wird das Qualitätsbewußtsein einen hohen Stellenwert einnehmen, und die stetige Qualitätsverbesserung wird hohe Priorität erhalten.

Ein so bedeutender Wandel im Führungsstil setzt voraus, daß die Unternehmensleitung ein Beispiel setzt. Dies kann auf verschiedene Weise erfolgen:

- Qualitätsbekenntnis
- Qualitätslenkungsausschuß
- Qualitätsbeauftragte/Qualitätsdirektoren
- Einführungsplan für qualitätsorientierte Unternehmensführung
- Einbindung in die Geschäftspolitik
- Anerkennung der Ergebnisse
- Qualität als Bestandteil aller Entscheidungen
- Überwachung der qualitätsorientierten Unternehmensführung
- Kommunikation mit der gesamten Organisation

Das *Qualitätsbekenntnis* (Beispiel siehe Anhang 1) ist eine Erklärung der Unternehmensleitung, in dem Ziele, Bedeutung und Umfang der „Qualitätsphilosophie“ festgelegt werden. Es ist nicht die Aufgabe dieser Darlegung, den aktuellen Ist-Zustand zu beschreiben, sondern die Ziele, die man im Unternehmen anstrebt. Dieses Positionspapier, möglichst von der Unternehmensleitung unterschrieben, wird extern und intern publiziert.

Mit dieser Erklärung wird den Lieferanten verdeutlicht, welchen Stellenwert Qualität in einem Unternehmen hat und wo dieses Unternehmen seine Prioritäten setzt. Den Mitarbeitern im Unternehmen wird damit die Bedeutung und die Zielrichtung der neuen Strategie demonstriert. Den Kunden schließlich wird gezeigt, welcher Stellenwert der Qualität im Unternehmen zukommt. Die Bedeutung eines solchen Dokumentes kann nicht überbewertet werden.

Die Verpflichtung der Unternehmensleitung ist mit diesem Positionspapier nicht erschöpft. Die Mitarbeiter werden die Bedeutung dieser Strategie nicht an den Worten oder allein an dem Positionspapier messen, sondern an den Taten, welche den Worten in den darauffolgenden Wochen und Monaten folgen. Es ist relativ einfach, eine solche Stellungnahme zu erarbeiten und offiziell zu verabschieden, vor allem wenn dies als einmalige abgeschlossene

Tätigkeit angesehen wird. Es ist wesentlich schwieriger, die Konsequenzen zu praktizieren.

Ein weiterer Beweis der Unternehmensleitung für eine positive Einstellung zum aufgezeigten System wird durch die Einrichtung eines Lenkungsausschusses gegeben. Er ist die höchste Instanz in der Organisation, welche sich mit der Einführung und Erhaltung sowie mit Fragen, Aktivitäten, Normen und Problemen bezüglich der qualitätsorientierten Unternehmensführung auseinandersetzt. Diese Rolle kann *nicht* delegiert werden. Weitere Einzelheiten siehe im nächsten Abschnitt 3.2.3 Organisation.

Die Ernsthaftigkeit, mit der diese Strategie eingeführt wird, kann auch z. B. an der Qualitätsorganisation abgelesen werden. Die neueingeführte Position des Qualitätsbeauftragten ebenso wie die neue Organisation des Qualitätslenkungsausschusses sind klare Zeichen, welchen Stellenwert Qualität in diesem Unternehmen hat.

Der Einführungsplan selbst ist ein Zeichen für die Verpflichtung, welche das Management eines Unternehmens eingegangen ist. Dieser Plan, falls er der Belegschaft umfassend unterbreitet wird, ist ein hervorragendes Mittel, ein Engagement bekannt werden zu lassen.

Gestärkt werden die Bemühungen, wenn z. B. die Aktivitäten der qualitätsorientierten Unternehmensführung mit einer Position im Finanzplan des Unternehmens bedacht werden. Manchmal wurden in der Vergangenheit schon die schönsten Programme in dem Moment zerstört, wenn es um die Bereitstellung von finanziellen Mitteln ging. Sie wirkt bereits mit relativ kleinen Zahlen.

Ein wichtiger Bestandteil der Aufgaben des Managements ist die aktive Teilnahme am Konzept. Besonders die Unternehmensführung hat hier die Möglichkeit, bei besonderen Anlässen oder auch in alltäglichen Dingen auf dieses Konzept hinzuweisen und positive Ergebnisse anzuerkennen. Das Interesse der Unternehmensführung muß sichtbar sein und bleiben. Man stelle sich z. B. vor, was passieren würde, wenn die Unternehmensleitung ihre Rolle an das mittlere Management delegieren würde. Das mittlere Management würde seinerseits sicherlich „seine“ Rolle ebenfalls delegieren. Man kann dieses Gedankenspiel weiterführen und gelangt schließlich bei einer Gruppe von Mitarbeitern an, die ziemlich weit unten in der Unternehmenshierarchie angesiedelt ist. Die Realität in den Unternehmen sieht meistens so aus, daß der Vorarbeiter sich nach dem Meister orientiert, der Meister orientiert sich nach dem Betriebsleiter, dieser richtet sich nach dem Produktionsleiter usw. So wird augenfällig, daß das System der qualitätsorientierten Unternehmensführung durch die Delegation der mit ihm verbundenen Aufgaben nach unten schnell an Wirksamkeit verliert.

Das bedeutendste und wirksamste Signal für ein Unternehmen ist die aktive Teilnahme der Führungsspitze. Man kann es auch anders formulieren: Die beste Art und Weise, die qualitätsorientierte Unternehmensführung erfolgreich einzuführen, ist von oben nach der Basis, d. h. der Anfang wird bei der Unternehmensleitung gemacht.

Die aktive Teilnahme besteht in der Regel in der Mitgliedschaft in einem Lenkungsausschuß. In ihm sind die Führungskräfte der Organisation vertreten. Dies kann sein:

- der Vorstand eines Unternehmens
- die Gesellschafter des Unternehmens
- der Inhaber mit seinem Stab
- allgemein: die oberste Führungsebene.

Wie das Wort „Lenkungsausschuß" schon andeutet, wird von diesem Gremium die Einführung und Erhaltung der qualitätsorientierten Unternehmensführung im wahrsten Sinne des Wortes gelenkt. Dieser Personenkreis legt sowohl den Umfang als auch die Aktivitäten fest. Es ist einzusehen, daß zwar Entscheidungen von diesem Gremium getroffen werden, jedoch muß irgend jemand die Vorarbeit leisten, jemand muß der Motor sein, der die Ideen und Vorschläge unterbreitet und eine Anzahl Vorschläge zur Auswahl anbietet. Hierbei handelt es sich um den Qualitätsdirektor oder um den Qualitätsbeauftragten, wobei sich der Titel sicherlich nach der Unternehmensgröße und der Größe der Qualitätsorganisation richtet. Einzelheiten hierzu siehe im nächsten Abschnitt 3.2.3 Organisation. Die Erwähnung des Qualitätsdirektors/-beauftragten an dieser Stelle ist im Zusammenhang mit Managementverpflichtung zu sehen. Diese Position darf, wie im Kapitel 3.2.3 näher erläutert, jetzt nicht mißbraucht werden, daß Management die gesamte Verantwortung zur Einführung/Erhaltung der qualitätsorientierten Unternehmensführung einfach auf den Qualitätsdirektor delegiert wird.

Das Diskutieren, Verabschieden und Anerkennen des *Einführungsplanes* ist ebenfalls Teil der Aufgabe des Managements und kann bzw. darf nicht delegiert werden. Wie bereits oben erwähnt, entwickelt sich aus dem Einführungsplan ein Qualitätsplan, der regelmäßig ansteht.

Die *Einbindung* dieses Qualitätsplanes in die Geschäftspolitik analog dem Finanzplan ist ebenfalls Teil der Aufgaben des Managements. Hierzu gehört auch die *Anerkennung* der Ergebnisse. Bleibt die Anerkennung über einen längeren Zeitraum aus, dürfte es schwerfallen, die Begeisterung auf hohem Niveau zu halten. Man denke in diesem Zusammenhang z. B. an das betriebliche Vorschlagswesen, das in ähnlicher Weise auf Anerkennung angewiesen ist.

Ein weiterer wichtiger Punkt ist mit *„Qualität als Bestandteil aller Entscheidungen"* zu umschreiben. Dies ist manchmal ein umstrittener Punkt. Theoretisch erhält die Qualitätsphilosophie mit der Einführung der qualitätsorientierten Unternehmensführung hohe Priorität. Kann sie tatsächlich aufrechterhalten werden oder fällt sie dem Alltag zum Opfer? Man stelle sich hier einmal einen

Produktionsbetrieb vor, der unter dem Druck der Verkaufsabteilung steht, da die Umsätze über den Erwartungen liegen und die Produktion im Rückstand ist. Sollte jetzt tatsächlich ein Produktionslos zurückgehalten werden, da womöglich die Qualität nicht ganz den Erwartungen entspricht? Wie hat man in der Vergangenheit in solchen Situationen entschieden? Wird in solchen Fällen die Qualität (wie bisher) als zweit- oder drittrangig betrachtet, so setzt die Führung mit diesem Verhalten ein Signal, welches der offiziellen Version – Qualität ist Nr. 1 – diametral entgegensteht. Häufen sich solche Beispiele, ist es für die Mitarbeiter klar: Es zählen die Taten, nicht die Worte.

Mit der Einführung der qualitätsorientierten Unternehmensführung allein ist es noch nicht getan. Auch wenn es wegen Anfangserfolgen hier und dort zu Begeisterung kommen sollte, stellt sich die Frage immer wieder: Wie lange wird sich dieses Programm halten? Das Wort Programm deutet schon an: ein Anfang und ein Ende. Die qualitätsorientierte Unternehmensführung ist in diesem Sinne kein Programm mit Anfang und Ende, sie ist eher als Prozeß zu verstehen; einmal eingeführt, bleibt der Prozeß, falls richtig geführt, erhalten. Das heißt, der Prozeß muß regelmäßig auf Stärken und Schwächen hin untersucht werden, ebenfalls eine Tätigkeit, welche dem Lenkungsausschuß obliegt und vom Qualitätsdirektor gefördert werden kann.

Es liegt auf der Hand, daß eine gute Kommunikation zwischen Mitarbeitern und Lenkungsausschuß in beiden Richtungen Teil der Aufgaben des Managements darstellt.

3.2.3 Organisation

Im letzten Abschnitt wurde bereits kurz auf den Qualitätsdirektor und seine Funktion hingewiesen. Eine der wichtigen Aufgaben besteht einerseits darin, anstehende Entscheidungen so vorzubereiten, daß der Lenkungsausschuß die zur Entscheidung benötigte Information und den Sachverhalt zur Verfügung gestellt bekommt. Eine weitere wichtige Aufgabe des Qualitätsdirektors besteht darin, die Entscheidungen, Richtlinien und den Qualitätsplan in Zusammenarbeit mit der Organisation (Qualitätsbeauftragten) zu verwirklichen und in die Tat umzusetzen. Hierbei soll der Qualitätsdirektor Katalysator, Vermittler und Trainer sein und sich auf Hilfestellung beschränken. Die Organisation selbst muß die Verantwortung übernehmen, nicht der Direktor. Manchmal wird die Position des Qualitätsdirektors auch Qualitätsbeauftragter genannt. Bei kleineren und mittleren Unternehmen wird es sicherlich nur einen solchen Qualitätsbeauftragten geben, wobei man, je nach Größe, auch an eine nebenamtliche Position denken kann. Der Qualitätsdirektor/Qualitätsbeauftragte untersteht direkt der Geschäftsführung und ist Mitglied im Lenkungsausschuß.

Ein wichtiger Gesichtspunkt bei der Betrachtung der Organisation ist das Ziel, daß keine zusätzliche Organisation zur bereits bestehenden aufgebaut wird, sieht man einmal von der Existenz des Qualitätsdirektors bzw. Qualitätsbeauftragten ab. In bezug auf den Lenkungsausschuß werden die vorhandenen bestehenden hierarchischen Strukturen genutzt, wobei hier sicherlich auch die Idee der Matrixorganisation eine Rolle spielt.

Modell 1: Klein- und Mittelbetriebe

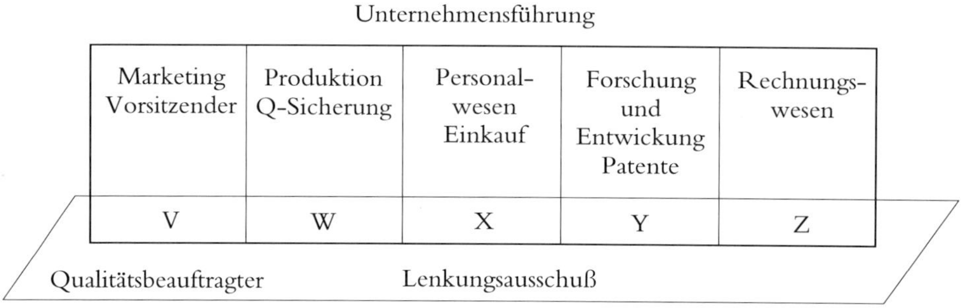

V: Marketing
V1: Marketing Inland
V2: Marketing Ausland
V3: Verkauf Inland
V4: Verkauf Ausland
V5: Kundenberatung

W: Produktion
W1: Vorstufe
W2: Montage
W3: Endstufe
W4: Justieren
W5: Q-Kontrolle
W6: Q-Sicherung

X: Personalwesen
X1: Sozialwesen
X2: Personalwesen
X3: Einst.
X4: Lager
X5: Einkauf

Y: Entwicklung
Y1: Neuentwicklung
Y2: Prozeßverbesserung
Y3: Patentabteilung
Y4: Konstruktion

Z: Rechnungswesen
Z1: Vorkalkulation
Z2: Endkalkulation
Z3: Datenverarbeitung

▢ = nebenamtliche Qualitätsbeauftragte plus Qualitätsbeauftragter = Arbeitskreis Qualität

Bild 6: Organisation der qualitätsorientierten Unternehmensführung

In einem kleinen bzw. mittleren Unternehmen (Modell 1) mit z. B. einer einzigen Produktlinie könnte die Organisation aussehen wie im Bild 6: Die Unternehmensleitung (V, W, X, Y, Z) und der Qualitätsbeauftragte, der V untersteht, bilden den Lenkungsausschuß für dieses Unternehmen. Dieses Gremium bestimmt in vereinfachter Weise die Form der qualitätsorientierten Unternehmensführung. Wie im nächsten Kapitel noch näher erläutert wird, wird sich der Lenkungsausschuß in diesem Modell neben der Strategie, deren Einführung und Erhaltung auch mit eigentlichen Projekten der stetigen Qualitätsverbesserung befassen, welche die abteilungsübergreifende Mitarbeit erfordert. Dies ist besonders bei der Bearbeitung und Analyse von Qualitätskosten der Fall. Die einzige Änderung, die hier gegenüber der bestehenden Hierarchie zu erkennen ist, ist die Funktion des Qualitätsbeauftragten.

Jedes Mitglied dieses Lenkungsausschusses ist selbst Vorsitzender oder Leiter des Qualitätsteams in seinem Zuständigkeitsbereich:

V ist Leiter des Qualitätsteams Marketing,
Mitglieder: V1, V2, V3, V4, V5
W ist Leiter des Qualitätsteams Produktion,
Mitglieder: W1, W2, W3, W4, W5, W6
X ist Leiter des Qualitätsteams Personalwesen, Einkauf,
Mitglieder: X1, X2, X3, X4, X5
Y ist Leiter des Qualitätsteams Forschung, Entwicklung,
Mitglieder: Y1, Y2, Y3, Y4
Z ist Leiter des Qualitätsteams Rechnungswesen,
Mitglieder: Z1, Z2, Z3.

Auch hier macht man von der „Idee des Motors" Gebrauch: Jedes Qualitätsteam verfügt über einen nebenamtlichen Qualitätsbeauftragten. Im Falle des Qualitätsteams Marketing ist es V3, im Falle des Qualitätsteams Rechnungswesen ist es Z3. Die Bürokratie sollte natürlich nicht alle produktiven Aktivitäten ersticken, doch ist es sinnvoll, jemanden zu haben, der den Kontakt zu den anderen Gruppen aufrechterhält, der zu den Treffen einlädt, der die Tagesordnung aufstellt und den Einführungsplan und später den Plan als Richtschnur im Auge behält.

Die Mitglieder in diesen Qualitätsteams ihrerseits sind Leiter ihrer Qualitätsgruppe, was der normalen Arbeitsgruppe entsprechen würde. In der Produktion und in den übrigen Abteilungen, in denen Schichtbetrieb erfolgen kann, werden entsprechende Qualitätsgruppen gebildet.

Dieses Modell soll andeuten, daß die qualitätsorientierte Unternehmensführung sich von oben her fächerförmig durch das gesamte Unternehmen zieht, alle Abteilungen einbezieht und allen Mitarbeitern eine Chance gibt, aktiv teilzunehmen. Für das mittlere und obere Management ist es sicherlich keine Frage, ob die Beteiligung auf freiwilliger Basis erfolgt oder nicht. An der Basis wird es sicherlich vorteilhaft sein, die Mitarbeiter zu Projektteams und Qualitätsteams einzuladen.

Auf der Abteilungsebene wird man ebenfalls einen „Motor" benötigen, der als Katalysator, Trainer, Berater fungiert, hier in diesem Modell vielleicht der nebenamtliche Qualitätsbeauftragte.

Die Organisation, die zusätzlich geschaffen wird und von der bisher nicht die Rede war, ist der *Arbeitskreis Qualität*. Seine Mitglieder sind der (hauptamtliche) Qualitätsbeauftragte (Vorsitzende) und alle nebenamtlichen Qualitätsbeauftragten. Dieses Gremium dient dem Erfahrungsaustausch, der Information, dem Gedankenaustausch. Probleme mit der Einführung und Erhaltung können hier diskutiert und Lösungsmöglichkeiten erörtert werden. Die betrieblichen Ressourcen können durch entsprechende Absprache produktiver genutzt werden.

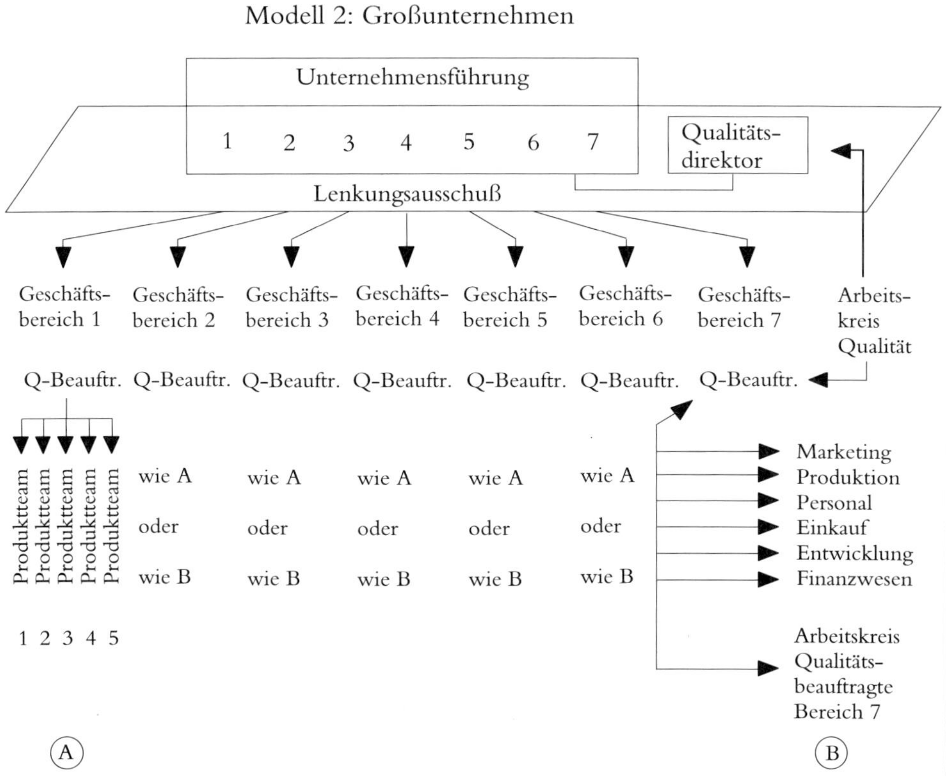

Bild 7: Organisation der qualitätsorientierten Unternehmensführung

Bei größeren Unternehmen mit vielleicht mehreren Produktlinien oder Geschäftsbereichen ist die Organisation entsprechend. Im Bild 7 ist ein Modell wiedergegeben. Im Prinzip entspricht es einem Nebeneinanderreihen von Organisationen, wie es im Bild 6 dargestellt wurde. Die Unternehmensführung und der Qualitätsdirektor stellen die Mitglieder des Lenkungsausschusses dar. Innerhalb eines Geschäftsbereiches existieren manchmal verschiedene Produktlinien, und in manchen Unternehmen hat man sogenannte Produktteams gebildet, die ihrerseits Vertreter der verschiedenen Abteilungen als Mitglieder haben. Ein solches Produktteam eignet sich als Lenkungsausschuß auf der nächsten Ebene innerhalb des Bereiches. Es sei hier nicht das Wort für Produktteams geredet, sondern, falls solche existieren, sollten diese in die

Überlegungen der Organisation für qualitätsorientierte Unternehmensführung mit einbezogen werden.

Vielleicht wird jetzt das Argument kommen, daß hier ein Monstrum erzeugt wird. Eine Organisation, wie sie im Bild 7 dargestellt wurde, wird sicherlich nicht bei der Einführung verwirklicht werden, sondern man fängt vielleicht mit einem Geschäftsbereich und hier möglicherweise mit einem Produktteam an, vorausgesetzt, es existiert Managementverpflichtung. Falls das Konzept erfolgreich ist und eine Ausdehnung erfolgt, wird es sicherlich irgendwann zu einem Zustand wie im Bild 7 kommen. Hier ist also der eigentliche Idealzustand *nach* der Einführung wiedergegeben, der existieren könnte.

3.2.4 Stetige Qualitätsverbesserung

Die Aktivitäten, Gesichtspunkte, Verhaltensweisen und das Praktizieren der stetigen Qualitätsverbesserungen sind eigentlich das Kernstück der qualitätsorientierten Unternehmensführung. Alle übrigen Punkte wie Einführungsplan, Managementverpflichtung, Training, Maßsystem, Kommunikation und Anerkennung sind nur Hilfsfaktoren, welche zwar zum Erfolg der stetigen Qualitätsverbesserung beitragen, aber alleine betrachtet nicht den Anspruch erheben können, bedeutender Bestandteil der qualitätsorientierten Unternehmensführung zu sein.

In die Rubrik der stetigen Qualitätsverbesserungen fallen verschiedene Methoden. Man könnte hier, ohne den Anspruch auf Vollständigkeit zu erheben, z. B. anführen:

1. betriebliches Vorschlagswesen
2. Lernstatt
3. Qualitätszirkel
4. die Methode von Dr. Juran: die universelle Sequenz der Qualitätsverbesserungen
5. die Methode von Dr. Deming: statistische Prozeßführung
6. die Methode von Philip Crosby
7. die Methode von Taguchi
8. die Methode von Shainin

Darüber hinaus gibt es eine Reihe anderer Methoden, welche hier aufgeführt werden könnten, die sich jedoch in der Praxis als entweder unbedeutend oder als eine bereits bekannte, mehr oder weniger abgewandelte Methode erwiesen haben.

Einen wesentlichen positiven Einfluß auf die Konkurrenzfähigkeit eines Unternehmens haben hierbei die „universelle Sequenz" und die „statistische

Prozeßführung" gezeigt, wobei die Methode von Crosby oftmals mitwirkte.

Qualitätszirkel allein betrachtet können ebenfalls zur Verbesserung der Konkurrenzfähigkeit beitragen, jedoch nur in begrenztem Maße. Andererseits sollten Qualitätszirkel nicht unterschätzt werden, da sie zur Demokratisierung am Arbeitsplatz wesentlich beitragen können und der Entfremdung von der Arbeit wirksam entgegenwirken können. Außerdem sollte berücksichtigt werden, daß Qualitätszirkel aus dem Wirken von Deming und Juran hervorgegangen sind. An dieser Stelle sei auf das Buch „Qualitätszirkel – Handbuch für Praktiker" vom selben Autor hingewiesen. Dort wird die geschichtliche Entwicklung in Japan bezüglich Qualität nach dem zweiten Weltkrieg und die Entwicklung speziell der Qualitätszirkel beschrieben.

Es bleibt dem Unternehmen freigestellt, welche dieser Methoden oder welche Kombination dieser oder auch anderer Methoden zur stetigen Qualitätsverbesserung herangezogen werden. Ende der 70er Jahre und noch am Anfang der 80er Jahre neigten die meisten Unternehmen in der westlichen Welt dazu, *eine* Methode anzuwenden. Diese Neigung, einem bestimmten System den Vorzug zu geben, kann solche Ausmaße annehmen, daß man schon beinahe von „Fanatismus" im Qualitätsdenken sprechen könnte. Seit Mitte der 80er Jahre richtet man sich mehr und mehr nach einer Kombination verschiedener Methoden. In der Praxis hat sich die Kombination der universellen Sequenz mit der statistischen Prozeßführung als besonders effizient erwiesen. Diese Tatsache dürfte insofern nicht überraschen, als es 1949 Dr. Deming und 1954 Dr. Juran waren, die den Japanern die Grundlagen der statistischen Prozeßführung und des Qualitätsmanagements vermittelten. Einzelheiten hierzu sind, wie erwähnt, im „Qualitätszirkel – Handbuch für Praktiker" vom selben Autor nachzulesen.

Selbstverständlich wird es für ein Unternehmen auch dann von Vorteil sein, eine einzige Methode zur Qualitätsverbesserung auszuwählen. Dieses Vorgehen hat sogar gewisse Vorteile, da der Umfang der Aktivitäten kleinergehalten und die Gefahr der Verunsicherung durch zu viele neue Begriffe und Techniken geringgehalten wird. Als Nachteil kann hier angeführt werden, daß auf ein gewisses Potential verzichtet wird, das mit der Kombination verschiedener Methoden erreichbar ist. In manchen Fällen ist der Druck vom Markt zur Qualitätsverbesserung so groß, daß ein gleichzeitiges Einführen verschiedener Methoden zum Überleben notwendig und keine ausreichende Zeit vorhanden ist, diese Methoden nacheinander einzuführen.

Ferner sollte berücksichtigt werden, daß für gewisse Situationen bzw. Gegebenheiten manchmal die eine, manchmal die andere Methode das bessere Vorgehen erlaubt, d. h. *eine* ideale Methode, welche allen anderen überlegen ist, scheint es nicht zu geben. Auch sollte man sich vor Augen halten, daß es in jedem Unternehmen unzählige Möglichkeiten zur Verbesserung gibt. Daher gibt es in jedem Unternehmen auch genügend Chancen, um jede Methode für sich als praktikabel und erfolgreich anzusehen.

Ein Fachmann auf dem Gebiet Qualitätsmanagement gab auf die Frage: „Wie sieht die Firma mit den besten Zukunftschancen aus?“ folgende Antwort: „Sie hat Qualitätszirkel, ist motiviert von Crosby und praktiziert Juran und Deming.“

In diesem Werk sind im Kapitel 4 die universelle Sequenz und die statistische Prozeßführung näher erläutert.

3.2.5 Training

Aus dem bisher Geschilderten geht hervor, daß die Einführung der qualitätsorientierten Unternehmensführung einen Wandel in der Unternehmensstrategie bedeutet. Prioritäten werden neu gesetzt und sicherlich bedeutet diese Strategie für manche Mitarbeiter ein gewisses Umdenken. Dem werden sicherlich Widerstände entgegengesetzt, sei es bewußt oder unbewußt. Außerdem braucht dieser Umdenkungsprozeß eine gewisse Zeit, er läßt sich nicht mit einer Anordnung am Schwarzen Brett erledigen. Auch die Methoden, die zur stetigen Qualitätsverbesserung eingesetzt werden, sind vielleicht zum Teil neu. Um alle Mitarbeiter eines Unternehmens mit allen Fakten vertraut zu machen, ist es sicherlich sinnvoll, diese Überlegungen „Wie teile ich was welchen Mitarbeitern mit“ in einem Trainingspaket oder Trainingsplan zusammenzufassen.

Im Bild 8 ist eine Trainingsmatrix dargestellt. Als Modell wurde ein Produktionsunternehmen herangezogen, jedoch kann diese Matrix ebenso für Dienstleistungsunternehmen verwendet werden. Auch läßt sich diese Matrix z. B. für Forschung, Marketing und Einkauf sinnentsprechend anwenden.

Auf der Vertikalen werden die zur Übermittlung anstehenden Punkte bzw. Kategorien eingetragen. In diesem Beispiel wurden folgende Punkte gewählt:

1. Qualitätsorientierte Unternehmensführung als Teil der Unternehmensstrategie
2. Das Prinzip der stetigen Qualitätsverbesserung
3. Die universelle Sequenz der stetigen Qualitätsverbesserung
4. Die statistische Prozeßführung
5. Gruppendynamik und Teamarbeit

Diese Punkte sollen lediglich als Anregung dienen. Jede Organisation muß den für sie richtigen individuellen Plan aufstellen. Manche Firmen haben die Punkte 1, 2, 3 und 5 und andere wiederum 1, 2, 4 und 5 gewählt. Die für das Unternehmen richtigen Punkte werden im Lenkungsausschuß diskutiert und festgelegt. In manchen Unternehmen wird es auch bereits Aktivitäten auf diesen Gebieten geben, so daß es ebenfalls denkbar wäre, diesen Plan als

Empfehlung anzusehen, wobei die Abteilungen/der Geschäftszweig sich ihre Punkte entsprechend ihren Bedürfnissen auswählen. Ferner sollte man daran denken, daß im Laufe der Zeit dieser Plan bzw. diese Matrix erweitert werden kann. Auf der Horizontalen werden die entsprechenden hierarchischen Stufen eingetragen, in diesem Falle die der Produktion.

	Unternehmensführung	Oberes Management	Betriebsführer Assist. Manager	Vorarbeiter Meister	Arbeiter Arbeiterinnen
Qualitätsorientierte Unternehmensführung Bestandteil der Unternehmensstrategie	U	U	A	A	B
Stetige Qualitätsverbesserung	A	A	A	A	V
Universelle Sequenz der stetigen Qualitätsverbesserung	V	V	U	U	A
Statistische Prozeßführung	V	V	U	U	A
Gruppendynamik Teamarbeit	B	V	A	A	A

Trainingsintensität: U = Fähigkeit zum Unterrichten V = Verständnis
A = Fähigkeit zum Anwenden B = Bewußtsein

Bild 8: Trainings-Matrix (lediglich ein Modell)

In die sich ergebenden Quadrate der Matrix werden nun Kennzeichen für die Trainingsintensität eingetragen. Der Grund für diese Überlegung ist folgender: Manche Mitarbeiter benötigen für ihre Position und Tätigkeit lediglich ein Bewußtsein, um das Unternehmensziel zu verwirklichen. Andere Mitarbeiter wiederum benötigen auf diesem Gebiet ein weitaus intensiveres Training, das vielleicht so intensiv sein sollte, daß diese Mitarbeiter diesen Punkt selbst unterrichten könnten (es sei hier besonders darauf hingewiesen, daß diese Personen lediglich das Potential haben. Es soll nicht der Eindruck erweckt werden, als daß diese Personen auch tatsächlich unterrichten sollten.

Dies könnte einen negativen Aspekt bzw. negative Reaktionen hervorrufen, was aber ungewollt wäre). Um diesen unterschiedlichen Bedürfnissen der Trainingsintensität gerecht zu werden, wurden in diesem Beispiel vier Abstufungen angegeben:

Trainingsintensität:
U: Teilnehmer könnten anschließend diesen Punkt unterrichten.
A: Teilnehmer können anschließend diesen Punkt selbständig anwenden.
V: Teilnehmer haben ein tieferes Verständnis für diesen Punkt.
B: Teilnehmer verfügen über ein Bewußtsein über diesen Punkt.

Man sollte die Abstufung nicht zu detailliert vornehmen, da sonst der Trainingsaufwand sehr groß wird. Ferner kann überlegt werden, ob man zwei oder mehr hierarchische Gruppen zusammen trainiert, wobei die Teilnehmerzahl 30 nicht übersteigen sollte, falls an einer praktischen Arbeit oder an ein „Workshop" im Training gedacht wird. Werden zu viele hierarchische Stufen zusammen trainiert, kann es manchmal Hemmungen bei verschiedenen Mitarbeitern geben. Als sehr positiv hat sich eine gemischte Teilnahme herausgestellt. Innerhalb einer Produktlinie waren Mitarbeiter von Einkauf, Entwicklung, Produktion, Ingenieurwesen, Verkauf und Marketing zusammen im Training. Dies ist besonders bei der universellen Sequenz und dort bei der Qualitätskostenanalyse angebracht. Dies sei auch ein Hinweis für kleinere und mittlere Unternehmen mit z. B. nur einer Produktlinie, daß nicht getrennt nach Abteilung trainiert werden sollte. Bei der statistischen Prozeßführung kann es ebenfalls positiv sein, Mitarbeiter verschiedener Abteilungen gemeinsam zu trainieren. Hier ist jedoch Vorsicht geboten. Werden z. B. im Training Regelkarten der statistischen Prozeßführung anhand von Betriebsdaten angelegt und interpretiert und Problemlösungsmethoden angewandt, um den speziellen Prozeß zu verbessern, könnte es für diejenigen, die nicht mit dem Prozeß vertraut sind, langweilig werden. Es wäre sicherlich sehr sinnvoll, die Personalabteilung in diese Überlegungen mit einzubeziehen.

Im Bild 9 sind die Überlegungen der Trainingsintensität in einer Matrix zusammengestellt. Auf der vertikalen Achse sind wieder die zur Übermittlung anstehenden Punkte bzw. Kategorien eingetragen und auf der Horizontalen die vier Niveaus der Trainingsintensität. Auch hier sei wieder darauf hingewiesen, daß dies lediglich ein Beispiel ist und jedes Unternehmen sich ein eigenes Konzept erarbeiten muß. Dieses Beispiel zeigt, daß für das Bewußtsein ein Training von vier Stunden, praktisch ein halber Tag vorgesehen wird. Hingegen ist ein wöchentlicher Kurs vorgesehen, um den Teilnehmern die Fähigkeit zur Anwendung der fünf Einzelpositionen (1. qualitätsorientierte Unternehmensführung, 2. stetige Qualitätsverbesserung, 3. universelle Sequenz, 4. statistische Prozeßführung und 5. Gruppendynamik und Teamarbeit) zu vermitteln.

Trainingsintensität				
	Bewußt-sein B	Verständ-nis V	Fähigkeit zum Anwenden A	Fähigkeit zum Unter-richten U
Qualitätsorientierte Unternehmensführung Bestandteil der Unternehmensstrategie	0,25 Std	0,50 Std	0,75 Std	0,75 Std
Stetige Qualitätsverbesserung	0,25 Std	0,50 Std	0,75 Std	0,75 Std
Universelle Sequenz der stetigen Qualitäts-verbesserung	1,50 Std	2,50 Std	18,0 Std	24,0 Std
Statistische Prozeßkontrolle	1,50 Std	2,50 Std	18,0 Std	24,0 Std
Gruppendynamik Teamarbeit	0,50 Std	1,00 Std	1,50Std	3,00 Std
	4,00 Std	7,00 Std	39,0 Std	52,5 Std

Bild 9: Trainings-Matrix 2 (lediglich ein Modell)

3.2.6 Maßsystem

Wenn Mitarbeiter mit mehrjähriger Betriebszugehörigkeit auf Neuerungen angesprochen werden, begegnet man besonders bei den Mitarbeitern mit 20 und mehr Jahren Betriebszugehörigkeit zuerst oft einem Lächeln, hinter dem sich manchmal ein großes Maß an Skepsis versteckt. Es ist nicht das erste Mal, daß von der Unternehmensleitung ein Programm mit viel Aufwand angekündigt wird. Das hat es in der Vergangenheit oft gegeben. Was dann aus diesen Programmen wird, ist eine andere Sache. Oftmals änderten sich Bedingungen, es hat an dem Durchstehvermögen für ein Programm gefehlt, die Erwartungen waren zu groß, die Zeit war noch nicht reif, und es kann sicherlich noch eine ganze Reihe von Gründen angeführt werden, warum es beim letzten Programm nicht geklappt hat. Warum also soll es denn bei diesem Programm anders sein? Abgesehen davon, daß es sich hier um die Einführung eines

Prozesses zur Verbesserung der Qualität handelt, werden viele Mitarbeiter zunächst einmal keinen Unterschied zu früheren Aktivitäten der Unternehmensleitung sehen. Hier ist es vor allem Aufgabe des Managements, den Beweis zu erbringen, daß das neue Programm eine Kurskorrektur mit bleibendem Ergebnis darstellt.

Eine sehr wertvolle Hilfe dazu ist das *Maßsystem*. Man stelle sich dieses Maßsystem als Richtschnur vor. Das angestrebte Ziel ist festgelegt. Bis dahin jedoch gibt es noch eine Menge zu erledigen. Viele Dinge sind zu berücksichtigen. Es ist ähnlich wie bei der Urlaubsreise. Man hat das Ziel vor Augen, es sind aber viele Kilometer mit dem Wagen zurückzulegen. Viele Kleinigkeiten müssen eingepackt werden, für unterwegs und später. Da ist es ratsam, wenn man eine Checkliste hat, welche man rechtzeitig anlegt und die einem ebenfalls hilft, alle Hürden zu nehmen. Das Maßsystem soll ebenfalls ein Hilfsmittel sein, um erkennen zu können, wo man sich denn bei der Einführung der qualitätsorientierten Unternehmensführung befindet. Ob man sich dem ursprünglichen Plan entsprechend bewegt und ob alle Gesichtspunkte die geforderte Aufmerksamkeit erhalten. Hier sind es wieder das Unternehmen und speziell der Lenkungsausschuß, welche das Ausmaß und den Umfang des Maßsystems festlegen. Es sollen hier nur Anregungen und Hinweise gegeben werden. Die Verantwortung wird ja auch schließlich vom Unternehmen bzw. Lenkungsausschuß selbst getragen.

Die Grundlagen für das Maßsystem sind praktisch schon im Plan zur Einführung der qualitätsorientierten Unternehmensführung festgelegt (siehe Kapitel 3.2.1). Die wichtigsten Bestandteile waren:

Einführungsplan
Managementverpflichtung
Organisation
stetige Qualitätsverbesserung
Training
Maßsystem
Kommunikation und
Anerkennung

Die Aufgabe besteht nun darin, für jeden dieser Punkte ein den Bedürfnissen des Unternehmens entsprechendes Ziel zu definieren. Dies ist eine Aufgabe, die vom Lenkungsausschuß wahrzunehmen ist. Der Qualitätsdirektor oder Qualitätsbeauftragte kann Ideen vortragen, dem Lenkungsausschuß Aktivitäten empfehlen, einen Entwurf ausarbeiten. Die Zustimmung jedoch muß vom Lenkungsausschuß kommen, denn dessen Mitglieder sind es schließlich ja auch, die eine als geeignet erscheinende Methode zur Qualitätsverbesserung benutzen sollen. Begleitet wird dieses Werk vom Aufstellen von Meilensteinen zwischen den Extrempunkten „Nichts“ und „Ziel erreicht“. Eine Skala von

0 bis 10 ist vorstellbar. Im Bild 10 bzw. Bild 10.1 ist ein Beispiel aufgeführt. Es sei wieder darauf hingewiesen, daß dies nur eine Richtschnur darstellt und daß jede Organisation ihr eigenes Konzept erarbeiten muß.

In regelmäßigen Abständen werden die Punktzahlen der einzelnen Spalten addiert, um so die Gesamtpunktzahl zu ermitteln. Dies gibt dann einen Eindruck, wie weit man sich dem Ziel genähert hat. Auch kann dieses Maßsystem ein Instrument der Unternehmensleitung sein, um am Anfang des Geschäftsjahres ein Ziel bezüglich der qualitätsorientierten Unternehmensführung zu setzen. Angenommen, die derzeitige Punktzahl beträgt 320, so könnte z. B. als Ziel für die nächsten 12 Monate eine Verbesserung auf 500 Gesamtpunkte angestrebt werden.

Ein Unternehmen hatte bei dieser Matrix eine weitere Idee. Es sollte vermieden werden, daß auf einem Gebiet sehr weite Fortschritte erzielt und in einer anderen Kategorie keinerlei Aktivitäten verzeichnet würden. Dieses Unternehmen ermittelte die Gesamtpunktzahl nach der Spalte mit den niedrigsten Punkten. Man sieht, daß hier Phantasie durchaus individuelle Aspekte aufkommen läßt.

Ferner erscheint der Vorschlag sinnvoll, dieses Maßsystem von allen Abteilungen oder Geschäftsbereichen anwenden zu lassen, um eine gewisse Konkurrenz zu schaffen. Hier ist allerdings Vorsicht geboten, denn oftmals enden solche Anstrengungen in Aktivitäten, die nur der Schaumschlägerei dienen und in Wirklichkeit der stetigen Qualitätsverbesserung und der qualitätsorientierten Unternehmensführung nur wenig nutzen.

Häufig werden auch bestimmte Kenndaten als Maßsystem für die qualitätsorientierte Unternehmensführung verwendet. Hierbei sollte Wert auf eine einfache Ermittlung gelegt werden. Falls das Ermitteln dieser Kenndaten einen großen Aufwand erfordert, ist die Gefahr gegeben, daß die gesamte Aufmerksamkeit dem Maßsystem gewidmet wird und der Sinn und Zweck verlorengehen. Das Maßsystem soll doch nur ein Indikator dafür sein, ob Fortschritte erzielt werden oder ob eine Stagnation eintritt. Hier einige Beispiele von verwendeten Kenndaten:

- Anteil pünktliche Lieferungen
- Anteil typgerechte Ware (beim ersten Durchgang)
- Anteil Lieferungen ohne Reklamationen
- Anteil der Rechnungen ohne Korrektur
- Anteil der Prozesse mit statistischer Prozeßführung
- Anteil der Prozesse innerhalb statistischer Kontrolle
- Anteil der Prozesse mit akzeptablen Prozeßfähigkeiten (C_{pk}-Werte größer 1)
- Anteil der Prozesse mit guten Prozeßfähigkeiten (C_{pk}-Werte größer 1.33)

- Qualitätskosten als Prozent des Basisjahres, aufgeteilt in:
  externe Qualitätskosten
  interne Qualitätskosten
  Qualitätsbewertungskosten
  Qualitätsverhütungskosten
- Marktanteil in Prozent
- Lagerbestand als Prozent vom Umsatz

	Plan	Management-Verpflichtung	Organisation	Stetige Q-Verbesserung	Training	Maßsystem	Kommunikation	Anerkennung
10								
9								
8								
7								
6								
5								
4								
3								
2								
1								
0								

Bild 10: Maßsystem zur qualitätsorientierten Unternehmensführung

	Plan	Management-Verpflichtung	Organisation	Stetige Q-Verbesserung	Training	Maßsystem	Kommunikation	Anerkennung
10	Q-Plan ist Teil der U-Strategie	Jährliche Revision durch Top-Management	Q-Organisation vollständig	Internationale Orientierung	Plan zur Wiederholung und Vertiefung	Maßsystem ist Teil der U-Strategie	Bestandteil aller offiziellen Kommunikation	Jährliche Revision durch Top-Management
9	Jährliche Erstellung	Maßsystem eingeführt		Nationale Orientierung	100 % der Mitarbeiter trainiert	Einführung ständiges Maßsystem		Korrekturen vorgenommen
8	Einführung beendet	Plan für Anerkennung etabliert	A-Kreis tagt regelmäßig		75 % der Mitarbeiter trainiert	Korrekturen vorgenommen		
7	Korrekturen vorgenommen	Plan für Kommunikation verabschiedet		Erstellen von Prioritäten	50 % der Mitarbeiter trainiert	Regelmäßige Überprüfung Soll-Ist	50 % vom Plan ausgeführt	Überprüfung
6	Regelmäßiger Soll-Ist-Vergleich	Training von Top-Management	Q-Beauftragte bilden A-Kreis		30 % der Mitarbeiter trainiert			
5		Qualitätsorganisation verabschiedet		Auswahl von Methoden	10 % der Mitarbeiter trainiert	Soll-Ist-Vergleich		Einbindung in betriebliches Vorschlagswesen
4	Einführungsplan verabschiedet	Qualitätsorganisation diskutiert		Optionen sind bekannt	Festlegen der Tr.- Matrix	LA verabschiedet Matrix	Plan wird vom LA verabschiedet	Plan wird vom LA verabschiedet
3	Entwurf wird im LA diskutiert	Qualitätsbekenntnis veröffentlicht	Q-Beauftragte ernannt		Vergleich und Auswertung	LA diskutiert Matrix	Plan wird im LA diskutiert	Plan wird im LA diskutiert
2	Einführungsplan wird diskutiert	Notwendigkeit erkannt	LA tagt regelmäßig	Einholen von Informationen	Einholen von Information	Matrix für Einführung aufgestellt		
1	Idee ist vorhanden		LA diskutiert	Idee diskutiert	Training wird diskutiert	Wird diskutiert	Wird diskutiert	Wird diskutiert
0	Existiert nicht	Nicht vorhanden	Keine Q-Organisation vorhanden	Kein formales Konzept	Kein Q-Training vorhanden	Existiert nicht	Existiert nicht	Existiert nicht

Bild 10.1: Maßsystem zur qualitätsorientierten Unternehmensführung

3.2.7 Kommunikation

Wichtige und oft unterschätzte Faktoren bei der qualitätsorientierten Unternehmensführung sind Kommunikation und Information. Deren Bedeutung mag zu Anfang, bei der Einführung, noch einleuchten, ist aber auch danach nicht zu unterschätzen, da Schwierigkeiten und sogar Fehlschläge manchmal auf deren Vernachlässigung zurückzuführen sind.

Die effektivste Art, Informationen zu vermitteln, ist sicherlich die persönliche Information von Person zu Person, sei dies auf Einzelpersonen bezogen oder auf Gruppen. Leider ist diese Form nicht immer praktikabel. Daher müssen noch andere Formen der Kommunikation benutzt werden. Eine der ersten Fragen ist sicherlich, was mitgeteilt werden sollte. Hier hilft bereits der Einführungsplan: Alle Entscheidungen und/oder Aktivitäten bezüglich oder innerhalb der acht Kategorien sollten rechtzeitig allen Mitarbeitern mitgeteilt werden, wobei sicherlich dieser oder jener Personenkreis vor einer schriftlichen Mitteilung eventuell schon mündlich unterrichtet werden sollte. Neben der Kommunikation mittels der Werkszeitung können Mitteilungen am Schwarzen Brett benutzt werden. Auch sonstige Veranstaltungen wie z. B. Betriebsversammlungen, Zielsetzungsgespräche, Mitarbeiterbeurteilungen dienen der Kommunikation. Während der Einführungsphase sollten regelmäßig Artikel in der Werkszeitung über die Tätigkeiten des Lenkungsausschusses und des Arbeitskreises der Qualitätsbeauftragten publiziert werden, jedoch sollte auch über Ergebnisse, sowohl positive als auch negative, berichtet werden.

Die Informationstätigkeit nach der Einführungsphase wird sicherlich an Häufigkeit und Tiefe nachlassen. Dies darf allerdings nicht soweit gehen, daß es dem Konzept schadet. Ein bestimmtes Minimum muß aufrechterhalten werden. Gibt es im Unternehmen aufgrund der Größe nur einen Qualitätsbeauftragten, wird es auch keinen Arbeitskreis Qualitätsbeauftragter geben. Dies aber ist ein Forum, wo Erfahrungen ausgetauscht, Anregungen erworben und Probleme diskutiert werden. Hier könnte man sich mit Kollegen anderer Firmen zusammenschließen und einen Arbeitskreis bilden. Ein solches Vorgehen sollte aber auf jeden Fall mit der Unternehmensleitung abgesprochen werden, um Überraschungen vorzubeugen. Auf dem Gebiet der Kommunikation wird die Personalabteilung Hilfestellung geben können.

3.2.8 Anerkennung

Auch wenn die qualitätsorientierte Unternehmensführung deutlich als Unternehmensziel oder Unternehmensstrategie erklärt wird, spielt die Anerkennung der positiven Ergebnisse eine nicht zu unterschätzende Rolle. Die Anerkennung kann formal oder völlig informell erfolgen. Auch kann sie sich auf Einzelpersonen oder auf Gruppen beziehen. Die Bedeutung kann man sich am besten vergegenwärtigen, wenn man sich die Folgen vorstellt, die sich aus einem Mangel an Anerkennung ergeben. Die Vorgesetzten geben Beispiele und setzen durch ihre Aktionen Signale. Falls nun ein Vorgesetzter oder ein Mitglied der Unternehmensleitung keinerlei Anerkennung für die Arbeit an der qualitätsorientierten Unternehmensführung zeigt, so wird hiermit den Mitarbeitern dokumentiert, daß für diese Person die qualitätsorientierte Unternehmensführung keinen hohen Stellenwert besitzt. Die Folge wird sein, daß bei allen Mitarbeitern des Unternehmens das Bewußtsein, wie wichtig Fragen der Qualität sind, verlorengeht.

Auch *wie* die Anerkennung ausgesprochen oder bekannt wird, setzt ein Signal. Ein Unternehmen hatte die Einrichtung, einmal pro Jahr alle Mitarbeiter in Gruppen bis zu 40 Personen zu einem Abendessen einzuladen und bei dieser Gelegenheit bedeutende Vorgänge mitzuteilen. Bei dieser Veranstaltungsreihe wurde bekanntgegeben, daß ein Team ein wichtiges Qualitätsproblem nach einer Bearbeitungszeit von sieben Monaten erfolgreich gelöst hatte und als Belohnung an einer Qualitätskonferenz teilnehmen durfte.

Manche Firmen messen der Form der Anerkennung sehr große Bedeutung bei. So hat die Firma Philipps z. B. ein weltweites Konzept mit verschiedenen Niveaus der Anerkennung.

Auch hier, bei dem weiten Gebiet der Anerkennung, wird die Personalabteilung hilfreich mit Rat und Tat zur Seite stehen.

3.3 Qualitätsmanagement nach ISO 9000

Zur Erlangung eines erhöhten Vertrauens in die Qualitätsfähigkeit eines Lieferanten werden im internationalen Handel zunehmend Nachweise über für den Abnehmer besonders wichtige Qualitätssicherungselemente verlangt. Zahlreiche Industriebereiche haben in der Bundesrepublik Deutschland Erfahrung mit solchen Qualitätssicherungsnachweisführungen. Die Lieferanten militärischen Materials werden mit den Forderungen der Allied Quality Assurance Publications konfrontiert. Kernkrafthersteller müssen die Bedingungen der technischen Regel KTA 1401 erfüllen. Luft- und Raumfahrtfirmen müssen mit QSF A, B oder C umgehen. Im Energiebereich werden die Kanadischen CSA-Normen weltweit angewandt. In den Ländern des Commonwealth dominierten bisher die Britischen Normen BS 4891 und BS 5750.

Der international geltende Status der Normen ISO 9000 bis ISO 9004 und die weltweit geäußerte Erwartung, daß diese Normen die nationalen Normen ablösen werden und sogar z. B. auch den militärischen AQAAP-Normen gleichgestellt werden dürften, war das stärkste Argument für ihre Verbreitung auch in der Bundesrepublik Deutschland. Die Befürchtungen juristischer Art und die Bedenken einer unflexiblen, unsachgemäßen und bürokratischen Anwendung konnten weitgehend zerstreut werden. Damit traten die positiven Seiten einer solchen Normung mehr in den Vordergrund: So werden aus eigenem wirtschaftlichen Firmeninteresse heraus die Verbesserungsmöglichkeiten für das eigene Qualitätssicherungssystem gesehen. Weiterhin bieten die Normen DIN ISO 9001 bis DIN ISO 9003 nicht unerhebliche Rationalisierungsmöglichkeiten überall da, wo gegenüber den unterschiedlichen Abnehmern – Auftraggebern – Kunden eine Qualitätssicherungs-Nachweisführung notwendig ist.

Parallel zum Erscheinen der Internationalen Normen wurden die Normen DIN ISO 9000 bis DIN ISO 9004 (Ausgaben Mai 1987) mit den folgenden Titeln veröffentlicht:

DIN ISO 9000	Leitfaden zur Auswahl und Anwendung der Normen zu Qualitätsmanagement, Elementen eines Qualitätssicherungssystems und zu Qualitätssicherungs-Nachweisstufen
DIN ISO 9001	Qualitätssicherungssysteme; Qualitätssicherungs-Nachweisstufe für Entwicklung und Konstruktion, Produktion, Montage und Kundendienst
DIN ISO 9002	Qualitätssicherungssysteme; Qualitätssicherungs-Nachweisstufe für Produktion und Montage
DIN ISO 9003	Qualitätssicherungssysteme; Qualitätssicherungs-Nachweisstufe für Endprüfungen
DIN ISO 9004	Qualitätsmanagement und Elemente eines Qualitätssicherungssystems; Leitfaden.

DIN ISO 9000 enthält die Unterscheidungen und wechselseitigen Beziehungen zwischen den fünf Grundbegriffen der Qualitätssicherung, besonders jedoch die Anleitungen für die Auswahl und Benutzung der Qualitätssicherungs-Nachweisstufen gemäß DIN ISO 9001 bis DIN ISO 9003 sowie die Hinweise zu einem Qualitätssicherungssystem in DIN ISO 9004. Aus eigenem Interesse, sowohl in nichtvertraglichen als auch in vertraglichen Situationen, bedarf das Unternehmen der Einrichtung und Unterhaltung eines Qualitätssicherungs-Systemes, das seine eigene Wettbewerbsfähigkeit stärkt und in kostengünstiger Weise zur Erfüllung der Qualitätsforderungen an die Produkte führt. In der vertraglichen Situation ist der Auftraggeber an gewissen Qualitätssicherungs-Elementen des Lieferanten interessiert, welche die Eignung des Lieferers und damit verbundene Risiken beeinflussen, konsequent das Produkt entsprechend der Qualitätsforderung herzustellen. Daher verlangt der Auftraggeber im Vertrag, daß gewisse Qualitätssicherungs-Elemente Bestandteil des Qualitätssicherungs-Systems des Lieferanten sind.

DIN ISO 9001 ist anwendbar,
- wenn speziell eine Entwicklungsleistung verlangt wird und die für das Produkt vorgegebenen Forderungen hauptsächlich in Form von Leistungsangaben festgelegt sind, also noch der Konkretisierung bedürfen;
- wenn das Vertrauen in die Produktqualität durch einen angemessenen Nachweis der Eignung des Lieferanten für Entwicklung und Konstruktion, Produktion, Montage und Kundendienst gefördert werden kann.

DIN ISO 9002 ist anwendbar,
- wenn die Qualitätsforderung an das Produkt in Form eines festliegenden Entwurfs oder einer festliegenden Spezifikation vorgegeben ist;
- wenn das Vertrauen in die Produktqualität durch einen angemessenen Nachweis der Eignung des Lieferanten für Produktion und Montage gefördert werden kann.

DIN ISO 9003 ist anwendbar,
- wenn die Erfüllung der vorgegebenen Forderungen durch die Produkte mit angemessener Verläßlichkeit durch Endprüfung gezeigt und die Eignung des Lieferanten durch diese an den gelieferten Produkten durchgeführten Qualitätsprüfungen insgesamt zufriedenstellend nachgewiesen werden kann.

Die Norm DIN ISO 9004 ist ein umfangreicher Leitfaden, den ein Unternehmen in beliebiger Weise beim Aufbau seines Qualitätssicherungssystems zu Rate ziehen kann. Es sind all jene Gesichtspunkte enthalten, die für das jeweilige Qualitätssicherungselement von Bedeutung sein können:

- Managementaufgaben
- Grundsätze zum Qualitätssicherungssystem (QS-System)
- Internes Qualitätsaudit des QS-Systems
- Wirtschaftlichkeitsbetrachtungen – Überlegungen zu Qualitätskosten
- QS-Element Vertrieb
- QS-Element Entwicklung
- QS-Element Beschaffung
- QS-Element Produktionsvorbereitung
- QS-Element Produktion
- Überwachung und Rückverfolgbarkeit von Material
- Prüfzustand
- QS-Element Qualitätsnachweise
- QS-Element Prüfmittelüberwachung
- QS-Element Behandlung fehlerhafter Einheiten
- QS-Element Korrekturmaßnahmen
- QS-Elemente Umgang mit Produkten („handling“) und Aufgaben nach der Produktrealisierung
- Kundendienst

- QS-Element Qualitätsaufzeichnungen
- Qualitätsaufzeichnungen/Qualitätsberichte
- QS-Element Mitarbeiter
- Produktsicherheit und Produkthaftung
- QS-Element Statistische Verfahren

Im Ausland, z. B. in der Schweiz, Frankreich und in Großbritannien, gibt es schon seit einiger Zeit Gesellschaften, die Zertifikate über Qualitätssicherungssysteme von Firmen ausstellen, wenn diese Systeme genormten QS-Nachweisstufen genügen. Das Zertifikat gibt einerseits dem speziellen Abnehmer von Produkten der zertifizierten Firma die Möglichkeit, der Qualitätsfähigkeit des Lieferanten zu vertrauen und auf ein eigenes Qualitätsaudit zu verzichten, also auf eine eigene Beurteilung der Wirksamkeit des Qualitätssicherungssystems.

Im Jahre 1985 wurde zur Erfüllung solcher Abnehmererwartungen und des Wunsches zahlreicher Unternehmen, ein für interne Zwecke eingerichtetes Qualitätssicherungssystem einer Prüfung durch eine unabhängige, national und international anerkannte Stelle unterziehen zu lassen, die Deutsche Gesellschaft zur Zertifizierung von Qualitätssicherungssystemen mbH (DQS) gegründet.

Diese Gesellschaft bietet ähnliche Dienstleistungen an, wie sie auch in anderen wichtigen Industrieländern vorhanden und in steigendem Umfang genutzt werden. Die DQS hat ihren Sitz in Berlin und unterhält zwei Geschäftsstellen, eine in Berlin beim DIN (Burggrafenstraße 6, 1000 Berlin 30) und eine in Frankfurt (Kurhessenstraße 95, 6000 Frankfurt 50) bei der Deutschen Gesellschaft für Qualität. Gesellschafter der DQS sind die Deutsche Gesellschaft für Qualität e. V., das DIN Deutsches Institut für Normung e. V., der Verband Deutscher Maschinen- und Anlagenbau e. V. (VDMA) und der Zentralverband der Elektrotechnischen Industrie e. V. (ZVEI). Ein weiterer Wirtschaftsverband soll in Kürze Mitgesellschafter werden. Mit den im VdTÜV zusammengefaßten Technischen Überwachungvereinen ist eine Zusammenarbeit im Hinblick auf eine einheitliche Zertifizierung von Qualitätssicherungssystemen und auf die zugehörige einheitliche Durchführung von Audits vereinbart worden.

Damit die in unterschiedlichen Ländern ausgegebenen Zertifikate über Qualitätssicherungssysteme von Unternehmen nicht zu Handelshemmnissen im Import und Export führen, bringt die DQS die Anerkennung ihrer Zertifikate in anderen Ländern im Sinne einer Gegenseitigkeit ein.

Ein Zertifikat über ein Qualitätssicherungssystem ist zu unterscheiden von einem Produktzertifikat. Ersteres zielt darauf ab, den potentiellen Abnehmern von Produkten die allgemeine Qualitätsfähigkeit des zertifizierten Unternehmens aufzuzeigen, das Produkte bzw. Dienstleistungen anbietet. Das Produktzertifikat soll hingegen die Qualifikation des Produktes belegen, also die nachgewiesene Erfüllung der betreffenden Qualitätsforderung durch das Produkt. Bei einer Reihe von ausländischen Produktzertifizierern wird allerdings als Voraussetzung für die Erlangung eines Produktzertifikats der vorherige Erwerb eines Zertifikats über das Qualitätssicherungssystem des Produktherstellers verlangt.

Die neuen Normen DIN ISO 9000 bis DIN ISO 9004 werden sich international und national durchsetzen; sie werden als Grundnormen Beachtung finden. Wegen ihrer Branchenunabhängigkeit, wegen des ständig wachsenden Qualitätsbewußtseins und des daraus folgenden Wunsches nach erhöhtem Vertrauen in die Qualitätsfähigkeit von Firmen und damit in die gute Qualität von Produkten werden sie gemeinsam mit den Begriffsnormen einen Ordnungsfaktor für viele Bereiche des Wirtschaftslebens darstellen. Ihre Beachtung, z. B. im europäischen Rahmen, wird beim Abbau von Handelshemmnissen hilfreich sein. Qualitätssicherungssysteme sind nicht nur Hilfsmittel zur Förderung der Qualität von Produkten. Sie sollten auch, trotz ihrer nur mittelbaren Wirkung und ihrer Unzugänglichkeit für Kostenrechnungen, als Hilfsmittel zur Verbesserung der Wirtschaftlichkeit verstanden und eingeführt werden.

Die Frage erhebt sich hier, ob es sinnvoll ist, entweder Qualitätsmanagement nach DIN ISO 9000 bis DIN ISO 9004 zu praktizieren, oder ob man sich an die qualitätsorientierte Unternehmensführung halten soll? Die Antwort auf diese Frage kann weder in die eine noch in die andere Richtung weisen. Man darf hier nur ein Zusammenspiel beider Gesichtspunkte als effektiv betrachten. Man denke an den Fall, daß eine Organisation ein für die Art des Unternehmens höchstmögliche Form der qualitätsorientierten Unternehmensführung besitzt. Wie kann ein solches Unternehmen den vielleicht vielen Kunden den tatsächlichen Zustand beschreiben? Hier ist die DIN ISO 9001 bis DIN ISO 9003 ein hervorragendes ergänzendes Werkzeug. Andererseits bedarf die DIN ISO 9000 bis DIN ISO 9004 der Hilfestellung: Unter „Wirtschaftlichkeitsbetrachtungen – Überlegungen zu Qualitätskosten" heißt es im Punkt 6.2:

> Es ist bereits allgemeine Praxis, „Qualitätskosten" nachzuweisen und zu bewerten. Sowohl Kosten von Tätigkeiten, welche auf das Erreichen einer angemessenen Qualität zielen, als auch Kosten, die durch eine unzureichende Qualitätslenkung verursacht sind, sollten nachgewiesen werden.

Diese „Qualitätskosten" können gerade bei der stetigen Qualitätsverbesserung und hier bei der „universellen Sequenz" einen idealen Einstieg für Qualitätsverbesserungen darstellen. Die qualitätsorientierte Unternehmensführung ergänzt hier die DIN-ISO-Norm, indem sie nicht nur empfiehlt, die „Qualitätskosten" zusammenzustellen, sondern diese als Basis und Maßsystem für das System der stetigen Qualitätsverbesserungen zu betrachten. Ferner heißt es unter Punkt 15.5 in der DIN ISO 9004:

> Bei der Analyse eines Qualitätsproblems sollte die wesentliche Ursache festgestellt werden, bevor vorbeugende Maßnahmen geplant werden. Oft ist die wesentliche Ursache nicht bekannt, weshalb eine sorgfältige Analyse der Spezifikationen des materiellen oder immateriellen Produktes sowie aller zugehörigen Prozesse, Arbeitsabwicklungen, Qualitätsaufzeichnungen, Kundendienstberichte und Abnehmer-Reklamationen erforderlich ist.

Dem oberen Absatz kann nur voll und ganz zugestimmt werden. Nur ist die Praxis manchmal nicht ganz so einfach wie dort dargestellt. Um die Ursache oder Ursachen eines Qualitätsproblems festzustellen, benötigt man manchmal ein spezielles Team, das zuerst die Diagnose für dieses Problem erstellt. Diese Diagnose kann u. U. recht langwierig sein und ein systematisches Vorgehen, kombiniert mit der Anwendung verschiedener Problemlösungsmethoden, voraussetzen. Die „universelle Sequenz“ für Qualitätsverbesserungen ist wiederum ein hervorragendes Instrument, ein solches Qualitätsproblem zu lösen und langfristig zu korrigieren.

Unter „QS-Element-Produktionsvorbeitung“ unter Punkt 10 heißt es:

> Die Benutzung von Qualitätsregelkarten und statistischen Stichprobenverfahren und -plänen sind Beispiele für Techniken, die zur Erleichterung der Überwachung der Realisierung und der zugehörigen Prozesse angewendet werden.

Bekanntlich haben Qualitätsregelkarten mehrere Gründe für ihre Anwendung. Einerseits dienen sie dazu, ständig den Prozeß zu verbessern, ja sogar über die Kundenanforderungen hinaus und andererseits dienen sie dazu, den Prozeß in statistische Kontrolle zu bringen, was dem Kunden die Gewähr gibt, ein Produkt mit konstanter Qualität zu erhalten. Die Regelkarten selbst sind ein Beweis für solche Bestrebungen und für die Ergebnisse. Statistische Prozeßführung ist ein wichtiger Bestandteil der qualitätsorientierten Unternehmensführung und somit wieder ergänzend zu der DIN-ISO-Norm.

Ein letztes Beispiel, wie sich diese Norm in die qualitätsorientierte Unternehmensführung einfügt, sei an Hand des Punktes „18.1.3 Mitarbeiter in der Technik“ aufgezeigt:

> Den Mitarbeitern in der Technik sollte Schulung vermittelt werden, um ihren Beitrag zum Erfolg des QS-Systems zu steigern. Schulung sollte nicht auf die vorwiegend mit QS-Aufgaben betrauten Mitarbeiter beschränkt werden, sondern Stellen wie Vertrieb, Beschaffung, Verfahrens- und Produktentwicklung einschließen. Besondere Aufmerksamkeit sollte der Schulung in statistischen Verfahren geschenkt werden, beispielsweise in ihrer Anwendung auf Untersuchungen zur Qualitätsfähigkeit eines Prozesses, auf Stichprobennahme, auf Datenerfassung und -analyse, auf die Identifizierung und Analyse von Problemen sowie auf Korrekturmaßnahmen.

Statistische Methoden und Problemidentifizierung sowie Problemlösung (= universelle Sequenz) sind die wesentlichen Bestandteile des Kapitels 4: stetige Qualitätsverbesserung.

Diese Beispiele verdeutlichen, daß es sich hier nicht um Konkurrenzideen oder um die Duplizität von Ideen, sondern um verschiedene Aspekte handelt, die sich gegenseitig ergänzen. Es liegt an den einzelnen Unternehmen und Organisationen, wo der oder die Schwerpunkte gelegt werden.

4. Stetige Qualitätsverbesserung

Die Gründe dafür, daß ein Unternehmen oder eine Organisation stetige Qualitätsverbesserungen praktizieren sollte, ist in den vorherigen Kapiteln ausführlich dargelegt worden. In diesem Kapitel sollen zwei Methoden der stetigen Qualitätsverbesserung näher vorgestellt werden. Die erste Methode beruht zu einem wesentlichen Teil auf den Veröffentlichungen von Dr. Joseph M. Juran und des Juran-Institutes und wird hier als die „universelle Sequenz von Verbesserungen" bezeichnet. Die zweite Methode ist die sogenannte „Statistische Prozeßführung", wobei die im Zusammenhang mit dieser Methode benutzten Regelkarten auf den Erfinder Dr. Walter A. Shewhart zurückzuführen sind.

Wie schon vorher erwähnt wurde, neigen viele Unternehmen entweder zu der einen oder zu der anderen Methode. Erst in den letzten Jahren hat sich langsam ein Trend entwickelt, der die Vorteile beider Methoden gleichzeitig nutzt. Die Erfahrungen zeigen, daß die Kombination der Methoden ein wesentlich höheres Verbesserungspotential zeigt, als eine dieser Methoden allein. Sollte ein Unternehmen oder eine Organisation sich allerdings für eine einzige Methode entscheiden, so gelten trotzdem die übrigen Kapitel. In den Kapiteln 7 und 8 sind nähere Angaben über Literatur und Quellenhinweise aufgeführt.

4.1 Die universelle Sequenz von Verbesserungen

Die universelle Sequenz von Verbesserungen beinhaltet die folgenden Ziele:

1. das wachsende Bewußtsein dafür, daß der moderne Wettbewerb jährliche Verbesserungen der Qualität und Reduzierung der qualitätsbezogenen Kosten erfordert, und zwar in wesentlich stärkerem Maße als bisher;
2. das wachsende Bewußtsein, das Wissen, wie derartige Verbesserungen zu erreichen sind, allen Mitgliedern der Unternehmensführung auf breiter Basis zu vermitteln und nicht nur den Mitgliedern der Qualitätssicherung;
3. die Erkenntnis, daß Aufgeschlossenheit für Qualitätsfragen durch innerbetriebliche Aktivität erreicht wird;
4. ein vorrangiges Ziel besteht darin, das Management dafür zu interessieren, Qualitätsverbesserungen, die in bestimmten, festgelegten Zeiträumen erreicht wurden, bewußt wahrzunehmen, Bemühungen, qualitätsbezogene Kosten zu reduzieren, aufrechtzuerhalten und schließlich bereits Erreichtes zu bewahren;
5. die universelle Sequenz ist in der Tat universell anwendbar, d. h. sie läßt sich sowohl bei der Lösung von Qualitätsproblemen bei Produkten anwenden

als auch bei anderen Problemen, sei es bei der Reduzierung von Reparaturkosten, Reduzierung von Lagerbeständen oder z. B. Einhalten von Lieferzeiten. Dabei liegt das Hauptgewicht auf der Lösung von Problemen, nicht auf Schuldzuweisungen.

Wenn hier in Verbindung mit der universellen Sequenz von Problemen gesprochen wird, so sollte der Begriff „Problem" nicht negativ interpretiert werden. Es passiert leider sehr häufig, daß man bei der Diskussion eines Problemes nach einem „Schwarzen Peter" sucht. Im Kapitel 6.2 „Widerstand gegen den Wandel" wird nochmals auf diese Situation eingegangen. Hier sei darauf hingewiesen, daß man auch von Chancen zur Verbesserung sprechen kann und somit versucht, einen positiven Aspekt im Vordergrund zu halten.

Bei der Diskussion von Problemen muß noch auf einen wichtigen Sachverhalt hingewiesen werden. Es gibt mindestens zwei verschiedene Arten von Problemen:

a. sporadische Probleme und
b. chronische Probleme.

Der Unterschied soll am Beispiel 1 erläutert werden: In einem chemischen Betrieb wurde mittels eines diskontinuierlichen Verfahrens ein Zwischenprodukt hergestellt. Die Ausbeuten eines laufenden Monats waren die folgenden (Angaben in % der Theorie):

68; 66; 69; 67; 71; 68; 70; 67; 68; 65; 67;
66; 69; 68; 70; 69; 67; 68; 66; 69; 58;

Man erkennt, daß der Prozeß gewissen Schwankungen unterworfen ist und daß der letzte Ansatz eine besonders niedrige Ausbeute aufweist. In solchen Fällen werden natürlich alle Beteiligten angesprochen, was die Ursache für den Ausbeuteverlust sein könnte und was zu tun ist, um diesen Verlust in Zukunft zu vermeiden. Wenn nach wenigen Ansätzen oder bereits beim nächsten Ansatz die bisherige Durchschnittsausbeute annähernd erreicht wird, beruhigen sich die Gemüter schon wieder. Diesen Zustand oder Vorgang bezeichnen wir als Feuerlöschen oder Brandbekämpfung. Wir haben es mit einem typischen *sporadischen* Vorfall zu tun. Natürlich ist es eine Verbesserung, wenn die Ausbeute von 58 % der Theorie wieder auf den durchschnittlichen Wert von 67,9 % der Theorie ansteigt. In unserem Falle lag aber auch noch ein *chronisches* Problem vor. Die durchschnittliche Ausbeute war, über einen Zeitraum von mehreren Jahren, langsam aber stetig abgefallen. Die Ursachen hierfür waren, auch nach vielen Überlegungen und der Einschaltung der Forschung, unbekannt geblieben. Man fand einen Weg, mit diesem chronischen Problem zu leben: Die Kalkulation wurde von Zeit zu Zeit korrigiert und alle Mitarbeiter im System waren zufrieden oder wußten keine bessere Lösung.

Ein Projektteam bearbeitete das Verfahren. Mit Hilfe der universellen Sequenz in Kombination mit der statistischen Prozeßführung konnte die durchschnittliche Ausbeute auf 86 % der Theorie erhöht werden (in den vorhergehenden Jahren war die höchste Ausbeute 83 % der Theorie gewesen). Dies ergab eine Einsparung von ungefähr DM 260.000,– pro Jahr.

Die universelle Sequenz richtet sich speziell auf solche chronischen Zustände oder chronischen Probleme. Ein zweiters Beispiel: Das Problem in einem anderen Produktionsunternehmen waren Kundenreklamationen. Ihre Anzahl schwankte zwischen 70 und 150 pro Jahr. Die zuständige Marketingabteilung fand heraus, daß die damit verbundenen Kosten unter 1 % des Umsatzes lagen und somit durchaus zu vernachlässigen waren. Eine nähere Betrachtung ergab, daß alle beteiligten Abteilungen wie Versand, Produktion, Forschung und Marketing durchaus an einer Reduzierung der Reklamationen interessiert waren und daß die wirklichen Kosten, verursacht durch mangelnde Qualität, wesentlich höher waren, da nur die Regreßansprüche addiert waren. Niemand aber wußte, wie man die Dinge in den Griff bekommen könnte und somit existierte dieses chronische Problem über einen langen Zeitraum.

Manchmal haben die Mitarbeiter der beteiligten Abteilungen sich so sehr an die chronischen Zustände gewöhnt, daß diese gar nicht mehr als Probleme angesehen werden. Hier ist es sehr empfehlenswert, wenn ein Team sich der Aufgabe widmet, sich chronischer Probleme bewußt zu werden. Ein Beispiel für ein solches Team ist das Qualitätsteam, das aus Mitarbeitern verschiedener Abteilungen zusammengesetzt ist. Hierzu siehe Kapitel 3.2.3. Zusätzlich könnte man sich auch noch folgende Punkte merken:

> Chronische Probleme (Chancen) sind:
> wiederkehrende Ereignisse, die meßbar sind und einen negativen Effekt auf ein System ausüben.

Die Einzelschritte der universellen Sequenz werden in den folgenden Abschnitten näher erläutert:

4.1.1 Bedarfsnachweis
4.1.2 Projektidentifizierung
4.1.3 Organisation zur Projektlenkung
4.1.4 Organisation für die Diagnose
4.1.5 Diagnose – Wissensdurchbruch
4.1.6 Therapie
4.1.7 Widerstand gegen den Wandel
4.1.8 Erhaltung des neu erreichten Niveaus

4.1.1 Bedarfsnachweis

Beim Bedarfsnachweis geht es darum, festzustellen, ob eine Organisation die stetige Qualitätsverbesserung überhaupt braucht. Für eine Produktlinie oder einen Geschäftszweig ist es angebracht, diese Überlegungen an höchster Stelle anzustellen. Im Kapitel 3.2.3 wurden die verschiedenen Formen wie z. B. Lenkungsausschuß oder Qualitätsteam eingehend erörtert. Natürlich ist es ebenso angebracht, diese Frage auf anderen Ebenen der Organisation zu stellen. So ist der Bedarfsnachweis ebenso auf Abteilungsebene, Betriebsebene oder Schichtebene zu stellen. Wichtig hierbei ist, daß das obere Management beteiligt ist. Man kann entsprechende Aktivitäten nicht allein den unteren Ebenen überlassen.

Alle Probleme oder Chancen sind unter verschiedenen Aspekten zu sehen. Es gibt zwei Dialekte: „die Sprache des Geldes“ und „die Sprache der Dinge“. Besonders in der oberen Hälfte der hierarchischen Pyramide ist es angebracht, die Sprache des Geldes zu verwenden. Das Beispiel der Ausbeute des Zwischenproduktes zeigt den Unterschied: Auf Betriebsebene wird meistens mehr „die Sprache der Dinge“ gesprochen. Unter diesem Aspekt wäre die Überlegung gewesen: „Ausbeuteverminderung über mehrere Jahre um insgesamt 15 % der Theorie“. Setzt man diese Fakten um die „Sprache des Geldes“, so lautet die Überlegung: „Ausbeuteverminderung über mehrere Jahre in der Höhe von jährlich DM 217.000,–“. Diese Betrachtungsweise hat sicherlich etliche Vorteile. Es wird sofort sichtbar, ob es sich lohnt, einige Arbeitsstunden einzusetzen, um zu erfahren, welcher Einsatz notwendig ist, um diese Summe zurückzugewinnen. Außerdem kann die „Sprache des Geldes“ leicht zeigen, welche Projekte zuerst bearbeitet werden müssen. Hierzu Näheres im nächsten Abschnitt 4.1.2 Projektidentifizierung.

Verschiedene Problemkreise eignen sich besonders für Überlegungen zum Bedarfsnachweis, wobei diese nicht alle gleichzeitig in jeder Organisation auftreten:

4.1.1.1 Kosten, verursacht durch mangelnde Qualität
4.1.1.2 Reklamation (externer sowie interner Kunden)
4.1.1.3 „Brainstorming“
4.1.1.4 Statistische Betrachtung der Prozesse

4.1.1.1 Kosten, verursacht durch mangelnde Qualität

Diese Kostenkategorie bildet für viele Unternehmen den Ansatzpunkt für stetige Qualitätsverbesserungen. In den wenigsten Fällen ist diese Kostenart systematisch über einen längeren Zeitraum verfolgt und systematisch reduziert worden. Für das herstellende Gewerbe können diese Kosten bis zu 20 oder

25 % des Umsatzes ausmachen, bei den Dienstleistungen hat man Beträge bis 50 % gesehen.

Diese Kosten werden normalerweise unterteilt in:

a. Verhütungskosten
b. Prüfkosten
c. Interne Fehlerkosten
d. Externe Fehlerkosten

a. Verhütungskosten oder Aufwand für vorbeugende Maßnahmen

Generell gesehen sind dies Kosten, die aufgewendet werden müssen, um die Fehler- und Prüfkosten so gering wie möglich zu halten. Zu dieser Kategorie zählen z. B. Qualitätsplanungskosten, die bei der Erstellung der Qualitätspläne und Qualitätshandbücher nach DIN ISO 9001 bis 9003 entstehen. Auch die Kosten für das Training auf dem Gebiet „Qualität" zählen hierzu, dazu Ausgaben für Prozeßregelung, für Leistungen zur Sicherstellung der richtigen Produktionsweise, Erhebung, Zusammenstellung und Analyse von Qualitätsdaten, Erstellung von Qualitätsberichten sowie Verbesserungsaktivitäten.

b. Prüfkosten

Diese Kosten entstehen, um die Qualität der Produkte unmittelbar nach der Herstellung zu ermitteln. Sie ergeben sich beispielsweise in Form von Prüfkosten der Rohmaterialien, sei es bei dem Lieferanten oder als Eingangskontrolle. Ferner zählen dazu alle Prüfkosten, die während des Herstellungsprozesses anfallen, unabhängig ob diese Kosten der Qualitätssicherung, der Produktion oder dem Kundendienst zugerechnet werden. Kosten zur Erhaltung und Unterhaltung von Prüfanlagen und Instrumenten zählen ebenso hierzu wie Material und Dienstleistungen zur Durchführung der Prüfungen.

c. Interne Fehlerkosten

Diese Kosten würden eingespart, wenn zwischen der Herstellung und dem Versand keine Fehler entstehen würden. Sie entstehen im einzelnen durch:

- Schrott/Abfall: Kosten für Arbeit und Rohmaterial, die zu tragen sind, wenn Produkt/Güter anfallen, die nicht mehr ökonomisch aufgearbeitet werden können und daher verworfen werden müssen;
- Nachbearbeitung: Kosten verursacht durch Untermischen, Nacharbeiten, übermäßige Lagerhaltung bis zur Verarbeitung oder Umarbeitung;
- Prüfungswiederholungskosten: Oftmals wird ein akzeptables oder erwartetes Prüfergebnis sehr willkommen entgegengenommen, hingegen ein unerwartetes Ergebnis abgelehnt. Dann wird eine zusätzliche Probe gezo-

gen und geprüft. Zusätzlich fallen Prüfkosten an, wenn untergemischt wird. Hier wird zuerst in kleinem Maßstab getestet, in welchem Maße die gute Ware mit der schlechten Ware gemischt werden muß, um ein akzeptables Ergebnis zu erzielen. Währenddessen lagern gute und schlechte Ware, statt dem Kunden geschickt zu werden;
- Maschinenausfallzeiten: verlorene Produktionszeit, verursacht durch Probleme. Beispiel: Stillstand der Druckpresse durch Papierbruch. Ansatzverzögerung durch Klumpen im Vorprodukt. Diese Kosten werden in den meisten Betrieben ignoriert, können aber erhebliche Kosten verursachen;
- Ausbeuteverluste: Aktuelle Ausbeuten liegen oftmals (erheblich) unter der technisch erreichbaren Ausbeute. Dazu zählt z. B. auch „Überfüllen von Gebinden" durch ungenaue Abfüllmaschinen.

d. Externe Fehlerkosten

Diese Kosten entstehen, wenn fehlerhafte Güter den Kunden erreichen und der Kunde die Ware nicht akzeptiert.

- Reklamationskosten: Kosten zur Untersuchung der Reklamation, ob diese gerechtfertigt oder nicht gerechtfertigt war, einschließlich Reise- und Prüfungskosten.
- Retouren: Kosten, verursacht durch zurückgeschickte Ware: Transportkosten, Bearbeitungskosten, zusätzliche Prüfkosten.
- Preisnachlässe: auf Grund von Beanstandungen oder Reklamationen.

Diese Kosten, verursacht durch mangelnde Qualität, werden nach den obigen Kategorien z. B. für ein Jahr zusammengestellt. Dabei geht es nicht um genaue Beträge, sondern es reichen annähernde Schätzwerte aus. Die Summen dienen lediglich als Basis für eine Managemententscheidung: Lohnt es sich, diesen Kosten nachzugehen? Es sei ausdrücklich vor einer übertriebenen Genauigkeit gewarnt. Es kann zu Diskussionen über die Genauigkeit der Beträge kommen und von der eigentlichen Themenstellung ablenken. In dem folgenden Beispiel 3 sind die bekannten Schätzwerte der Kosten, verursacht durch mangelnde Qualität eines Unternehmens, zusammengestellt.

a. Verhütungskosten	unbekannt			
b. Prüfkosten	ca.	1	Million	DM
c. Interne Fehlerkosten	ca.	12,6	Millionen	DM
d. Externe Fehlerkosten	ca.	1,4	Millionen	DM
Qualitätskosten:	ca	15	Millionen	DM

Oftmals werden diese Summen in Relation zum Umsatz gestellt und als Prozent vom Umsatz angegeben. Dadurch werden die Summen relativiert und erscheinen in manchen Fällen klein. Dies sollte allerdings nicht den Blick für die absoluten Beträge trüben. Man könnte die Frage stellen, welcher Umsatz einen Gewinn ergibt, der der Höhe dieser Qualitätskosten entspricht. Ferner sollte man bedenken, welche Investitionen einen Rücklauf in der Höhe der Verluste durch mangelnde Qualität erbringt. Von der Qualität her gesehen erhebt sich auch die Frage, ob das Unternehmen es sich leisten kann, die Verluste durch schlechte Qualität zu tragen. Im Beispiel 3 waren ca. 50 Beschäftigte in der Qualitätssicherung damit beauftragt, die gesamte Produktion (100 %) auf Fehler zu prüfen. Eine solche umfassende Inspektion deutet oftmals auf Qualitätsprobleme hin, insofern als die Güte der Prozeßführung zur Vermeidung übermäßiger Qualitätsschwankungen nicht ausreicht.

Das Beispiel 4 stammt aus einem kleineren Unternehmen, das kleine Formteile herstellte. Bedingt durch die Inspektionspraxis waren die externen Fehlerkosten sehr gering. Im angeführten Unternehmen wurden lediglich die internen Qualitätskosten oder Fehlerkosten zusammengestellt: Die Summe betrug DM 1,768 Millionen für einen Produktionszeitraum von drei Monaten, oder umgerechnet DM 7 Millionen pro Jahr. Auch diese Summe zeigt, daß es sich lohnt, einige Arbeitsstunden darauf zu verwenden, um zu analysieren, ob mit Hilfe der qualitätsorientierten Unternehmensführung sich ein Teil dieser Kosten einsparen läßt. Auch dieses Beispiel wird in den nächsten Kapiteln weiter verfolgt.

	Verhüten, Vorbeugen	Prüfkosten	Interne Fehlerkosten	Externe Fehlerkosten	Summe
Mitarbeiter					
Betrieb					
Produktlinie					
Geschäftsbereich					
Niederlassung					
Unternehmen					

Bild 11: Qualitätskosten

Generell ließen sich Kosten, verursacht durch mangelnde Qualität, sowohl für einzelne Personen, Betriebe, Produktlinien, Geschäftsbereiche, Niederlassungen oder das ganze Unternehmen zusammenstellen, aufgeschlüsselt nach Kosten für das Vorbeugen, Prüfkosten, interne und externe Fehlerkosten. Ein entsprechendes Formblatt ist im Bild 11 wiedergegeben.

4.1.1.2 Reklamationen

Es wird wohl wenige Unternehmen sowohl in der Industrie als auch im Dienstleistungsgewerbe geben, die überhaupt keine Reklamationen bekommen. Oftmals sind bestimmte Vorschriften vorhanden, wie Reklamationen gehandhabt werden. Neben der rein technischen Abwickung, die sicherlich überall professionell ausgeführt wird, sei hier die Reklamation als möglicher Bedarfsnachweis für die qualitätsorientierte Unternehmensführung betrachtet. Es können für ein Unternehmen, einen Geschäftsbereich oder eine Produktlinie die Reklamationen für einen bestimmten Zeitraum, z. B. ein Jahr, zusammengestellt und die Kosten dafür abgeschätzt werden. Die Analyse in Form eines Paretodiagrammes (Einzelheiten siehe im nächsten Kapitel) läßt Möglichkeiten zur Verbesserung erkennen. Prinzipiell sollte im Sinne der qualitätsorientierten Unternehmensführung die Anzahl der Reklamationen systematisch reduziert werden. Dazu wird folgendes Vorgehen vorgeschlagen:

Handhabung von Reklamationen

1. Prüfung der Reklamation
2. Zufriedenstellung des Kunden
   Ersatz der Ware
   Preisnachlaß
   „Wiederherstellung der guten Beziehungen"
3. Verhüten von Reklamationen in der Zukunft
   Identifizierung der wenigen wichtigen Reklamationen (Pareto-Prinzip)
4. Durchführung der Diagnose, um die Ursachen zu ermitteln (Wissensdurchbruch)
5. Erarbeitung und Durchführung der Therapie (basierend auf dem Wissensdurchbruch)
6. Kontrolle, ob das neue Niveau gehalten wird.

Es sei hier wiederum darauf hingewiesen, daß in manchen Fällen auch eine Weiterverarbeitung hergestellter Erzeugnisse im eigenen Unternehmen erfolgt, so daß hier die Reklamationen der internen Kunden als Bedarfsnachweis angesehen werden könnte. Es ist im übrigen bedauerlich, daß schlechte Qualität aus dem eigenen Unternehmen zuweilen als unabänderlich angesehen wird. Häufig ist es einfacher, mit externen Lieferanten über Qualitätsverbesserungen zu diskutieren als mit Lieferanten im eigenen Hause. Andererseits kommt es vor, daß einem internen Lieferanten die Nachteile seines

Produktes bei der Weiterverarbeitung im Hause gar nicht bekannt sind. In diesem Falle wäre es denkbar, eine Umfrage zu halten.

In dem bereits unter 4.1 erwähnten Beispiel 2 für ein chronisches Problem wurden die Reklamationen einer Produktlinie zusammengestellt, und zwar nach der Häufigkeit und Art der Reklamationen:

Reklamationsursache	Häufigkeit absolut	Häufigkeit absolut kumuliert
AA	24	24
BB	9	33
CC	8	41
DD	8	49
EE	6	55
FF	5	60
GG	4	64
HH	3	67
II	3	70
JJ	3	73
KK	2	75
LL	2	77
MM	1	78
NN	1	79
OO	1	80
PP	1	81
QQ	1	82
RR	1	83
SS	1	84
TT	1	85

Tabelle 1

Wie aus der Tabelle zu entnehmen ist, traten in dem betrachteten Jahr insgesamt 20 verschiedene Reklamationsarten auf, bei einer Gesamtzahl von 85 Reklamationen. Auch hier könnte man versuchen, das Problem in „die Sprache des Geldes“ zu übersetzen. Dies dürfte aber nicht ganz einfach sein. Auch könnte es hier zu unfruchtbaren Diskussionen kommen, welche Kostenarten in welcher Höhe hier zuzurechnen sind. Ein anderer wesentlicher Punkt, der meistens unberücksichtigt bleibt, ist die zahlenmäßige Erfassung des Umsatzausfalls, der dadurch entsteht, daß ein unzufriedener Kunde sich einen anderen Lieferanten sucht. Diesem Sachverhalt entsprechende „Kosten“ sind praktisch unbekannt und sehr schwierig abzuschätzen. Hinzu kommt, daß nicht alle Kundenunzufriedenheiten ihren Niederschlag in einer Reklamation finden. Es könnte daher sein, daß die bekannten Reklamationen nur die sichtbare Spitze eines Eisberges sind. Um die wirkliche Situation am Markt zu ergründen, wäre es sicherlich richtig, eine Kundenbefragung vorzunehmen, wobei man daran denken könnte, dies von einer unparteiischen Organisation vornehmen zu lassen. Bei einer solchen Marktstudie sollte dann nicht nur die absolute Beurteilung der Produkte oder/und der Dienstleistungen vorgenommen werden, sondern ebenfalls eine relative Betrachtung, die ausweist, wie unser Produkt oder die Dienstleistung gegenüber der Konkurrenz bewertet wird.

Das weitere Eingehen auf dieses Beispiel 2 erfolgt im nächsten Kapitel 4.1.2 (Projektidentifikation).

4.1.1.3 Brainstorming

Auf verschiedenen Ebenen kann das „Brainstorming" dazu dienen, das Ideenpotential einer Gruppe systematisch zu nutzen, um Chancen zur Verbesserung der Qualität zu finden oder als Bedarfsnachweis für die qualitätsorientierte Unternehmensführung zu nutzen. Dies ist vorstellbar auf einer Produktionsschicht unter der Leitung des Schichtführers, im Abteilungsbüro, auf der Ebene des Betriebes unter der Leitung des Betriebsführers, im Produktteam, in der Geschäftsleitersitzung, im Lenkungsausschuß, kurz überall, wo eine Gruppe von Menschen zusammenkommt. Hierbei sollte von vornherein darauf aufmerksam gemacht werden, daß es dabei nicht darum geht, einen „Schuldigen" zu suchen. Statt von *Problemen* wird von *Chancen* gesprochen.

Wird ein solches Brainstorming das erste Mal durchgeführt, sollte es nicht verwundern, wenn am Ende eine Liste mit bis zu 40 oder 50 Punkten vorliegt. Hier werden natürlich Prioritäten gesetzt werden müssen, was im nächsten Kapitel „Projektidentifizierung" näher erläutert wird. Die Technik Brainstorming wird im Kapitel 4.1.9 im Detail erläutert. Im folgenden Beispiel 5 sind die Probleme, die einer Marketinggruppe durch Brainstorming bewußt wurden in Tabelle 2 zusammengestellt.

Es sei nochmals darauf hingewiesen, daß diese Übung *nicht* dazu dient, möglichst einen Schwarzen Peter zu finden, sondern die Frage lautet: Welches sind die Chancen, die es sich lohnt, weiter zu verfolgen, um das Unternehmen erfolgreicher zu machen als bisher? Auch geht es in diesem ersten Schritt darum, möglichst viele Chancen zu ermitteln, unabhängig von der Bedeutung und Wichtigkeit für das Unternehmen. Die Auswahl und qualitative Betrachtung geschieht dann im nächsten Schritt Projektidentifizierung. Dieses Beispiel 5 wird in den folgenden Kapiteln weiter behandelt.

Nr.	Problem
1	Mangelhafte Produkte
2	Entscheidungen werden zu hoch in der Organisation gefällt
3	Mangelhafte Datenbasis (Endverbr.) für Marktforschung
4	Unzureichendes Testen vor Einführung neuer Produkte
5	Unvermögen, Kundenbedarf durch rechtzeitige Einführung neuer Produkte zu befriedigen
6	Mangel an Zusammenarbeit zwischen verschiedenen Disziplinen
7	Unvollständige Produktpalette der XYZ-Produktlinie
8	Unrealistische Zielsetzungen im Marketing, trotz Marktverlusten, Markttendenzen, Produktqualität
9	Zugesagte Lieferung nicht termingerecht verschickt
10	Keine Reaktion auf Kundenberichte
11	Kein Lieferdatum bei ausstehenden Aufträgen
12	Kunden werden keine Alternativen angeboten, wenn Produkt vergriffen
13	Rechtzeitige Information an Kunden bez. Lieferfähigkeit
14	Einführungszeit neuer Produkte
15	Ausbildungsstand, Informationsstand der Händler
16	Unvermögen, Kundenbedarf zu befriedigen
17	Entscheidungen werden in letzter Minute gefällt
18	Keine oder falsche Informationen an Verkaufsrepräsentanten
19	Kosten vermeidbarer Expreßlieferungen
20	Häufigkeit von stornierten Aufträgen
21	Arbeitsanfall zu groß im Vergleich zur Anzahl der Mitarbeiter
22	Kein Detailplan zur Einführung neuer Produkte
23	Produktbeschädigung während Versand
24	Keine Kontaktmöglichkeit zu Personen mit Entscheidungsbefugnissen in der Zentrale
25	Produkte befriedigen nicht Kundenbedürfnisse
26	Kundenberichte werden für falsche Ziele mißbraucht
27	Lieferungen zu spät
28	Unbekannte Zuständigkeiten
29	Proben werden nicht zurückgeschickt
30	Unrealistische Vorstellungen von Verkäufern
31	Gutschriften dauern zu lange

Tabelle 2

4.1.1.4 Statistische Betrachtung der Prozesse

Die Unternehmen, welche eine Zertifizierung nach DIN ISO 9001 bis DIN ISO 9003 anstreben, begegnen zu Anfang einer Vielzahl von Möglichkeiten, sich mit „Statistischer Prozeßführung" zu befassen. Die Notwendigkeit oder die Überzeugung, „statistische Prozeßführung" einzuführen, kann als Bedarfsnachweis aufgefaßt werden. Es muß sinnvollerweise eine Auswahl getroffen werden, mit welchen Prozessen bzw. mit welchen Produkten bei der Einführung der „statistischen Prozeßführung" begonnen wird.

Bei der Auswahl kann eine weitere statistische Methode behilflich sein, besonders, wenn für die Anwendung der Methode verwertbare Daten bereits elektronisch gespeichert werden. Hier sei an den Variationskoeffizienten erinnert. Je höher dieser Koeffizient, desto höher sind die Aussichten auf eine Verbesserung. In einem chemischen Betrieb wurde diese Methode angewandt, um die Prioritäten bei der Bearbeitung von drei Produkten festzulegen. Hierzu wurde der Variationskoeffizient für jedes Jahr für jedes Produkt ermittelt.

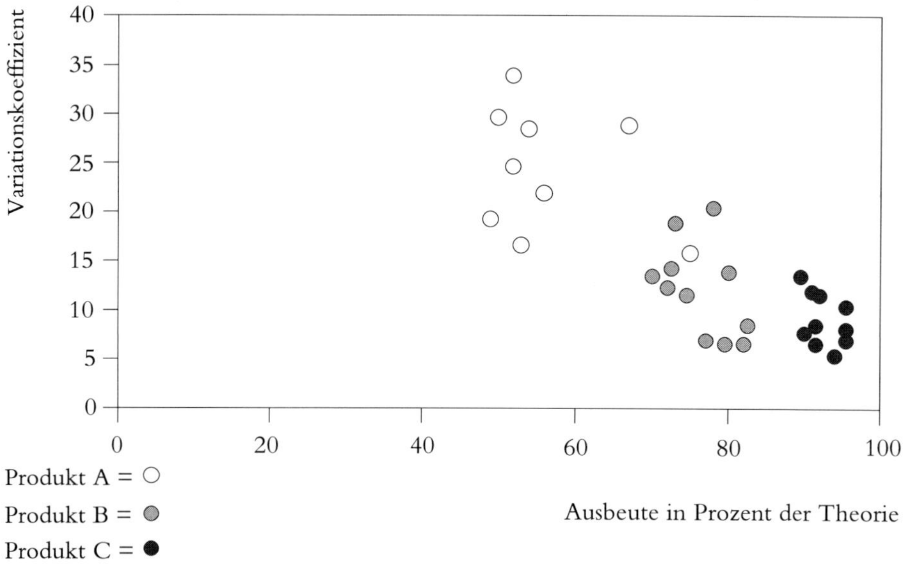

Bild 12: Statistische Auswertung von Ausbeuten (Variationskoeffizient gegen % -Theorie)

Im Bild 12 sind die Variationskoeffizienten mit den entsprechenden Ausbeuten graphisch aufgetragen. (Anmerkung: Der Variationskoeffizient ist die Standardabweichung eines quantifizierbaren Qualitätsmerkmals, geteilt durch den Mittelwert, multipliziert mit 100.) Wie aus dem Bild ersichtlich, hat

Produkt C die höchsten Ausbeuten und die niedrigsten Variationskoeffizienten. Die Lage und Streuung der Punkte scheint keine Abhängigkeit zu zeigen, was durch eine Regressionsanalyse zu bestätigen wäre.

Produkt B hingegen hat einen etwas höheren durchschnittlichen Variationskoeffizienten, und es scheint, als ob mit höheren Ausbeuten der Variationskoeffizient sinkt. Falls dieser Zusammenhang zutrifft, könnte man andererseits behaupten, daß eine Reduzierung des Variationskoeffizienten eine Erhöhung der Ausbeute nach sich zieht. Diese Behauptung kann bei Produkt A nicht aufrechterhalten werden. Produkt A hat zwar die höchsten Variationskoeffizienten, jedoch lassen die Daten keinen Zusammenhang zwischen diesem und den Ausbeuten erkennen, was durch eine Regressionsanalyse bestätigt wurde. Auf Grund dieser Analyse wurde daher zuerst mit der Bearbeitung von Produkt B zur Verbesserung der Qualität und Quantität begonnen.

Weiterhin bietet die Statistische Prozeßführung die Möglichkeit, als Bedarfsnachweis für die qualitätsorientierte Unternehmensführung zu dienen. Alle Prozesse, welche sich nicht in statistischer Kontrolle befinden, bieten erhebliche Chancen zur Verbesserung der Verfahrensführung. Wenn dieser Zustand erreicht ist, kann die Prozeßfähigkeit ermittelt und mit den Kundenanforderungen oder Spezifikationen verglichen werden. In den Fällen, in denen zwar der Zustand der statistischen Kontrolle gegeben ist, aber die Prozeßfähigkeit unzureichend ist, liegt ebenfalls ein wesentlicher Bedarfsnachweis vor. Einzelheiten hierzu siehe im Kapitel 4.2 Statistische Prozeßführung.

4.1.2 Projektidentifizierung

Der Bedarfsnachweis führt häufig zu umfangreichen Themen wie Qualitätskosten oder Reklamationen. Wie bereits vorher dargelegt, können z. B. die Qualitätskosten in vier Kategorien aufgeteilt werden, die ihrerseits wiederum aus einer Vielzahl von Einzelprojekten bestehen. Aus Mangel an Personal können diese Projekte nicht alle gleichzeitig bearbeitet werden. Es muß eine Auswahl getroffen werden. Diese ausgewählten Projekte sollten eine hohe Bedeutung für das Unternehmen, die Geschäftsleitung, das Produktteam oder den Betrieb haben. *Eine* Betrachtungsart ist die Aufteilung in die „wenigen wichtigen und brauchbaren vielen“ Projekte. Dies nennt man das Pareto-Prinzip. Es wurde von Dr. J. Juran aufgestellt. Einzelheiten zur Erstellung des Pareto-Diagrammes siehe Kapitel 4.1.9 Methoden.

Um den Umfang einmal abzuschätzen, sei hier ein Modell betrachtet. Ein Unternehmen mit einem Jahresumsatz von 250 Millionen DM hat Qualitätskosten von angenommen 10 % vom Umsatz, wobei dies eine konservative Betrachtung darstellt, da die Qualitätskosten in der verarbeitenden Industrie bis zu 20 oder 25 % des Umsatzes betragen können. In diesem Modell betragen die Qualitätskosten demnach 25 Millionen DM. Ein Projekt der Qualitätsverbesserung ergibt im Durchschnitt eine Einsparung von ca. DM 125.000,–. In diesem Modell müßten demnach 200 Projekte bearbeitet werden, um diese Qualitätskosten einzusparen.

In dem Beispiel 1 war der Oberbegriff „Ausbeuten". Um hier eine Auswahl treffen zu können, wurden die Variationskoeffizienten in Bezug zur Ausbeute in ein Diagramm (Bild 12) aufgetragen. Produkt C hat die kleinsten Variationskoeffizienten und schon sehr hohe Ausbeuten im Vergleich zu den Produkten A und B. Produkt B läßt eine Tendenz erkennen: je kleiner der Variationskoeffizient, desto größer die Ausbeute. Außerdem hatte dieses Produkt das weitaus größere Umsatzvolumen und damit ein höheres Potential zur Einsparung. Das Team, in diesem Falle der Betriebsführer mit seinen Mitarbeitern, entschied sich, die Ausbeuteschwankungen dieses Produktes als Projekt zu bearbeiten.

Im Beispiel 2 sind die Reklamationen einer Produktlinie bereits nach der Häufigkeit aufgeführt. Diese Aufstellung wird durch zwei weitere Spalten erweitert, und zwar durch die relative Häufigkeit in % und die kumulative Häufigkeit in %:

Reklamations-ursache	Häufigkeit absolut	Häufigkeit abs. kumul.	Häufigkeit relativ %	Häufigkeit kumulativ %
AA	24	24	28,2	28,2
BB	9	33	10,6	38,8
CC	8	41	9,4	48,2
DD	8	49	9,4	57,6
EE	6	55	7,0	64,7
FF	5	60	5,9	70,6
GG	4	64	4,7	75,3
HH	3	67	3,5	78,8
II	3	70	3,5	82,3
JJ	3	73	3,5	85,8
KK	2	75	2,4	88,2
LL	2	77	2,4	90,6
MM	1	78	1,18	91,78
NN	1	79	1,18	92,96
OO	1	80	1,18	94,14
PP	1	81	1,18	95,32
QQ	1	82	1,18	96,5
RR	1	83	1,18	97,68
SS	1	84	1,18	98,86
TT	1	85	1,18	100

Tabelle 3

Man erkennt besonders aus der kumulativen Häufigkeit in %, daß bereits die sieben häufigsten 75,3 % aller Reklamationen ausmachen. Man sieht, daß das Pareto-Prinzip hier zutrifft. Die graphische Darstellung dieser Information (siehe Bild 13) führt zu einer Verdeutlichung der Verhältnisse.

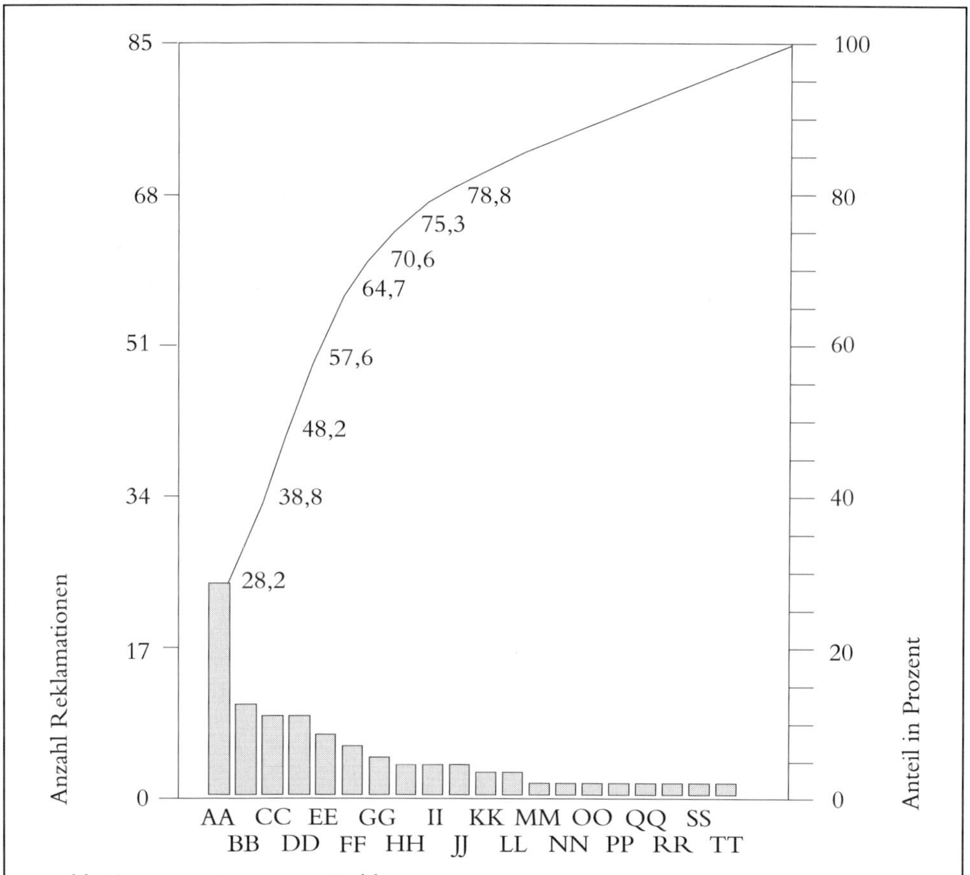

Bild 13: Pareto-Diagramm Reklamationen

Unter den wenigen wichtigen sticht Reklamation AA mit 28,2 % als die häufigste Reklamation hervor. Es wäre also angebracht, falls man Reklamationen reduzieren möchte, sich Reklamation AA und eventuell Reklamation BB als Projekte zur Bearbeitung vorzunehmen. Die Ursachen für diese Reklamation sind nicht nur in einer Abteilung, sondern in mehreren Abteilungen zu finden. Daher muß die Lösung dieses Problems auch von Mitarbeitern mehrerer Abteilungen erfolgen. Ein abteilungsübergreifendes Projektteam ist hier nötig. Damit die Teammitglieder auch die entsprechende Legitimation erhalten, ist es angebracht, daß die Leitung der Produktlinie/des Produktteames auch ihr Projektteam ernennt. In diesem Produktteam sind Forschung, Produktion, Ingenieurwesen und Marketing/Verkauf vertreten.Im Beispiel 3 wurden die Qualitätskosten für ein Unternehmen für ein Jahr geschätzt:

a. Verhütungskosten	unbekannt
b. Prüfkosten	ca. 1 Million DM
c. Interne Fehlerkosten	ca. 12,6 Millionen DM
d. Externe Fehlerkosten	ca. 1,4 Millionen DM
Qualitätskosten:	ca. 15 Millionen DM

Die externen Qualitäts- oder externen Fehlerkosten konnten, da entsprechende technische Fehlerberichte vorlagen, recht einfach in die Sprache des Geldes überführt werden. Insgesamt traten 56 verschiedene Arten von Fehlern bei den Kunden auf:

Fehler-art	Betrag DM	Anteil %	Anteil kum. %	Fehler-art	Betrag DM	Anteil %	Anteil kum. %
1	272.578	18,9	18,9	29	5.145	0,4	97,9
2	208.556	14,5	33,4	30	3.563	0,2	98,1
3	160.679	11,2	44,6	31	3.034	0,2	98,3
4	117.209	8,1	52,7	32	2,933	0,2	98,5
5	104.389	7,3	60,0	33	2.402	0,2	98,7
6	73.071	5,1	65,1	34	2.026	0,1	98,8
7	65,222	4,5	69,6	35	1.977	0,1	98,9
8	60.224	4.2	73,8	36	1.923	0,1	99,0
9	40.038	2,8	76,6	37	1.814	0,1	99,1
10	30.913	2,1	78,7	38	1.685	0,1	99,2
11	29.284	2,0	80,7	39	1.452	0,1	99,3
12	28.234	2,0	82,7	40	1.116	0,1	99,4
13	26.890	1,9	84,6	41	1.104	0,1	99,5
14	19.475	1,4	86,0	42	1.083	0,1	99,6
15	18,306	1,3	87,3	43	1.044	0,1	99,7
16	17.132	1,2	88,5	44	981	0,1	99,8
17	16.492	1,1	89,6	45	973	0,1	99,9
18	14.462	1,0	90,6	46	824	0,1	100,0
19	14.227	1,0	91,6	47	595		
20	13.035	0,9	92,5	48	308		
21	12.997	0,9	93,4	49	308		
22	11.242	0,8	94,2	50	306		
23	10.458	0,7	94,9	51	281		
24	8.557	0,6	95,5	52	229		
25	7.532	0,5	96,0	53	194		
26	6.965	0,5	96,5	54	178		
27	6.856	0,5	97,0	55	98		
28	6.789	0,5	97,5	56	57		

Tabelle 4

Diese 56 verschiedenen Fehler verursachten Kosten von ca. 1,4 Millionen DM. Auch hier gilt das Pareto-Prinzip: Die wenigen wichtigen, in diesem Falle 9 Fehler zusammen sind für drei Viertel (76,6 %) der Kosten verantwortlich und die brauchbar vielen, in diesem Falle 47 Fehler zusammen machen nur ein Viertel der Kosten aus. Die ersten zu bearbeitenden Projekte werden sicherlich aus den Fehlern 1 bis 10 kommen.

In diesem Beispiel kann man noch eine andere Betrachtung anstellen. Diese Produktlinie bestand aus insgesamt 16 Produkten. Bei welchen Produkten traten diese Fehler mit welcher Häufigkeit auf?

Produkt	Betrag DM	Anteil %	Anteil kum. %
1	401.392	27,9	27,9
2	278.358	19,3	47,2
3	231.490	16,1	63,3
4	117.717	8,2	71,5
5	101.423	7,0	78,5
6	100.516	7,0	85,5
7	81.991	5,7	91,2
8	67.142	4,7	95,9
9	18.684	1,3	97,2
10	14.953	1,0	98,2
11	12.654	0,9	99,1
12	4.576	0,3	99,4
13	4.217	0,3	99,7
14	3.115	0,2	99,9
15	976	0,1	100,0
16	204		

Tabelle 5

Wie man aus Tabelle 5 sieht, trifft auch hier das Pareto-Prinzip zu. Die wenigen wichtigen, in diesem Falle vier Produkte verursachen 71,5 % der externen Fehlerkosten. Es dürfte daher nicht schwerfallen, sich ein Projekt zur Bearbeitung vorzunehmen, das eines dieser Produkte zum Thema hat. Die bildliche Darstellung der Information aus Tabelle 5 ist im Bild 14 ersichtlich.

Das Beispiel 4, Herstellung von Formteilen durch Warmbehandlung, wurde bereits im Kapitel Bedarfsnachweis erwähnt. Es wurde festgestellt, daß die internen Qualitätskosten 1,768 Millionen DM für einen Zeitraum von drei Monaten betrugen. Auch hier ist es angebracht, die internen Qualitätskosten in kleinere Einheiten zu gliedern, um einzelne Projekte zur Bearbeitung vorzunehmen. Die Auflistung der internen Qualitätskosten ergab folgendes Bild:

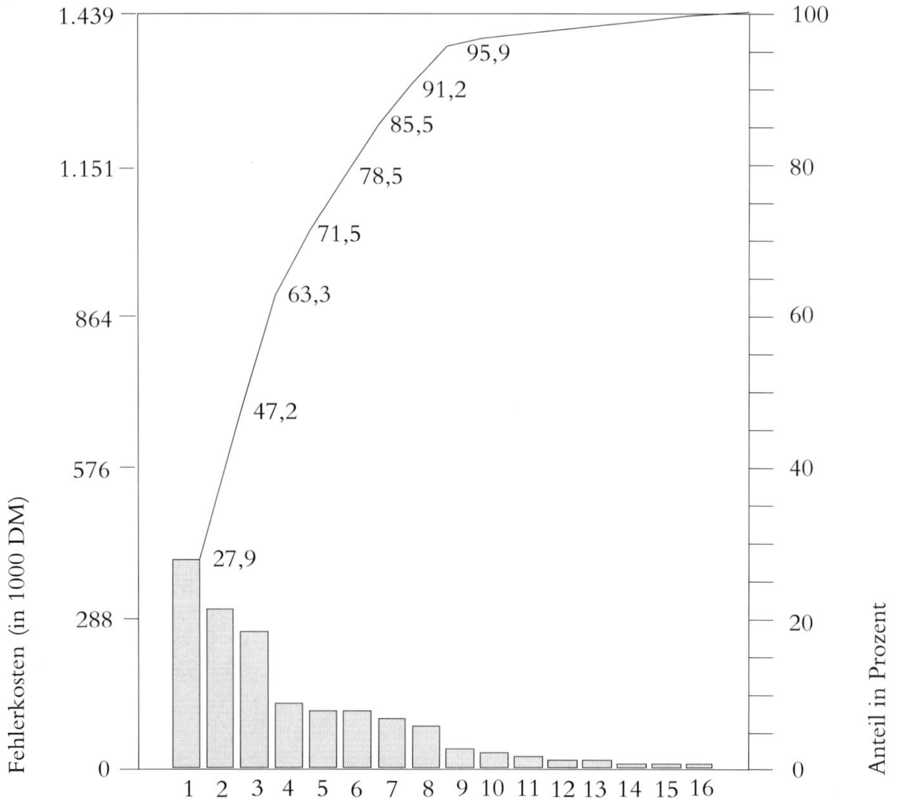

Bild 14: Pareto-Diagramm Externe Fehlerkosten

Produkt Name	Umsatz Teile	Ausbeute %	Verlust %	Preis DM/St.	Q-Kosten DM	Anteil %	Anteil kum. %
1	123.300	63	37	3,29	238.234	13,5	13,5
2	122.100	61	39	1,84	143.638	8,1	21,6
3	45.300	51	49	2,63	114.467	6,5	28,1
4	3.000	48	52	25,90	84.175	4,8	32,8
5	12.700	37	63	3,72	80.442	4,5	37,3
6	10.000	72	28	19,25	74.861	4,2	41,5
7	19.000	49	51	3,70	73.169	4,2	45,7
8	128.400	73	27	1,53	72.660	4,1	49,8
9	55.900	66	34	2,23	64.217	3,6	53,4
10	56.100	57	43	1,51	63.904	3,6	57,0
11	13.600	45	55	3,75	62.333	3,5	60,5
12	21.700	55	45	3,27	58.057	3,3	63,8
13	84.500	72	28	1,60	52.578	3,0	66,8
14	24.000	52	48	2,35	52.062	3,0	69,8
15	19.400	52	48	2,77	49.604	2,8	72,6
16	18.300	46	54	2,26	48.551	2,7	75,3
17	12.700	67	33	7,44	46.539	2,6	77,9
18	10.300	44	56	2,82	36.968	2,1	80,0
19	12.600	49	51	2,62	34.359	1,9	81,9
20	34.000	64	36	1,73	33.086	1,9	83,8
21	34.400	67	33	1,93	32.700	1,8	85,6
22	6.000	73	27	14,00	31.068	1,8	87,4
23	17.200	64	36	2,74	26.510	1,5	88,9
24	13.200	58	42	2,70	25.808	1,5	90,4
25	17.500	56	44	1,86	25.575	1,4	91,8
26	60.000	77	23	1,38	24.732	1,4	93,2
27	3.000	58	42	11,11	24.136	1,4	94,6
28	16.600	70	30	2,62	18.639	1,0	95,6
29	30.000	76	24	1,02	9.663	0,6	96,2
30	10.100	67	33	1,93	9.601	0,6	96,8
31	6.000	68	32	3,36	9.487	0,5	97,3
32	5.900	76	24	4,91	9.184	0,5	97,8
33	10.000	71	29	2,06	8.414	0,5	98,3
34	15.000	65	35	1,03	8.319	0,5	98,8
35	5.000	51	49	1,56	7.494	0,4	99,2
36	10.000	55	45	0,91	7.445	0,4	99,6
37	2.000	48	52	1,93	4.182	0,2	99,8
38	2.000	44	56	1,56	3.970	0,2	100,0

Tabelle 6

In der ersten Spalte sind alle Produkte aufgeführt, welche in dem betrachteten Zeitraum hergestellt wurden. Die zweite Spalte enthält die verkaufte Menge in Stückzahlen. Die dritte Spalte weist die durchschnittliche Ausbeute aus, und in der vierten Spalte sind die Differenzen zwischen tatsächlicher und 100 %iger Ausbeute aufgeführt. Diese Differenzen könnten auch als Verlust bezeichnet werden. Die fünfte Spalte enthält die Herstellungskosten pro Teil. In der sechsten Spalte sind die Qualitätskosten aufgelistet. Folgende Überlegung liegt hier zugrunde: Die zweite Spalte zeigt, daß die Ausbeute 63 % beträgt. Dies bedeutet, daß von 100 produzierten Teilen nur 63 verkauft werden können und daß 37 Teile zwar hergestellt, aber aus Qualitätsgründen nicht ausgeliefert werden können. Bei einer Verkaufsmenge von 123.300 Stück entspricht dies einer Verlustmenge von 72.414. Bei einem Preis von DM 3,29 pro Stück entspricht dies einem Wert von 238.243 DM. Dieser Betrag ist in der sechsten Spalte aufgeführt und für jedes Produkt ermittelt. Die siebente Spalte enthält die Qualitätskosten als Prozent der Gesamtsumme, und in der achten Spalte sind die kumulativen Prozentanteile aufgeführt.

Wie man aus der Aufstellung ersieht, gehen in diese Betrachtungsweise sowohl der Preis pro Einheit als auch die Umsatzmenge und die Ausbeute ein. Auch in diesem Falle erkennt man das Pareto-Prinzip: Von den insgesamt 38 Produkten verfügen acht Produkte bereits über 50 % und 16 Produkte bereits über 75 % der Qualitätskosten, wobei sie für Produkt 1 allein schon über 13,5 % ausmacht. Dieses Produkt wurde für eine weitere Bearbeitung ausgewählt.

Die weitere Betrachtung der Ausbeuten des Produktes 1 ergab, daß verschiedene Fehler bei der vollständigen, nicht nur auf Stichproben beschränkten Inspektion nach der Warmbehandlung gefunden wurden. Es war sogar Information über die Häufigkeit der verschiedenen Defekte vorhanden:

Defekt Name	Wert DM	Anteil %	kum. %
Flachheit	110.475	46,37	46,37
M-Defekt	46.028	19,32	65,69
Schaden	38.833	16,30	82,00
Beulen	26.588	11,16	93,15
Verlust	10.602	4,45	97,60
Polster	5.098	2,14	99,74
Überstand	619	0,26	100,00

Tabelle 7

Die obige Information ist im Bild 15 graphisch dargestellt. Auch hier trifft das Pareto-Prinzip zu; man erkennt, daß von den sieben Defekten „Flachheit" mit 46,4 % den größten Anteil ausmacht. Die Ursache für dieses Problem war unbekannt, und daher wurde das Problem „Flachheit nach der Warmbehandlung" zuerst bearbeitet und als Projekt ernannt.

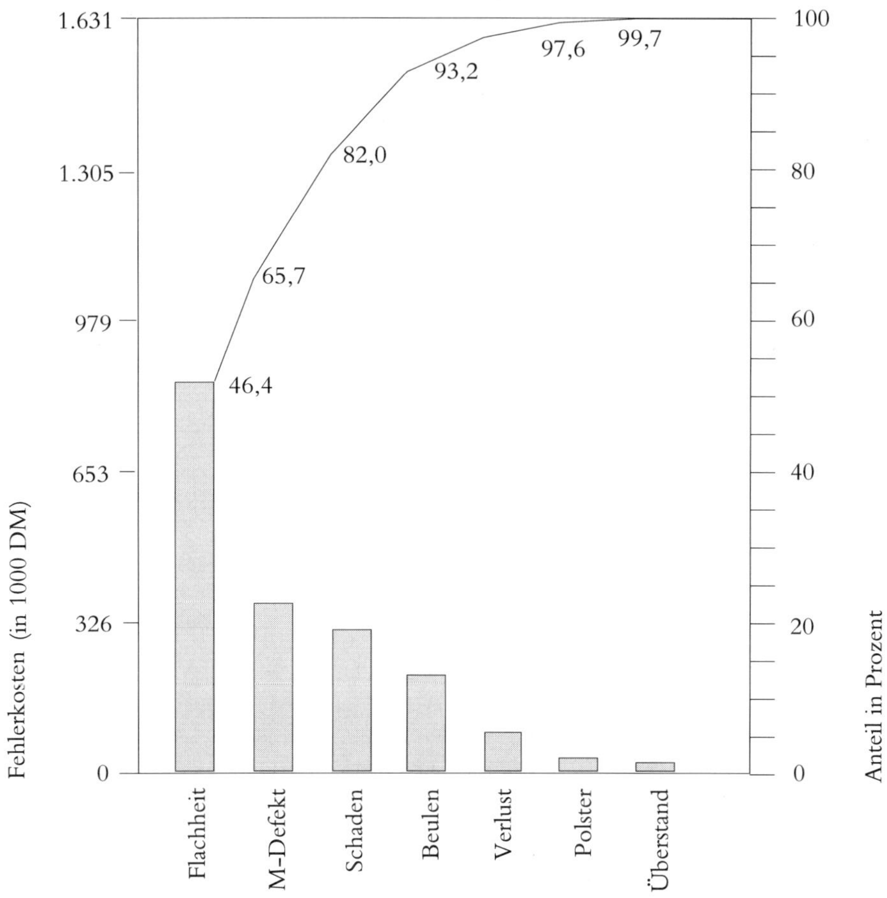

Bild 15: Pareto-Diagramm Fehler nach Warmbehandlung

Im Beispiel 5 wurde nicht von vorhandenen Fakten ausgegangen, sondern als Bedarfsnachweis diente eine Liste, die durch Brainstorming ermittelt wurde. Die insgesamt ermittelten 31 Probleme müssen irgendwie gewichtet werden. Hierfür stehen mehrere Methoden zur Verfügung.

1. „Die Sprache des Geldes". Für jedes bekannt gewordene Problem könnte die Frage gestellt werden: Welchen Betrag würde das Unternehmen sparen, wenn es dieses Problem nicht gäbe? Nachdem alle Problemfälle, soweit dies möglich ist, in die Sprache des Geldes übersetzt sind, kann wieder das Pareto-Prinzip angewandt werden.

2. Eine zweite Möglichkeit besteht in der Mehrfachwahl: Für jedes klar erkannte Problem wird das Team gefragt: Wer glaubt, daß dieses Problem für das Unternehmen von größerer Bedeutung ist und sollte im Rahmen der

Bemühungen, es zu lösen, Vorrang haben? Die Stimmenzahl wird für jedes Problem notiert. Einzelheiten zur Mehrfachwahl siehe Kapitel 4.1.9 Methoden. In Tabelle 8 sind Schätzwerte und Stimmenzahlen angegeben.

Nr.	Problem	Wert in K DM	SZ
1	Mangelhafte Produkte	8.000	20
2	Entscheidungen werden zu hoch in der Organisation gefällt	?	20
3	Mangelhafte Datenbasis (Endverbr.) für Marktforschung	12.500	17
4	Unzureichendes Testen vor Einführung neuer Produkte	5.000	15
5	Unvermögen, Kundenbedarf durch rechtzeitige Einführung neuer Produkte zu befriedigen	50.000	15
6	Mangel an Zusammenarbeit zwischen verschiedenen Disziplinen	50.000	15
7	Unvollständige Produktpalette der XYZ-Produktlinie	7.500	15
8	Unrealistische Zielsetzungen im Marketing, trotz Marktverlusten, Markttendenzen, Produktqualität	5.000	14
9	Zugesandte Lieferung nicht termingerecht verschickt	5.000	14
10	Keine Reaktion auf Kundenberichte	2.500	13
11	Kein Lieferdatum bei ausstehenden Aufträgen	2.500	13
12	Kunden werden keine Alternativen angeboten, wenn Produkt vergriffen	1.800	13
13	Rechtzeitige Information an Kunden bez. Lieferfähigkeit	1.000	11
14	Einführungszeit neuer Produkte	?	11
15	Ausbildungsstand, Informationsstand der Händler	23.000	11
16	Unvermögen, Kundenbedarf zu befriedigen	?	10
17	Entscheidungen werden in letzter Minute gefällt	900	9
18	Keine oder falsche Informationen an Verkaufsrepräsentanten	2.500	9
19	Kosten vermeidbarer Expreßlieferungen	1.000	8
20	Häufigkeit von stornierten Aufträgen	500	8
21	Arbeitsanfall zu groß im Vergleich zur Anzahl der Mitarbeiter	100	7
22	Kein Detailplan zur Einführung neuer Produkte	50.000	7

Fortsetzung S. 75

Nr.	Problem	Wert in K DM	SZ
23	Produktbeschädigung während Versand	200	5
24	Keine Kontaktmöglichkeit zu Personen mit Entscheidungsbefugnissen in der Zentrale	?	5
25	Produkte befriedigen nicht Kundenbedürfnisse	5.000	5
26	Kundenberichte werden für falsche Ziele mißbraucht	?	4
27	Lieferungen zu spät	200	4
28	Unbekannte Zuständigkeiten	?	3
29	Proben werden nicht zurückgeschickt	150	2
30	Unrealistische Vorstellungen von Verkäufern	200	2
31	Gutschriften dauern zu lange	10	1

Tabelle 8

3. Eine dritte Möglichkeit wäre die Anwendung einer Auswahlmatrix. Diese Methode wurde angewandt, um in diesem Beispiel für die Mehrfachwahl die sieben Ideen mit 15 bis 20 Stimmen näher zu betrachten. Das Ergebnis ist im Bild 16 zu sehen.

Problem Chance	Bedeutung für das Team 5: sehr bedeutend 3: 1: wenig bedeutend	Kapital intensiv 5: gering 3: 1: stark	Zustimmung 5: Team 3: Vorgesetzte 1: Top-Management	Schwierig-keit 5: nicht schwierig 3: 1: sehr schwierig	Zeitaufwand zur Lösung 5: Wochen 3: >3 Monate 1: >6 Monate	Ergebnis 5: meßbar 3: 1: nicht meßbar	Summe
Mangelhafte Produkte	5	4	3	3	1	5	21
Mangelhafte Datenbasis	4	4	5	4	3	5	25
Entscheidungen zu hoch in Organisation	4	5	1	1	1	2	14
Unzureichendes Testen vor Einführung	4	3	3	4	1	3	18
Unvermögen Kunden-bedürfnisse zu befriedigen	3	4	3	3	2	3	18
Mangel an Zusammenarbeit	3	5	2	4	1	2	17
Unvollständige Produktpalette	4	2	1	2	1	5	15

Bild 16: Auswahlmatrix

4.1.3 Organisation zur Projektlenkung

Im Kapitel 3 wurde unter Punkt 3.2.3 bereits auf die Organisation eingegangen. Dort ging es um die der qualitätsorientierten Unternehmensführung als Strategie und wie diese insgesamt gemanagt wird.

Jetzt bei der universellen Sequenz von Verbesserungen geht es speziell um die Organisation der zur Bearbeitung anstehenden Projekte. Die Qualitätsgruppe hat den Bedarfsnachweis erbracht, hat sodann Projekte identifiziert und sich auf eine kleine Liste von Projekten geeinigt. Besonders zu Anfang sollte darauf geachtet werden, daß die ersten Projekte nicht zu schwierig gewählt werden, um möglichst einen Erfolg in relativ kurzer Zeit zu erhalten. Wird dagegen das größte und vielleicht auch schwierigste Projekt gleich als einziges gewählt, könnte es passieren, daß die ganze Anstrengung und die gesamte Einführung der qualitätsorientierten Unternehmensführung steckenbleibt.

Als Qualitätsgruppe wurde hier die natürliche Arbeitsgruppe betrachtet.

Dies gilt sinngemäß natürlich auch für die übrigen hierarchischen Stufen. Die Qualitätsgruppe im Versandlager besteht z. B. aus dem Leiter des Versandlagers und allen neun Mitarbeitern. Ebenso die Qualitätsgruppe im Produktionsbetrieb, in dem der Betriebsführer der Leiter ist, und die Mitglieder der Meister mit seinen drei Schichtführern sowie die Sekretärin und der Assistent. Wie bereits oben erwähnt, sind die Qualitätsgruppen praktisch identisch mit den normalen Arbeitsgruppen.

Das Qualitätsteam hingegen steht höher in der Hierarchie: Im kleineren Unternehmen könnten dies der Werksleiter und alle an ihn berichtenden Mitarbeiter sein. Im größeren Unternehmen könnte das Qualitätsteam identisch mit dem Produktteam sein: Vertreter von Produktion, Marketing, Forschung, Ingenieurwesen und Rechnungswesen z. B. stellen die Mitglieder. Auch in diesen Fällen werden die ersten Schritte der universellen Sequenz vollzogen: Der Bedarfsnachweis ergibt in den meisten Fällen eine Reihe von übergeordneten Rubriken von Chancen zur Verbesserung. Im zweiten Schritt erfolgt in dem Team dann die Projektidentifizierung. Im vorigen Kapitel wurden einige Techniken vorgestellt, welche bei der Aussortierung und dem Erstellen von Prioritäten hilfreich sein können.

Ferner sei daran erinnert, daß eine Qualitätsgruppe vielleicht ein Projekt ernennt, das zur Verwirklichung und Lösung die Mitarbeit von anderen Abteilungen braucht. Falls die qualitätsorientierte Unternehmensführung noch nicht auf breiter Basis eingeführt ist, gibt es eventuell Schwierigkeiten, gerade die richtigen Mitarbeiter für dieses Projekt zu gewinnen. Hier ist es sinnvoll, dieses Projekt dem nächsthöheren Qualitätsteam vorzulegen, um den entsprechenden Mitgliedern im Projektteam die erforderliche Legitimität zu vermitteln.

Die Qualitätsgruppen bzw. Qualitätsteams sind verantwortlich für

- regelmäßige Treffen
- Zielsetzung bezüglich Qualitätsverbesserungen
- Identifizierung von Projekten
- Nominieren von Projekten
- Vorschlagen bzw. Ernennen von Leitern, Mitgliedern und Paten/Sponsoren der Projektteams
- Überwachung des Fortschritts und des Abschlusses der Tätigkeiten der Projektteams
- Beschluß, wie das Ergebnis langfristig kontrolliert wird
- Anerkennung von Aktivitäten
- ausreichendes Training
- Überwachung von Einführung und Anwendung der statistischen Prozeßführung

Diese Liste hat natürlich keinen Anspruch auf Vollständigkeit und sollte von jeder Qualitätsgruppe bzw. jedem Qualitätsteam selbst erstellt oder erweitert werden. Zu den einzelnen Punkten seien hier noch einige Anregungen gegeben:

- Regelmäßige Treffen: Während der Einführung oder während der ersten Zeit nach dem Training dürfte sich das Qualitätsteam etwa jede Woche bis hin zu einem Intervall von vier Wochen treffen. Es hat sich bewährt, besser weniger häufigere und dafür etwas längere Treffen zu planen als zu häufige, sehr kurze Treffen. So sind z. B. wöchentliche Treffen von einer Stunde weniger erfolgreich, da diese zu kurz sind. In einer Stunde kann nur wenig Sinnvolles geleistet werden, und die Aktivitäten schleppen sich dann unnötigerweise über einen zu langen Zeitraum dahin. Auch ist es sehr schwierig, alle Mitglieder jede Woche im Treffen zu haben. Es ist daher manchmal einfacher, die Treffen in etwas größeren Abständen (z. B. monatlich) zu planen, dafür aber die Termine weit im voraus festzulegen, damit diese bei der Zeitplanung der einzelnen Mitglieder entsprechend berücksichtigt werden können. Auch hier sollte das Team selbst den besten Weg gemeinsam erarbeiten.
- Zielsetzung bezüglich Qualitätsverbesserungen: Es hat sich als sehr zweckmäßig herausgestellt, wenn Organisationen oder Teile der Organisation, in diesem Falle das Qualitätsteam, sich ein Ziel in Bezug auf Qualitätsverbesserung setzt und dieses dann auch als Bestandteil der betrieblichen bzw. unternehmerischen Zielsetzung handhabt. Wenn sich die Leitung der Gruppe oder des Betriebes zur qualitätsorientierten Unternehmensführung bekennt, ist eine öffentliche Zielsetzung sehr wirksam, besonders dann, wenn bei der jährlichen Rückschau und dem Erstellen der neuen Ziele die Qualitätsverbesserung fester Bestandteil ist.

- Identifizieren von Projekten: Besonders die Qualitätsgruppen und die Qualitätsteams sind prädestiniert, Projekte zur Qualitätsverbesserung zu identifizieren und zu nominieren. Falls z. B. die Qualitätsgruppe glaubt, nicht über die nötige Autorität zu verfügen, kann und sollte sie diese Chance dem nächsthöheren Qualitätsteam oder, falls sinnvoll, der anderen Qualitätsgruppe vorschlagen.
- Nominieren von Projekten: Der natürliche nächste Schritt nach der Projektidentifizierung ist die Nominierung von Projekten. Diese sollte nicht mit einem Übermaß an Bürokratie, aber auch formal genug erfolgen. Hierzu gehört auch ein gewisses Maß an Publizität. Besonders bei Projekten, welche die Arbeit von Abteilungen oder einer Personengruppe berühren, sollte mit entsprechendem Fingerspitzengefühl vorgegangen werden. Eine entsprechende positive Information zur richtigen Zeit kann die Gefühle in die richtigen Bahnen lenken. Andererseits gibt es Fälle, in denen Mitarbeiter mit entsprechendem Fachwissen oder Erfahrungen gerne den Projektmitgliedern hilfreich zur Seite gestanden hätten, aber aus Mangel an Information nicht von der Existenz einer solchen Projektgruppe wußten.
- Vorschlagen und Ernennen von Leitern, Mitgliedern und Sponsoren: Hier sollte der partizipierende Managementstil praktiziert werden. Ernennen kann einerseits bedeuten: Person X ist als Mitglied für dieses Projekt ernannt. Andererseits kann es auch zu einem Gespräch zwischen dem Qualitätsteammitglied und dem Mitarbeiter X kommen, in welchem Person X das Problem und das Projekt erklärt und erläutert wird. Am Ende dann wird Person X gefragt, ob sie Interesse hat, an diesem Projekt mitzuwirken, da man glaubt, ihre Expertise sei zur Verwirklichung des Projektes von Bedeutung. Mit anderen Worten: Der Ton macht die Musik. Ferner ist es wichtig, daß das Management an der Entscheidung der Projektteammitglieder teilnimmt. Hierdurch erhalten die Mitglieder im Projektteam die Legitimität, an diesem Projekt zu arbeiten. Projektteammitglieder werden bis zu 25 oder 30 % ihrer Arbeitszeit den Aktivitäten des Projektes widmen. Das kann zu Unstimmigkeiten und Mißverständnissen zwischen dem Mitarbeiter und seinem Vorgesetzten führen. Dies kann durch die Legitimation durch das Qualitätsteam oder durch die Qualitätsgruppe vermieden werden. Manchmal wird auf eine Ernennung des Leiters des Projektteams verzichtet. Man geht davon aus, daß die Gruppe sich selbst einen Sprecher oder Leiter aus ihrer Mitte wählt. Dies geschieht manchmal völlig informell. Andererseits sollte eine Projektgruppe nicht ohne Adresse existieren, es sollte entweder ein Sekretär oder ein Leiter existieren, um administrativen Bedürfnissen Genüge zu tun. Es muß z. B. ein Tagungsraum reserviert werden: In wessen Namen? An wen schickt man die erbetene Literatur? Der Begriff des Sponsors wird im nächsten Kapitel näher erläutert.

- Überwachung es Fortschritts und des Abschlusses der Tätigkeit: Dies ist eine sehr wichtige Aufgabe und schwieriger als angenommen. Besonders zu Anfang ist es recht einfach, Projekte zu nominieren und hierfür Projektteams zu ernennen. Oftmals werden, besonders zu Anfang, mehr Projektteams ernannt, als das Untenehmen bewältigen und handhaben kann. Sehr häufig passiert es dann auch, daß diese Teams sich selbst überlassen bleiben und langsam dahinsterben. Die Qualitätsgruppe oder das Qualitätsteam sollte sich sehr wohl darüber im klaren sein, daß mit dem Ernennen die Arbeit nicht getan ist und daß die Ernennung eines Projektes für die Gruppe oder das Team gewisse Konsequenzen hat. Werden diese Teams nicht weiterbetreut, wird es nur eine Frage der Zeit sein, bis es heißt: Wieder so ein Programm, das mit viel Aufwand eingeführt wird und wo in Wirklichkeit nichts dahintersteckt. Besonders beim Abschluß eines Projektes wäre es an der Zeit, die Arbeit im Projektteam in angemessener Weise anzuerkennen. Auch hier ist die Qualitätsgruppe oder das Qualitätsteam gefordert.
- Beschließen, wie das Ergebnis langfristig gesichert wird: Oft wird ein Projektteam seine Arbeit erfolgreich ausführen, und das Ergebnis ist eine Verbesserung. Nicht alle Projekte aber haben eine irreversible Korrektur. Besonders in den Fällen, in denen die Korrektur reversibel ist, muß ein Mechanismus gefunden werden, der sicherstellt, daß der alte Zustand nicht wieder auftritt. Diese Sicherstellung ist Aufgabe des Qualitätsteams oder der Qualitätsgruppe. So ist z. B. die Änderung der Prüfvorschrift in der Qualitätskontrolle eine reversible Korrektur. Die Qualitätsgruppe könnte z. B. beschließen, daß ein Audit in vierteljährlichem Rhythmus den Erfolg der Verbesserung sicherstellt. Auch könnte die Qualitätsgruppe beschließen, ein Jahr danach den Zustand zu überprüfen, ob das Audit den gewünschten Erfolg gezeigt hat.
- Aktivitäten anerkennen: Die Mitgliedschaft im Projektteam ist nicht immer in entsprechender Weise anerkannt, besonders wenn die Zeit zur Gehaltsüberprüfung naht. Werden hier diese Aktivitäten völlig außer acht gelassen, und wenn sonst keine Anerkennung erfolgt, was sind dann die motivierenden Kräfte, um an Projektteams mitzuwirken? Natürlich darf man hier nicht total schwarz oder weiß sehen, jedoch ist eine Anerkennung besonders bei einer guten Teamarbeit sehr wichtig. Eine persönliche Anerkennung seitens des Leiters der Qualitätsgruppe oder des Qualitätsteams ist manchmal adäquat und leicht zu arrangieren. Auch ein Artikel in der Werkszeitung oder sogar in der lokalen Zeitung ist sehr wirksam. Es gibt Unternehmen, die ein sehr formales System zur Anerkennung installiert haben. Dies wäre dann aber sicherlich die Aufgabe vom Lenkungsausschuß.
- Für Training sorgen: Der Lenkungsausschuß sorgt dafür, daß die Räumlichkeiten, Trainingspersonal, Trainingsunterlagen und Trainingsmaterial zur Verfügung stehen. Das Qualitätsteam bzw. die Qualitätsgruppe sorgt dafür,

daß die in ihrem Zuständigkeitsbereich tätigen Mitarbeiter ein entsprechendes Training in den Methoden der Qualitätsverbesserung erhalten. Besonders die Projektteammitglieder sollten auf jeden Fall zuerst an einem solchen Training teilnehmen. Später kann dann z. B. als Ziel gesetzt werden, daß alle Mitglieder des Zuständigkeitsbereichs an einem Training teilnehmen. Ferner ist zu überlegen, in welcher Tiefe dieses Training vorgesehen ist. Einzelheiten hierzu siehe Kapitel 3.2.5 Training.
- Einführung und Anwendung von statistischer Prozeßführung: Zusätzlich zur universellen Sequenz zur Verbesserung bietet die statistische Prozeßführung weitere Verbesserungsmöglichkeiten. Die Produktion, kontinuierlich und diskontinuierlich, bietet sich für die statistische Prozeßführung an. Das mag noch jedem einleuchten. Andererseits sollte auch der Einkauf über genügende Kenntnisse verfügen, da er Produkte mit einem Mindestmaß an Variation kaufen und solche Prozesse bevorzugen sollte, welche sich in statistischer Kontrolle befinden. Auch sollte er die Bedeutung der Prozeßfähigkeit kennen und somit die Voraussetzungen erfüllen, daß die zur Anwendung kommenden Rohmaterialien ein Höchstmaß an Qualität liefern, zu dem geringstmöglichen Preis. Der Einkauf hat sich auf lange Sicht mit DIN ISO 9000 bis DIN ISO 9004 zu befassen und danach zu streben, nur nach dieser Norm zertifizierte Lieferanten zu akzeptieren. Hier dürfte der Lenkungsausschuß Optionen freilassen, damit die Produkt- oder Qualitätsteams die richtigen Methoden entsprechend ihren Bedürfnissen einsetzen.

Anderseits sollte auch das Marketing über entsprechende Kenntnisse der statistischen Prozeßführung verfügen, um den Kunden die Konstanz der Qualität sowie die Prozeßfähigkeit zu erläutern (Einzelheiten siehe auch unter Kapitel 4.2.10 und 4.2.11).

Die Aufgaben der Qualitätsgruppen (natürliche Arbeitsgruppen) unterscheiden sich von denen des Lenkungsausschusses (Unternehmensleitung), wobei die Übergänge über die Stufe der Qualitätsteams (als Produktgruppe oder Geschäftsbereich) je nach Unternehmensgröße fließend oder überlappend sind. Hier sind nochmals Funktionen angedeutet, welche von der Qualitätsgruppe, dem Qualitätsteam oder Lenkungsausschuß adressiert werden könnten. Diese Aufzählung bedeutet nicht, daß eine Organisation über alle diese Punkte verfügen muß. Daher sollte diese Liste eher als Ideenliste oder Gedankenliste verstanden werden:

Formulierung des Qualitätsbekenntnisses
Qualität hat höchste Priorität
Notwendigkeit der stetigen Qualitätsverbesserung
Beteiligung aller Mitarbeiter
Unternehmensstrategie hat Einfluß auf Einkommen der Mitarbeiter

Abschätzung wichtiger Faktoren – Dimensionen
Qualität und Konkurrenz
Kosten mangelnder Qualität, Preis der Abweichung
Effektivität der Einführung neuer Produkte
Rücklaufzeit der Investitionen von früheren Qualitätsverbesserungen

Erstellen eines Projektsystems
Hilfe bei der Auswahl von Projekten
Ernennung von Projekten

Verantwortlichkeiten zur Durchführung von Projekten
Definition von Projektteams
Verantwortlichkeiten regeln
– zur Ernennung von Moderatoren/Facilitatoren
zur Ernennung von Projektteammitgliedern
zur Ernennung von Projektteamleitern

Erstellen – Ermitteln des Trainingsbedarfs für
Universelle Sequenz der Qualitätsverbesserungen
Problemlösungsmethoden
Gruppendynamik
Statistische Prozeßführung

Ermittlung der Trainingsmöglichkeiten für
Moderatoren/Facilitatoren
Teamleiter
Teammitglieder

Trainingsplanung
Kursmodule (Curricula)
Quellen des Trainingsmaterials
Quellen an Trainer
Budget
Zeitplan

Unterstützung der Teams durch
Zeit für Teamarbeit
Diagnosearbeit
Diagnostiker
Möglichkeit zur Erprobung
Moralische Unterstützung
Hilfe bei der Überwindung von Schwierigkeiten

Hilfestellung bei
Treffen der Facilitatoren
Treffen der Projektteamleiter

Statusberichte der Projekte
Überprüfung durch oberes Management

Erstellen neuer Maßsysteme zur
Messung von Verbesserungen
Produktverhalten beim Kunden
Leistung des Managements bezüglich Qualitätsdenken, Handeln

Überprüfung der Kriterien zur Gehaltsregulierung
Beachtung der Qualitätsstrategie
aktive Teilnahme am Verbesserungssystem

Kommunikationsplan

formale Anerkennung für	Teilnahme am Training
	Rolle als Facilitator
	Vollendung eines Projektes
Inanspruchnahme von	Werkszeitung
	lokalen Rundfunkstationen
	lokalen Fernsehstationen
	lokalen Zeitungen

Weiterhin sei auf das Kapitel 3.2.3 Organisation verwiesen.

4.1.4 Organisation für die Diagnose

In der universellen Sequenz der Qualitätsverbesserungen wurden bisher die folgenden Schritte diskutiert und vorgestellt:

- Bedarfsnachweis
- Projektidentifizierung und
- Organisation zur Projektlenkung

Der letzte Punkt „Organisation zur Projektlenkung" befaßte sich insgesamt mit allen Projekten zur Verbesserung der Qualität. In diesem Schritt geht es nun um die Organisation des einzelnen Projektes. Bevor darauf eingegangen wird, ist es sinnvoll, sich den Ablauf eines Projektes vorzustellen. Wie im Bild 17 dargestellt, steht am Anfang des Projektes das Symptom. Von hier geht es über die Ursache zur Korrektur und dann zu der Aktivität, um den neuen Zustand zu erhalten. Diese Folge ist immer angebracht und einzuhalten. Der Schritt vom Symptom zur Ursache wird als Diagnose bezeichnet, und den Schritt von der Ursache zur Korrektur nennt man die Therapie.

Der schwierigste Schritt hierbei ist die Diagnose. Von dieser Tätigkeit erwarten wir einen Wissensdurchbruch. Es soll nämlich die Ursache für den unerwünschten Tatbestand ermittelt werden und am Ende der Diagnose bekannt sein. Der zweite Schritt, die Therapie, basiert dann auf diesem Wissensdurchbruch.

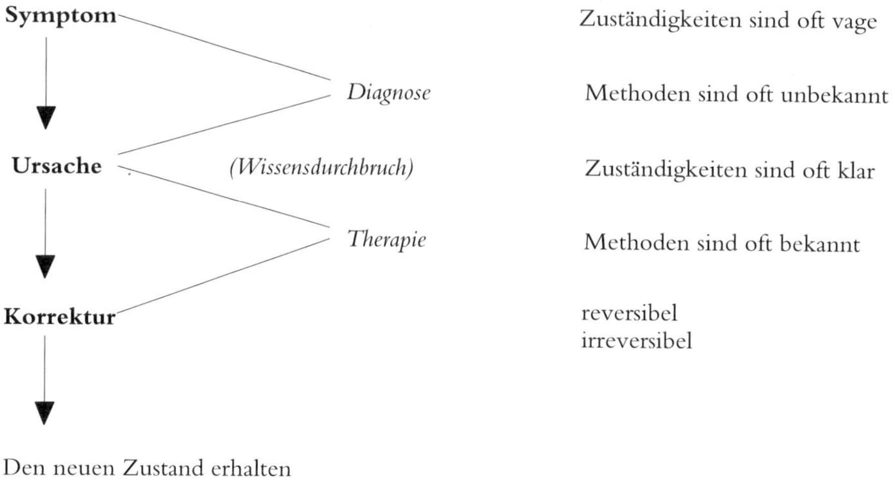

Bild 17: Die zwei Aktivitäten

Die Diagnose ist nicht nur der schwierigste Schritt, sondern auch der wichtigste, und ist mit Sorgfalt durchzuführen. Es existieren im Unternehmen oft viele Symptome, jedoch wenige Personen mit klaren Zuständigkeiten zur Durchführung der Diagnose. Wenn jedoch niemand für die Diagnose zuständig ist, wird diese manchmal eher dem Zufall überlassen. Zusätzlich wird diese Arbeit durch Mangel an Methoden zur Diagnose und Mangel an Ausbildung zur Durchführung einer Diagnose erschwert. Ist erst einmal ein Wissensdurchbruch erreicht, d. h. die Ursache bekannt, läßt sich relativ leicht eine Therapie erarbeiten. Hier sind, im Gegensatz zur Diagnose, die Zuständigkeiten klar und das Know-how vorhanden. Die Korrektur selbst kann reversibler oder irreversibler Natur sein.

Eine kleine Anekdote soll diese Folge Symptom – Ursache – Therapie veranschaulichen: Frau X kam mit einer Pyrex-Glaskaffeekanne zu ihrem Mann und erklärte ihm, der Plastikhandgriff am Metallband sei locker und stelle damit eine Gefährdung im Haushalt dar. Ein Blick des Ehemannes auf die Kanne mit dem Plastikgriff und dem Metallband, und ab ging es in die Garage. Die Schraube, welche den Plastikhandgriff mit dem Metallband verbindet, wurde angezogen und die Kanne zurückgegeben. Nach zwei Wochen war die Frau wieder mit der Kaffeekanne da. Der Griff war locker. Wieder wurde die Schraube angezogen. Nach nur einer Woche war der Griff wieder locker. Der Ehemann erkannte, daß ein chronisches Problem vorliegen würde, und bevor nochmals etwas korrigiert bzw. repariert wurde, entschied er, diesmal zuerst die Diagnose durchzuführen. Wieder kam der Schraubenzieher zur Anwendung, nun jedoch um die Schraube zu entfernen, den Handgriff vom Metallband zu lösen und alle Teile zu inspizieren. Die Diagnose bestand in einer

Autopsie. Der Wissensdurchbruch erfolgte in dem Moment, in dem die gelockerte Schraube aus dem Griff gezogen wurde: Das Gewinde war praktisch wegkorrodiert, und basierend auf diesen Wissensdurchbruch wurde die Therapie entwickelt, mit dem Hintergedanken, möglichst eine irreversible Korrektur vorzunehmen. Daher wurde eine Ersatzschraube aus Edelstahl eingesetzt.
Nach vier Wochen erkundigte sich der Ehemann nach der Kaffeekanne mit dem Kunststoffgriff. Etwas verwundert gab die Ehefrau die erwartetete Auskunft. Nach acht Wochen erkundigte sich der Ehemann wieder. Als er sich nach zwölf Wochen erneut erkundigte, gab es beinahe einen Ehekrach. Die Ehefrau verstand nicht, warum der Ehemann ständig nach der Kaffeekanne fragte. Der Ehemann aber, getreu der universellen Sequenz, die er so erfolgreich anfing, war lediglich dabei, sicherzustellen, daß der Erfolg von Dauer war.

Bei der Organisation für die Diagnose wird einer Gruppe von Mitarbeitern die Verantwortlichkeit zur Durchführung der Diagnose gegeben. Dies muß nicht unbedingt eine große Gruppe sein. Im Gegenteil, je größer das Team, je schwieriger gestalten sich die Treffen. Die Auswahl der Mitglieder richtet sich nach deren Fähigkeiten, aktiv an der Diagnose teilzunehmen, auf Grund von Fachkenntnissen, Erfahrung und speziellen Fähigkeiten, nicht aber auf Grund von Positionen oder Titeln. Auch spielt es hier keine Rolle, in welcher Abteilung die Teammitglieder beschäftigt sind. Es werden die am besten zur Diagnose geeigneten Mitarbeiter ausgewählt. Sollte sich herausstellen, daß eine Person nur für cinc kurze Periode für einen ganz bestimmten Zweck im Team anwesend sein muß, könnte man diese Person auch als Spezialist zu den entsprechenden Treffen einladen, ohne ihn zu bitten, an allen Treffen teilzunehmen. Wird dieses Team z. B. von einer Qualitätsgruppe ernannt, das sich aus dem Leiter des Versandlagers und seinen Mitarbeitern zusammensetzt, sollte dieses Projekt vorsichtshalber dem nächsthöheren Qualitätsteam zur Kenntnis gebracht werden, falls für die Diagnose jemand von der Produktion erforderlich ist, damit die entsprechenden Teammitglieder auch die erforderliche Legitimität zur Mitarbeit erhalten. Es wird dringend von Heimlichkeiten abgeraten, die oftmals nur in Frustration enden und der ganzen Sache schaden. Bei der Organisation für die Diagnose kann auch der Qualitätsmanager hilfreich beratend zur Seite stehen.

Die wichtigsten Dinge, über die die Teammitglieder verfügen sollten, sind:

1. Zeit
2. die zur Diagnose erforderlichen Methoden und Techniken
3. Objektivität

wobei die Wichtigkeit der Reihenfolge entspricht. Leider passiert es häufig, daß dieselben Personen, die einmal positiv aufgefallen sind, wieder und wieder für solche Dinge ernannt werden. Auch hier sollte der Qualitätsmanager seine beratende Funktion ausüben.

Besonders bei einer Vielzahl von Projektteams und einer hohen Zahl von Mitarbeitern, die ein entsprechendes Training absolviert haben, ist vielleicht eine Matrix auf einem Personalcomputer eine hilfreiche Einrichtung, um über den Einsatz der Mitarbeiter bzw. deren Verfügbarkeit Auskunft zu erhalten.

Ist der Wissensdurchbruch erreicht, wird eine Therapie erarbeitet. Diese Aktivität wird meistens von den zuständigen Fachkräften oder Fachabteilungen vorgenommen und selten vom Team zur Diagnose.

Der Umfang der Diagnosetätigkeiten kann recht erheblich sein und übersteigt in manchen Fällen die normalen Kapazitäten der Abteilungen. Manche Firmen sind dazu übergegangen, vollzeitliche Diagnostiker für diese Tätigkeit einzustellen oder auszubilden. Diese sollten dann vorteilshalber dem Qualitätsmanager unterstehen, wobei die Mitglieder in der Qualitätsgruppe oder im Qualitätsteam ein entsprechendes Mitspracherecht bei der Einteilung erhalten. Der Diagnostiker wird anschließend Mitglied im Projektteam und unterstützt es bei der Diagnose. Er kann natürlich gleichzeitig in mehreren Teams mitarbeiten.

Es gibt einige Aspekte, die weder vom Projektteam noch vom Qualitätsteam oder der Qualitätsgruppe hinreichend beachtet wurden. Aus diesen Unzulänglichkeiten heraus hat es sich bewährt, für jedes Team einen Sponsor zu ernennen. Der Sponsor ist Mitglied im Qualitätsteam oder der Qualitätsgruppe, braucht aber keine Fachkenntnisse bezüglich der Aufgabe – Zielsetzung – des Teams zu haben. Wie der Name schon andeutet, ist der Sponsor das Bindeglied zwischen dem Team und dem Qualitätsteam, wobei er normalerweise nicht an den Teamtreffen teilnimmt, soweit dies nicht ausdrücklich gewünscht wird. Im einzelnen könnte der Sponsor die folgenden Funktionen ausüben:

- Kontaktaufnahme mit den Vorgesetzten der Teammitglieder, um deren Zustimmung zu sichern (besonders vorteilhaft wäre es, wenn die jeweiligen Vorgesetzten die Teammitglieder zur Mitarbeit im Team einladen bzw. ermuntern würden).
- Falls nicht vom Vorgesetzten bereits getan: Information der Teammitglieder über die Absicht, dieses Team zu bilden und diese Mitarbeiter einzuladen. Information über Zielsetzung, zeitlichen Ablauf, Aushändigung der Projektbeschreibung.
- Unterstützung des Teamleiters bei der Bereitstellung von Hilfsmitteln und bei der Formulierung von Vorschlägen.
- Kontaktperson zwischen Qualitätsteam und Projektteam.
- Anlaufstelle für Team bei Schwierigkeiten.
- Kurzinformation an Qualitätsteam über Fortschritte des Teams. (Bei Vollendung der Diagnose sei daran gedacht, das Qualitätsteam näher über Vorgehen und Ergebnis zu informieren. Dies gibt zusätzlich die Möglichkeit zur Anerkennung.)

Diese Aktivitäten könnten theoretisch auch vom Qualitätsmanager ausgeführt werden. Andererseits besteht in den obengenannten Tätigkeiten die Möglichkeit, das Management aktiv an diesem Qualitätsprozeß zu beteiligen und Managementverpflichtung zu demonstrieren.

Es hat sich als sehr vorteilhaft erwiesen, den Teammitgliedern eine schriftliche Projektbeschreibung auszuhändigen. Einerseits zwingt das Qualitätsteam sich zu klaren Aussagen, und andererseits erhalten die Teammitglieder klare Informationen und Anweisungen. Im Bild 18 ist ein Beispiel wiedergegeben.

1. Projekttitel:

2. Hintergrund:

3. Zielvorstellung:

4. Erhoffte Vorteile:

5. Sponsor:

6. Vorgeschlagene(r) Teamleiter(in):

7. Vorgeschlagene Teammitglieder:

8. Ideen zum Vorgehen:

9. Zeitlicher Ablauf:
   Teamgründung:
   Durchführung der Diagnose:
   Durchführung der Therapie:
   Prüfen, ob neuer Zustand erhalten bleibt:
   Ende des Projektes:

10. Nominiert von:

11. Legitimation von:

Bild 18: Projektbeschreibung

Es wird besonders darauf hingewiesen, daß dies nur ein Beispiel ist und jede Organisation sich ein eigenes Muster erarbeiten sollte. Die Angabe des Titels erwirkt eine einheitliche Sprachregelung bei der Namensgebung. Bezüglich Hintergrund ist es ratsam, einige wenige Sätze zu formulieren, die den jetzigen, bisherigen Zustand beschreiben. Dagegen wird unter Zielvorstellung der zu erwartende, geänderte, erhoffte Zustand beschrieben. Die erhofften Vorteile werden ebenso mitgeteilt. Der Name des Sponsors gibt die Kontaktperson an. Im Sinne des partizipierenden Managementstils sollten alle Mitglieder zur Teilnahme gebeten werden und nicht (diktatorisch) bestimmt werden.

Unter „Ideen zum Vorgehen" werden Anregungen mitgeteilt, die aber nicht unbedingt durchzuführen sind. Es ist Aufgabe des Teams, die Diagnose durchzuführen und über Mittel und Wege selbst zu entscheiden. Es gibt aber auch Situationen, die es ratsam erscheinen lassen, das Team auf gewisse Dinge hinzuweisen. Wenn z. B. bereits Tätigkeiten in dieser Richtung ausgeführt wurden, sollte darauf verwiesen werden, um unnötige Duplizitäten zu vermeiden.

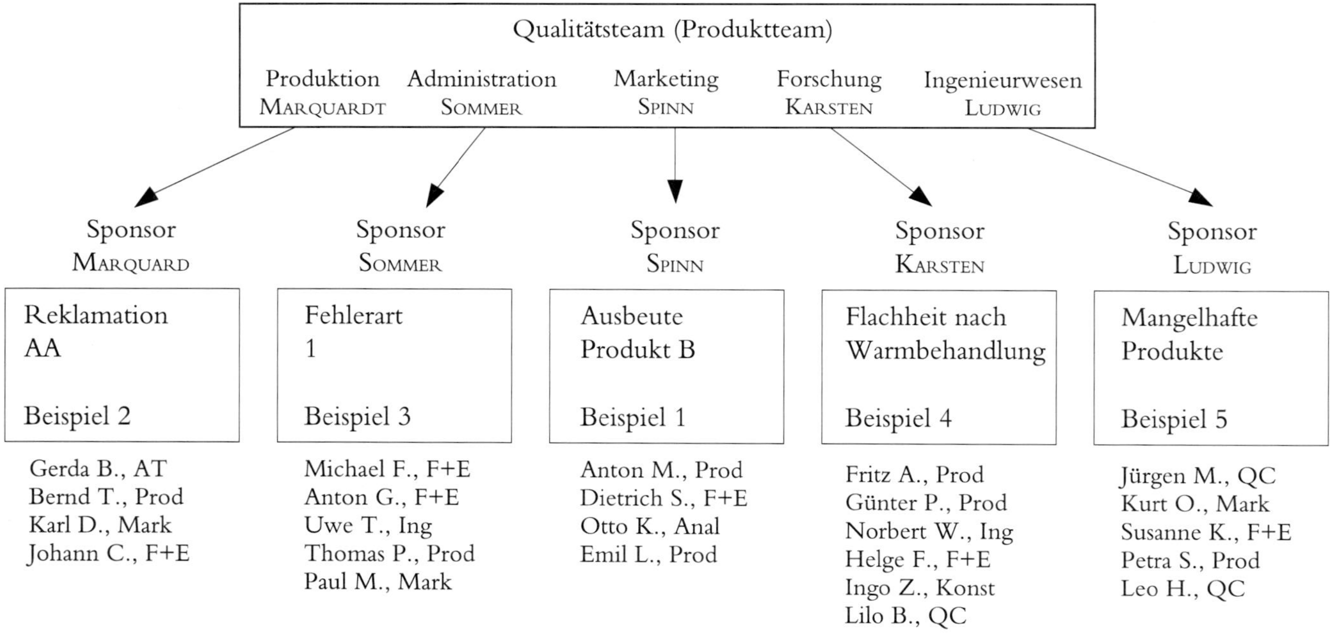

AT: Anwendungstechnik
Anal: Analytik
F+E: Forschung, Entwicklung
Ing: Ingenieurwesen
Konst: Konstruktionsabteilung
Mark: Marketing
Prod: Produktion
QC: Qualitätskontrolle

Bild 19: Organisation zur Projektlenkung

Der zeitliche Ablauf ist meistens sehr schwer abzuschätzen. Andererseits haben Teams oftmals lieber einen Zeitplan, der geändert wird oder werden muß, als gar keinen. Der Zeitplan läßt auch manchmal Rückschlüsse auf die Wichtigkeit und damit auf die Häufigkeit der Treffen zu.

Manchmal erhebt sich eine Frage, die nur oder besonders derjenige beantworten kann, der das Projekt nominiert hat. Daher seine Angabe. Die Legitimität bestägt, ob das Projekt vom Lenkungsausschuß, Qualitätsteam oder von einer Qualitätsgruppe ernannt wurde.

Wie bereits erwähnt, ist dies lediglich ein Muster und sollte nur als Anregung dienen. Im Bild 19 sind die bisher verwendeten Beispiele alle einem fiktiven Qualitätsteam unterstellt. In diesem Modell wird deutlich, daß die natürliche Hierarchie bei der Bewältigung der Qualitätsprobleme oder bei der Bearbeitung der Chancen benutzt wurde. Das Produktteam ist identisch mit dem Qualitätsteam und setzt die Prioritäten bzw. ernennt die Projekte. Die Mitglieder des Qualitätsteams sind auch jeweils Sponsor für ein Projektteam, wobei sie nicht unbedingt der Sponsor eines Teams auf ihrem Fachgebiet sein müssen. So ist z.B. der Marketingleiter der Sponsor für das Team „Ausbeute Produkt B“. Ferner sei nochmals darauf hingewiesen, daß der Sponsor *nicht* an den regelmäßigen Treffen des Teams teilnimmt. Besonders ein Aspekt soll hier genannt werden. Angenommen, der Produktionsleiter ist der Sponsor des Teams „Ausbeute Produkt B“ und nimmt an allen Teamsitzungen teil. Dies könnte die Kreativität der Teammitglieder beeinflussen, besonders dann, wenn dieser Produktionsleiter eine starke Persönlichkeit mit einem ausgeprägten Führungsdrang ist. Um eine vorurteilsfreie, unvoreingenommene Bearbeitung dieses Projektes zu gewährleisten, wäre es in diesem Falle sicherlich besser, daß eine Person mit der Position nicht Mitglied im Projektteam ist. Die Anzahl der Teammitglieder, welche die Verantwortung zur Durchführung der Diagnose erhielten, beträgt hier zwischen vier und sechs. Ferner sieht man, daß in jedem dieser Beispiele die Teammitglieder verschiedenen Abteilungen angehören.

Bevor die eigentliche Diagnose vorgestellt wird, noch ein Hinweis zu Fehlern bzw. Mängeln. Manche Mängel sind vom Management steuerbar, andere dagegen vom Bediener. Jede dieser beiden Klassen von Mängeln erfordert eine spezielle Strategie, Taktik und Technik, sowohl für die Diagnose als auch für die Therapie. Viele Führungskräfte glauben, der Großteil der Mängel sei von Werkern und Bedienungspersonal steuerbar. Forschungsergebnisse jedoch widerlegen diese Annahme. Im allgemeinen zeigt sich folgende Verteilung:

80 % mehr Mängel sind vom Management steuerbar und
20 % oder weniger Mängel sind vom Werker steuerbar.

Niemand braucht dieses Verhältnis zu akzeptieren, und es gibt große Schwankungen innerhalb der Industriezweige und Unternehmen. Dies sind grobe Durchschnittswerte. Der wichtige Punkt jedoch besteht in der Tatsache, daß die *Mehrzahl* der Fehler oder Mängel vom Management steuerbar sind. Zur Charakterisierung der Mängel können die folgenden Kriterien herangezogen werden:

- Weiß der Werker/Arbeiter, was von ihm erwartet wird?
- Weiß der Werker/Arbeiter, ob die Arbeit den Anforderungen entspricht?
- Verfügt der Werker/Arbeiter über die erforderlichen Steuerungsmöglichkeiten?

Falls eine dieser Fragen mit nein beantwortet wird, ist der Mangel vom Management steuerbar. Da diese Kategorie bei weitem die größere Anzahl der Chancen beinhaltet, wird hier nur diese Kategorie bezüglich der Diagnose und der Therapie beschrieben. Für Interessenten der Mängel, welche vom Werker/Arbeiter steuerbar sind, wird auf die Originalarbeiten von Dr. Juran verwiesen. Nähere Einzelheiten sind im Kapitel 7. Quellennachweise zu finden.

4.1.5 Diagnose

Wie im Bild 17 dargestellt, steht am Anfang der Diagnose das Symptom und am Ende das Wissen der Ursache für den Mangel/Fehler. Das Erlangen des Wissens der Ursache wird auch als Wissensdurchbruch bezeichnet. Dem Projektteam obliegt es, diesen zu erlangen. Zur Durchführung der Diagnose stehen etliche Methoden und Techniken zur Verfügung, welche sich als sehr hilfreich bewährt haben:

1. Analyse der Symptome
   a. Autopsie
   b. Paretodiagramm
   c. Standardisierte Terminologie
2. Erarbeiten von Theorien
   a. Brainstorming
   b. Ishikawa-Ursache-und-Wirkung-Diagramm
3. Bewerten von Theorien
   a. Mehrfachwahl
   b. Einfachwahl
   c. Matrixbewertung
4. Wahl der zu überprüfenden Theorien
   a. Prüfung aller Theorien simultan
   b. Prüfung von Gruppen von Theorien
   c. Prüfung der Theorien der Reihe nach
5. Testen der Theorien
   a. durch Auswerten vorhandener Daten
   b. durch systematisches Beobachten des Prozesses:
      - Segmentierung der Materialströme

- Zeitablaufanalyse
- Einzeluntersuchung
- Ansatzuntersuchung
- Personaluntersuchung
- Konzentrationsdiagramme
- Prozeßfähigkeit

c. Öffnen neuer Blickwinkel
   - Erhalten der Materialidentität im Prozeß
   - Unterteilung des Prozesses in kleinere Einheiten
   - Messen von bisher nicht erfaßten Daten
   - Messen von erfaßten Daten mit höherer Präzision

d. Planung und Durchführung von Versuchen

e. Faktorenversuchsplanung

Hier sei kurz auf die einzelnen Techniken und Methoden eingegangen:

4.1.5.1 Analyse der Symptome

Manchmal liegen bereits Fehlerkarten oder Reklamationsübersichten vor, die in dem Moment auf die Ursache aufmerksam machen, wenn die Information systematisch oder tabellarisch zusammengestellt wird. Falls diese Information nicht direkt auf die Ursache aufmerksam macht, deutet die Information häufig in die richtige Richtung.

a. Autopsie: Hier gibt es eine Anlehnung an die Medizin. Es wird eine Sache auseinandergenommen, um einen Einblick zu gewinnen und um Ursachen zu finden. Die Luftstrahlmühle z. B. verstopfte sehr häufig und führte sowohl zu Stillständen der Anlage als auch zu Belästigungen der Arbeiter durch Staubemission. Die Autopsie deutete auf einen Konstruktionsmangel.
b. Paretodiagramm: Die Darstellung von Information und Zahlen in graphischer Form hilft oftmals, die wenigen wichtigen Dinge von den brauchbar vielen Dingen zu trennen. Das Pareto-Prinzip stellt häufig eine Entscheidungshilfe dar. Zur Erstellung des Paretodiagramms siehe Kapitel 4.1.9 Methoden.
c. Standardisierte Terminologie: Dies mag für einen Außenstehenden etwas banal klingen, ist aber in Wirklichkeit von Bedeutung. Obwohl dieselben Begriffe verwendet werden, verstehen verschiedene Leute verschiedene Dinge. Im Beispiel 4 gab es verschiedene Fehler nach der Warmbehandlung: Flachheit, M-Defekt, Schaden, Beulen, Verlust, Polster und Überstand. Bei der Bearbeitung dieses Problems gab es verschiedene Interpretationsmöglichkeiten. Eine Person bezeichnete den Defekt als Schaden, eine andere Person bezeichnete denselben Fehler als Beule. Bevor mit der eigentlichen Diagnose angefangen wird, muß hier Übereinstimmung in der

Terminologie erreicht werden. Daher wurde zuerst ein Fehlerregister mit Fotografien erstellt, alle Beteiligten wurden über die einheitliche Regelung unterrichtet und erhielten zustätzlich eine Kopie. Diese Kopie diente im Zweifelsfalle als Vergleich. Die Fehleranalyse wurde erst nach der Einführung dieser standardisierten Terminologie sinnvoll.

4.1.5.2 Erarbeiten von Theorien

Oftmals liegen die Ursachen mehr im verborgenen und es muß teilweise mühsam nach diesen gesucht werden. Hierbei gibt es eine weitere Schwierigkeit, auf die aufmerksam zu machen ist. Besonders in den Fällen, in denen ein Problem oder eine Chance über einen längeren Zeitraum existierte, gibt es oft vorgefaßte Meinungen, die zum Teil eine Rechtfertigung besitzen, zum Teil jedoch einer Grundlage entbehren. Der Vorarbeiter z. B. war fest davon überzeugt, daß die Striche auf den Platten vom Abrieb der Gummiwalze stammten. Diskussionen mit der Herstellerfirma der Gummiwalzen brachten keine Verbesserung, und somit blieb diese Behauptung alleine übrig: Die Striche stammen von dem Abrieb der Gummiwalze. Niemand hatte diese Behauptung je auf Richtigkeit hin geprüft, da es eigentlich eine logische Erklärung war. Das Team, das die Diagnose zur Ergründung dieser Striche durchführen sollte, hatte mit der Behauptung des Vorarbeiters zu kämpfen. Es war eine sehr weise Entscheidung, den Vorarbeiter in das Team zur Diagnose mit aufzunehmen. Die Diagnose bestand in einer Autopsie (Reinigung der Partikel und anschließende mikroskopische Untersuchung) der Partikel, welche die Striche verursachten. Das Ergebnis überraschte alle Beteiligten: Die Partikel, welche die Striche verursachten, bestanden zu ca. 95 % aus Fasern und zu ca. 5 % aus anderen Materialien. Dies war der Wissensdurchbruch. Indem der Vorarbeiter Teil des Untersuchungsteams wurde, hatte er teil an dem Erfolg und konnte somit auch leichter einer Änderung des Prozesses zustimmen. Wäre er kein Mitglied, sondern ein Außenstehender des Diagnoseteams gewesen, hätte er sich sicher anders verhalten und die Therapie nicht derart unterstützt. Mit diesem Beispiel soll verdeutlicht werden, daß es manchmal vorteilhaft ist, solche Mitarbeiter an der Diagnose zu beteiligen, die später von der Therapie berührt werden. Je größer die Änderung durch die Therapie ist, desto größer kann sich der Widerstand gestalten.

a. Brainstorming: Diese Technik kann benutzt werden, um eine große Anzahl von Theorien zu erarbeiten, welche die mögliche Ursache sein können. In diesem ersten Schritt geht es wirklich um die Anzahl der Theorien. In einem späteren Schritt erfolgt die Bewertung. Einzelheiten zu dieser Technik siehe Kapitel 4.1.9 Methoden.
b. Ishikawa-Ursache-und-Wirkung-Diagramm in Verbindung mit dem Brainstorming dient ebenfalls zur Erarbeitung einer möglichst hohen Zahl von

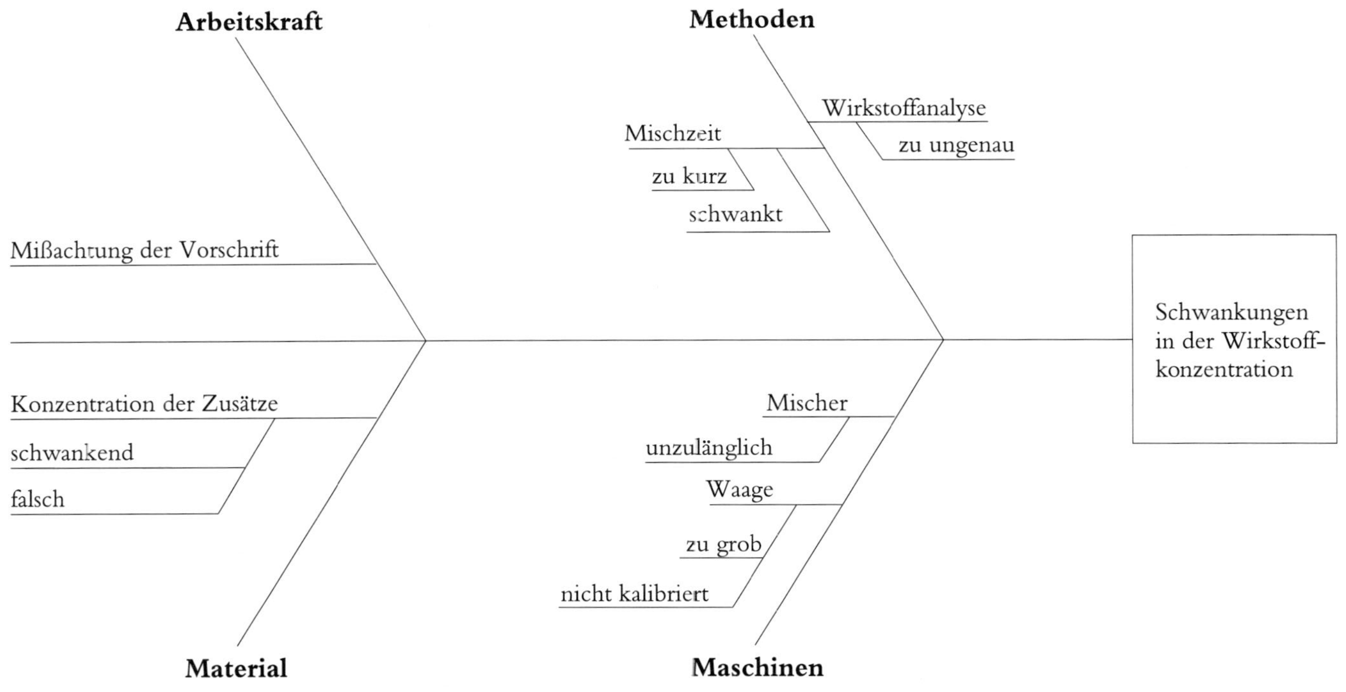

Bild 20: Ishikawa – Ursachen- und Wirkungs-Diagramm

möglichen Ursachen oder Theorien. Dieses Diagramm hat den Vorteil, daß eine Einteilung beim Brainstorming vorgenommen wird.

Im Beispiel 2 „Reklamationen“ wurde ein Paretodiagramm der Gründe der Reklamationen aufgestellt. Der häufigste Grund war „Konzentration der Wirksubstanz zu hoch oder zu niedrig“. Ein Team wurde mit der Durchführung der Diagnose beauftragt. Der erste Schritt zur Diagnose bestand in der Formulierung von Theorien. Das erarbeitete Ishikawa-Ursache-und-Wirkung-Diagramm ist im Bild 20 wiedergegeben. Einzelheiten siehe Kapitel 4.1.9 Methoden.

4.1.5.3 Bewerten von Theorien

Aus der Vielzahl der Theorien ist jetzt die richtige, die zutreffende Theorie herauszusuchen. Oder anders formuliert, es muß eine Reihenfolge aufgestellt werden, in der die Theorien getestet werden. Das Team hat sicherlich ein Gefühl dafür, welche Theorien eine hohe Chance haben und welche eher als unwahrscheinlich zu bezeichnen sind. Daher kann eine einfache Wahlmethode zur Festlegung der Reihenfolge benutzt werden.

a. Mehrfachwahl. Nach dem Ende des Brainstormings kann, falls die Gruppe Wert darauf legt, eine Klärung der einzelnen Theorien vorgenommen werden, damit eventuelle Unklarheiten beseitigt werden. Anschließend geht es dann in die Mehrfachwahl. Im Bild 21 ist das Ergebnis der Mehrfachwahl am Ishikawa-Ursache-und-Wirkung-Diagramm wiedergegeben. Einzelheiten zur Mehrfachwahl siehe Kapitel 4.1.9 Methoden.
b. Einfachwahl. In manchen Fällen erhält man keine eindeutige Reihenfolge, es gibt dann mehrere Theorien mit derselben Stimmenanzahl. Hier kann eine Einfachwahl ein „Unentschieden“ leicht lösen. Einzelheiten zur Einfachwahl siehe Kapitel 4.1.9 Methoden.
c. Matrixbewertung. Statt sich vom Gefühl leiten zu lassen, kann man Bewertungskriterien zu Hilfe nehmen, um eine Reihenfolge zum Testen aufzustellen. Im Bild 22 ist ein Muster zur Festlegung der Testreihenfolge angegeben.

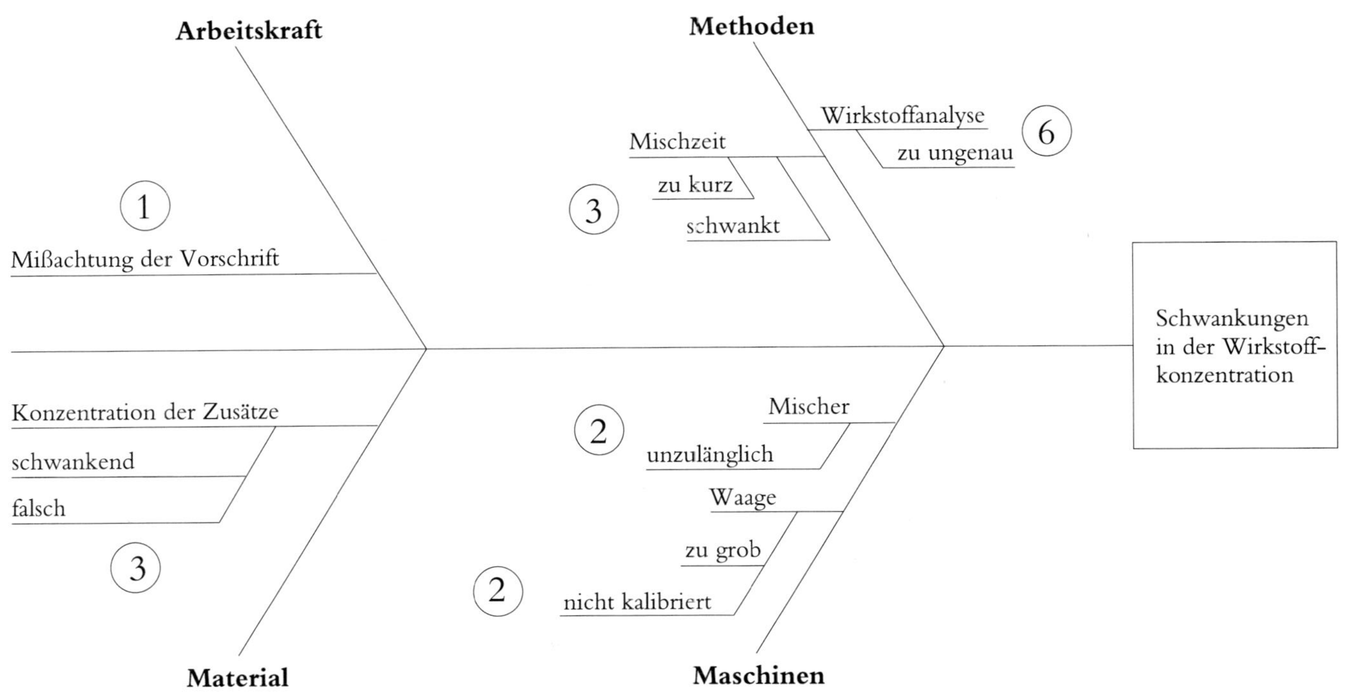

Bild 21: Ishikawa – Ursachen- und Wirkungs-Diagramm

Theorie	Potential 5 = hoch 3 = 1 = niedrig	Test 5 = leicht 3 = 1 = schwer	Testaufwand 5 = niedrig 3 = 1 = hoch	Testdauer 5 = kurz 3 = 1 = lang	Summe
1					
2					
3					
4					
5					

Bild 22: Matrixbewertung von Theorien

4.1.5.4 Wahl der zu überprüfenden Theorien

Es gibt einige Aspekte, die es sich lohnt, in Erwägung zu ziehen, bevor man an das eigentliche Testen der Theorien geht.

a. Testen aller Theorien simultan. Falls keine Daten oder Informationen wie unter 4.1.5.5 beschrieben vorliegen, müssen diese durch systematisches Beobachten des Prozesses gewonnen werden. Hierzu ist meistens ein Datenblatt erforderlich. Trifft dieser Zustand für alle Theorien zu, ist es natürlich vorteilhaft, Daten für alle Theorien zu sammeln. Ferner besteht die Möglichkeit, durch spezielle Versuchsanordnung eine Vielzahl von Parametern gleichzeitig zu untersuchen, wie unter Punkt 4.1.5.6 beschrieben.
b. In manchen Fällen ist es möglich, mehrere Theorien einer Gruppe gleichzeitig zu testen. So ist es denkbar, daß verschiedene theoretische Ursachen unter der Rubrik „Rohmaterialien" zu finden sind. Bei der vergleichenden Untersuchung verschiedener Rohmaterialien können somit verschiedene Theorien gleichzeitig getestet werden.
c. Gehören die wenigen wichtigen Theorien verschiedenen Gruppen an und ist die Wahrscheinlichkeit groß, die wirkliche Ursache unter sehr wenigen Theorien zu finden, kann es durchaus angebracht sein, die Theorien einzeln nacheinander zu testen.

4.1.5.5 Testen der Theorien

Das Testen der Theorien soll Auskunft geben ob die getestete Theorie zutrifft, oder ob sie verworfen werden muß. Die Bewertung und die Wahl der zu überprüfenden Theorien stellt lediglich die Reihenfolge auf, da man daran interessiert ist, möglichst mit den Theorien zu beginnen, die eine hohe Zufallswahrscheinlichkeit haben. Die zur Verfügung stehenden Testmethoden sind zahlreich, und die folgende Liste stellt keinen Anspruch auf Vollständigkeit.

a. Durch Auswerten vorhandener Daten. In vielen Fällen kann auf vorhandene Daten oder Informationen zurückgegriffen werden, um eine Theorie zu testen. Diese Information wird irgendwo in der Organisation gespeichert, manuell, maschinell oder elektronisch mittels Computer. Die Theorie, daß der Rohstoff von Lieferant B höhere Ausbeuten als von Lieferant A liefert, kann relativ rasch getestet werden. Die Ausbeuten der letzten Serien werden nach Lieferanten sortiert und miteinander (statistisch) verglichen. In diesem Falle kann auf historische Daten zurückgegriffen werden. Diese vorhandenen Daten können z. B. im Fahrbuch der Meßwarte vorliegen, oder im Laborjournal des Betriebslabors, oder im Kontrollbuch des Hochregallagers, oder im Computerspeicher der Anwendungstechnik usw. Der Vorteil dieser Testmethode liegt in der schnellen Durchführung des Testens. Es braucht nicht lange auf Betriebsdaten oder auf den Anfall von Daten gewartet werden.
b. Durch systematisches Beobachten des Prozesses. Diese Methode wird oftmals zum Testen von Theorien verwendet, wenn keine (geeigneten) historischen Daten zur Verfügung stehen.
   - Segmentierung der Materialströme: Falls mehrere Lieferanten für einen Rohstoff in Frage kommen oder wenn mehrere Reaktoren zur Verfügung stehen, so kann eine Trennung manchmal zusätzliche Information bieten.
   - Zeitablaufanalyse: Eine graphische zeitliche Auftragung des Prozesses ergibt manchmal nützliche Hinweise.
   - Einzeluntersuchung: Bei der Herstellung diskreter Teile gibt die Einzelbetrachtung oder die vergleichende Einzelbetrachtung manchmal Aufschluß, ob eine Theorie zutrifft oder nicht.
   - Ansatzuntersuchung: Besonders bei der Herstellung von Chemikalien, Gemengen oder homogenen Produkten kann die besonders intensive Untersuchung eines besonders guten oder besonders schlechten Ansatzes von Bedeutung sein.
   - Personaluntersuchung. Hier ist daran gedacht, daß das Prozeßergebnis in Zusammenhang mit den am Prozeß beteiligten Personen steht. Werker A hat vielleicht im Durchschnitt ein besseres Ergebnis als Werker B.

- Konzentrationsdiagramme. Ein kompliziertes Formteil kann vielleicht verschiedene Fehler mit verschiedenen Häufigkeiten aufweisen. Die Markierung all dieser Fehler auf einer Zeichnung gibt vielleicht Aufschluß aufgrund der Konzentration der Fehler.
- Prozeßfähigkeit. Die Prozeßfähigkeitsstudie ergibt in manchen Fällen Erkenntnisse, die dazu dienen können, Theorien zu überprüfen.

c. Öffnen neuer Blickwinkel. Manchmal erlaubt der Prozeß keine Rückschlüsse oder ergibt nicht die gewünschte Auskunft. Um trotzdem Theorien testen zu können, wird man gezwungen sein, für einen gewissen Zeitraum etwas zu ändern, um die gewünschte Information zu erhalten.
   - Erhalten der Materialidentität. Besonders in der chemischen Industrie gibt es diskontinuierliche Verfahren, bei denen sich die Einzelansätze aus verschiedenen Gründen überlappen, da z. B. die Trockenschränke immer voll gefüllt werden und somit die Ansätze nicht separat gehalten werden. Um Theorien testen zu können, ist es vielleicht für einen kurzen Zeitraum angebracht, die Ansätze streng getrennt zu halten und auf das volle Ausnutzen der Kapazität zu verzichten.
   - Unterteilung des Prozesses in kleinere Einheiten. Manchmal besteht ein Prozeß aus der Serie mehrerer Prozeßstufen. Hier ist es vielleicht angebracht, zwischen den einzelnen Stufen für eine bestimmte Zeit zusätzliche Kontrollen einzuführen, um Theorien zu testen.
   - Messen von bisher nicht erfaßten Daten. Es könnte die Theorie bestehen, die Ursache liegt in den Schwankungen eines nicht regelmäßig gemessenen Prozeßparameters. Hier wäre es angebracht, für einen gewissen Zeitraum diesen speziellen Parameter zu erfassen.
   - Messen von erfaßten Daten mit höherer Präzision. Manchmal reicht für eine Routineprüfung eine einfache Kontrolle auf Basis Ja – Nein. Dies ist z. B. der Fall bei Prüfungen mit Lehren: geht oder geht nicht – hier wäre eine exakte Messung der Dimensionen möglich. Oder der pH-Wert wird mit Indikatorpapier gemessen: sauer oder nicht – hier wäre an eine Messung mit einer Elektrode im Labor gedacht.

d. Planung und Durchführung von Versuchen. In manchen Fällen müssen Prozeßparameter gezielt für einen bestimmten Zeitraum geändert werden, um die gewünschte Information zu erhalten. Hier sei auch an die Durchführung von Versuchen im Technikums- oder auch im Laboratoriumsmaßstab gedacht. Ferner zählen hierzu auch bestimmte Tests, die eventuell nur beim Kunden durchgeführt werden können.

e. Faktorenversuchsplanung: Manchmal stellt sich die Aufgabe, den Einfluß mehrerer Parameter zu untersuchen. Traditionell wird dabei nur ein Parameter variiert, und alle übrigen werden konstant gehalten. Diese Methode erfordert eine sehr große Zahl von Untersuchungen, wobei die

Wechselbeziehungen von kombinierten Parametern nicht erörtert werden. Bei der Faktorenversuchsplanung hingegen werden alle Wechselbeziehungen bei einer geringeren Gesamtanzahl von Untersuchungen berücksichtigt. Nähere Literaturhinweise siehe unter Kapitel 4.1.9.

4.1.5.6 Faktorenversuchsplanung

Im vorigen Abschnitt diente die Faktorenversuchsplanung dazu, Theorien auf ihren Wahrheitsgehalt hin zu testen. Diese Methode kann natürlich ebenfalls dazu verwendet werden, die Diagnose direkt anzustellen, ohne zuerst Theorien aufzustellen. Daher wird hier nochmals auf diese Möglichkeit verwiesen.

4.1.6 Wissensdurchbruch

Die Diagnose ergibt in den meisten Fällen einen Wissensdurchbruch. Dies bedeutet, daß die Tätigkeit ein Wissen erbringt, das vorher unbekannt war, aber von ausschlaggebender Bedeutung für das Verständnis des Problems ist. Ferner läßt sich in den meisten Fällen aufgrund des Wissendurchbruchs die Therapie erstellen.

Dieser Wissensdurchbruch läßt sich leicht an Hand der bisher verwendeten Beispiele verdeutlichen:

Beispiel 1:
Die Ausbeute von Produkt B war als Projekt anerkannt worden, und ein Team wurde mit der Diagnose beauftragt. Die Analyse vorhandener Daten, in diesem Falle das Laborjournal, ließ auf das Verhältnis von Lösungsmittel auf Einsatzmenge (Verdünnung) schließen. Diese Theorie wurde durch entsprechende Versuche im Produktionsbetrieb bestätigt. Der Wissensdurchbruch bestand in der Tatsache, daß mit höherer Verdünnung die Ausbeute stieg. Dies war vorher unbekannt. Im Laufe der Zeit hatte sich das Verhältnis aus verschiedenen Gründen verändert, ohne daß den Beteiligten die Konsequenzen in Bezug auf die Ausbeute bewußt wurden. Es bedurfte der Ernennung eines Teams, das die Aufgabe erhielt, die Diagnose durchzuführen, um den Wissensdurchbruch ans Licht zu bringen.

Beispiel 2:
Bei den Reklamationen wurden durch das Paretodiagramm als die häufigste Ursache (28 %) Schwankungen in der Wirkstoffkonzentration ermittelt. Daraufhin wurden mit Hilfe von dem Ishikawa-Ursache-und-Wirkung-Diagramm Theorien aufgestellt und mit Hilfe der Mehrfachwahl die wenigen wichtigen Theorien ermittelt. Als Hauptpotential stellte sich die Theorie: „Wirkstoffanalyse zu ungenau" heraus. Eine Untersuchung zur Prozeßfähigkeit bestätigte diese Theorie. Der Prozeß war zwar in statistischer Kontrolle, hatte aber eine solch große Schwankungsbreite, daß mit dieser Methode die gewünschte Wirkstoffkonzentration nicht garantiert werden konnte. Dies war nun ein Wissensdurchbruch, der primär zwar den Zustand erklärte, jedoch keine direkte Therapie zuließ. Daher wurde nochmals die universelle Sequenz angewandt, um zu ermitteln, warum die Prozeßfähigkeit derart hoch war. Es kam zu einem weiteren Wissensdurchbruch: Ein Meßsystem verfügte über

ein Radioisotop zur Strahlenerzeugung, das keine ausreichende Strahlungsintensität mehr besaß. Dieser zweite Wissensdurchbruch ließ eine Therapie zu. Es wurde ein neues Isotop eingesetzt, wodurch die Prozeßfähigkeit verbessert und die Schwankungsbreite um zwei Drittel reduziert wurde. Es bleibt nur noch zu erwähnen, daß die Reklamationen, basierend auf die zu hohe oder zu niedrige Wirkstoffkonzentration, praktisch auf Null zurückgingen.

Beispiel 3:
Bei den vorfabrizierten Platten wurden die Qualitätskosten dazu verwendet, Projekte zu indentifizieren. Die häufigste Fehlerursache (18,9 %) bestand im mechanischen Abheben der aktiven Schicht. Ein Projektteam wurde mit der Diagnose beauftragt. Theorien wurden erarbeitet, die wenigen wichtigen ermittelt und diese durch Versuche getestet. Der Wissensdurchbruch bestand darin, daß eine ungleichmäßig starke Klebeschicht in Verbindung mit der Lagerung in hoher relativer Luftfeuchtigkeit zu einem mechanischen Abheben der aktiven Schicht führt. Die Therapie bestand in einer Änderung des Prozesses, indem die Klebeschicht nicht mehr gesprüht, sondern mit Walzen aufgetragen wurde.

Beispiel 4:
Die Formteile in diesem Beispiel hatten sieben verschiedene Fehler nach der Warmbehandlung. Flachheit war mit 46,4 % der häufigste Fehler. Das Projektteam befaßte sich mit der Diagnose und analysierte die Symptome: Flachheit. Der Wissensdurchbruch stellte sich bei der systematischen Beobachtung des Prozesses ein: Während der Warmbehandlung nahmen die Formteile die Kontur der Trägerplatten an. Die Trägerplatten waren zum Teil recht alt und verbogen. Die Therapie bestand im Messen und Aussortieren der Trägerplatten.

4.1.7 Therapie

Wie in diesen Beispielen zu sehen ist, ergab sich durch die Diagnose immer ein Wissensdurchbruch, auf den sich eine Therapie aufbauen ließ. In manchen Fällen ist das Erlangen des Wissensdurchbruches einfach, in den meisten Fällen jedoch ist es vorteilhafter, wenn hierfür klare Zuständigkeiten in Form eines Projektteams geschaffen werden und wenn die Mitglieder im Projektteam die zur Diagnose erforderlichen Kenntnisse und Methoden beherrschen. Durch diese Systematik wird die Wahrscheinlichkeit, daß die richtige Lösung effektiv ermittelt wird, sehr stark erhöht. In den obigen Ausführungen unter 4.1.6 Diagnose wurde jeweils die Therapie in den Beispielen bereits aufgeführt. Es sei hier darauf hingewiesen, daß in einer Reihe von Fällen mehr als eine Ursache, d. h. mehrere Ursachen vorhanden sind. Diese werden nicht in jedem Falle bei der ersten Diagnose gefunden. Daher können bei der Entwicklung der Therapie auch nicht immer alle Ursachen berücksichtigt werden. Deswegen ist es wichtig, auf jeden Fall *alle* Schritte der universellen Sequenz zu berücksichtigen.

Für die Diagnose wurde für jedes Projekt ein spezielles Team ernannt, das mit der Durchführung der Diagnose beauftragt wurde. Diese Teammitglieder wurden auf Grund ihrer Kenntnisse, Erfahrungen und ihren Fähigkeiten, effektiv an der Diagnose mitarbeiten zu können, ausgewählt. Die Verantwortlichkeiten zur Durchführung der Diagnose wurden hiermit geschaffen. Bei der Therapie hingegen sind die Verantwortlichkeiten nicht erst zu erstellen. In den meisten Fällen ergeben sich die Verantwortlichkeiten aus der Sache selbst. Dies soll an den Beispielen näher erläutert werden.

Beispiel 1:
Um hohe Ausbeuten zu erzielen, mußte mit höherer Verdünnung gefahren werden. Das Projektteam hatte die Fakten gesammelt und Beweise für diese Behauptung erbracht. Der Betriebsassistent dieses Betriebes war Mitglied im Team und von Anfang an an diesem Projekt beteiligt. Er konnte in Abstimmung mit dem Betriebsleiter die Änderung der Rezeptur vornehmen. Eine Änderung der Rezeptur dürfte von alleine hier wahrscheinlich nicht vorkommen. Daher wird diese Therapie als irreversibel bezeichnet.
Es ist wichtig, auf die Tatsache hinzuweisen, daß der Betriebsassistent Mitglied in diesem Projektteam war. Hätte man niemanden aus dem Betrieb in diesem Team gehabt, wären praktisch nur Außenstehende im Team gewesen, die in den Augen des Betriebes vielleicht nur immer alles besser wissen. Die Rezepturänderung wäre dann vielleicht nicht so einfach gewesen. Oftmals stellt sich hier der Widerstand zum Wandel ein. Um diesem möglichen Widerstand zu entgehen, sollte man stets bei der Aufstellung des Projektteams daran denken, solche Mitarbeiter als Mitglieder eventuell zu berücksichtigen, die vielleicht später einmal mit der Therapie in negativer Weise in Berührung kommen können.

Beispiel 2:
Die Untersuchung der Methode zur Bestimmung der Wirksubstanz ergab, daß die Schwankungsbreite der Analyse zu groß für die geforderten Spezifikationen war. Dieser Wissensdurchbruch verlangte nach einer Therapie, die zuerst noch eine weitere Diagnose erforderte. Die Frage nach der Zuständigkeit für die weitere Bearbeitung lag klar auf der Hand. Der Leiter der Qualitätskontrolle, dem diese Analysenmethode unterstand, setzte daraufhin ein für dieses Problem spezifisches Projektteam ein. Dieses Team bestand lediglich aus Mitarbeitern des Labors der Qualitätskontrolle. Als weiterer Wissensdurchbruch stellte sich die geringe Strahlungsintensität als Folge des zu hohen Alters des Isotopes heraus. Auch in diesem Falle war die Zuständigkeit außer Zweifel, es wurde über die normalen Kanäle ein Ersatz besorgt. Kurzfristig gesehen ist diese Therapie irreversibel. Langfristig gesehen kann der alte Zustand wieder eintreten. Daher ist langfristig gesehen diese Therapie reversibel.

Beispiel 3:
Die ungleichmäßige Schichtdicke der Klebemasse stellte sich als Wissensdurchbruch bei diesem Beispiel heraus. Die Therapie sah eine Verfahrensänderung vor, indem die Klebemasse mit Rollen aufgetragen statt wie bisher mit Düsen aufgetragen wurde. Der Betriebsingenieur war Mitglied im Projektteam und veranlaßte in Übereinstimmung mit der Betriebsleitung die konstruktive Änderung. Die Zuständigkeit für diese Therapie lag auf der Hand. Wenn einmal die Änderung vorgenommen ist, wird der alte Zustand mit den Düsen nicht wieder aufkommen. Daher ist diese Therapie als irreversibel anzusehen. Dies besagt jedoch noch nicht, daß auf den Schritt „Sicherstellung, daß der Erfolg von Dauer ist“ verzichtet werden kann. Einzelheiten hierzu im Kapitel 4.1.8.

Beispiel 4:
Der Wissensdurchbruch bestand in der Tatsache, daß die Formteile während der Warmbehandlung die Kontur der Trägerplatten annehmen und daß manche dieser Trägerplatten zu stark gekrümmt waren. Der Vorarbeiter, ebenfalls Mitglied im Projektteam, veranlaßte, daß alle Trägerplatten geprüft und die gekrümmten Trägerplatten aussortiert wurden. Dieser Vorgang kann reversibel sein, je nachdem wo die aussortierten Platten gelagert wurden. Ferner ist in diesem Falle daran zu denken, daß im Laufe der Zeit die Platten mehr und mehr verkrümmen. Daher ist diese Therapie aus mindestens zwei Gründen als reversibel anzusehen.

4.1.8 Erhalten des neu erreichten Niveaus

Wie bereits festgestellt wurde, kann die Therapie reversibel oder auch irreversibler Natur sein. Manchmal stellt sich dies erst nach einer Weile heraus und meistens dann, wenn man denkt, das Problem gelöst zu haben. Dann erscheint in dem Moment der Rückschlag. Der alte Zustand scheint wieder eingekehrt zu sein. Dies kann verschiedene Ursachen haben. Einerseits kann es die reversible Therapie sein. So wurden im Beispiel 4 die verkrümmten Trägerplatten aussortiert. Angenommen, diese werden ins Lager gestellt und zwei Wochen später werden von der Nachtschicht Trägerplatten gesucht. So kann unvermutet durch mangelnde Kommunikation der alte Zustand wieder eintreten. Aus diesem Grunde ist es wichtig, den neu erhaltenen Zustand zu kontrollieren. Es ist Sorge zu tragen, daß der Erfolg von Dauer ist.

Es gibt auch andere Gründe, die es rechtfertigen, einen gewissen Aufwand zu treiben, um den neuen Zustand zu sichern. Gegeben den Fall, daß ein Problem mehrere Ursachen hat. Die universelle Sequenz wird angewandt, und es kommt zu dem Wissensdurchbruch. Die Therapie wird auf Grund der neuen Kenntnisse erarbeitet. Woher soll jemand wissen, daß außer dieser Ursache noch vier andere Ursachen vorhanden sind? Wie sollen diese entdeckt werden? Die konsequente Anwendung der universellen Sequenz wird diese zusätzlichen Ursachen finden: Nachdem die erste Ursache gefunden und die Therapie verabreicht wurde, wird der Zustand überwacht. Es wird festgestellt, daß nur eine teilweise Verbesserung eingetreten ist, oder gar keine. Daher wird dann wieder die Diagnose durchgeführt und die nächsten Schritte der universellen Sequenz. In einem chemischen Betrieb wurden Reaktoren mit Kühlsole gekühlt. Natürlich traten beim Umschalten von Heizen auf Kühlen und umgekehrt Kühlsoleverluste auf. Diese beliefen sich auf ca. DM 50.000,– pro Jahr, ohne die Nebenkosten wie Kapazitätsverlust, Energieverlust bei der Rückgewinnung, Kosten der erhöhten Lagerhaltung für Sole zu berücksichtigen. Ein Projektteam wurde eingesetzt, in dem der Betriebsmeister, der Betriebsingenieur, der Vorarbeiter und ein Diagnostiker Mitglieder waren. Dieses Team mußte sechsmal durch die Sequenz gehen, um dieses Problem wirklich zu lösen.

Im Beispiel 1, den verbesserten Ausbeuten, wurde eine Regelkarte für Einzelwerte und gleitende Spannweiten angelegt. Hiermit wird einerseits die Grundlage für weitere Prozeßverbesserungen gelegt, andererseits dient diese dazu, ein Abrutschen schon in den Anfängen zu signalisieren. Einzelheiten sind im Kapitel 4.2 wiedergegeben.

Im Beispiel 2 war das Analysengerät die Ursache. Das Isotop war wahrscheinlich aus Altersgründen zu schwach. Die Therapie bestand darin, daß ein neues Isotop besorgt und eingesetzt wurde. Der Schritt „Sicherstellen, daß der Erfolg von Dauer ist" wurde hier sehr ernst genommen. Wie kann sichergestellt werden, daß in Zukunft ein Abnehmen der Strahlungsintensität rechtzeitig erkannt wird, war die Frage der Projektteilnehmer. Auch in diesem Falle wurde eine Regelkarte, hier jedoch eine Mittelwert-Spannweitenkarte angelegt, die den Analysenprozeß in Bezug auf die Konstanz der Genauigkeit in der Zukunft verfolgt. Einzelheiten zu dieser Regelkarte siehe Kapitel 4.2.

Im Beispiel 3 wurde eine gleichmäßige Schichtdicke der Klebemasse durch das Auftragen mittels einer Walze statt wie vorher mit Sprühdüsen erreicht. Diese Therapie war wirklich eine irreversible. Doch auch hier wollte man zusätzlich von Zeit zu Zeit eine sichtbare Garantie. Daher setzte man auch hier eine Regelkarte ein, die in bestimmten Abständen an verschiedenen Stellen Proben vorsah. Die Regelkarte dient dazu, weitere Prozeßverbesserungen durchzuführen und ebenfalls dazu, negative Entwicklungen frühzeitig zu erkennnen, bevor daraus ein Problem entsteht.

4.1.9 Methoden

Bei der stetigen Qualitätsverbesserung und besonders bei der universellen Sequenz gibt es eine Reihe von Methoden, die sich als sehr effektiv erwiesen haben und daher sehr häufig angewendet werden. Deshalb wird an dieser Stelle nochmals etwas näher auf diese eingegangen. Die hier behandelten Methoden sind:

1. Brainstorming
2. Paretoprinzip
3. Mehrfachwahl und Einfachwahl
4. Auswahlmatrix und Matrixbewertung
5. Ishikawa Ursache und Wirkung
6. Faktorenversuchsplanung

Wer sich für weitere Problemlösungs- und verwandte Methoden interessiert, findet in dem Buch: „Qualitätszirkel-Handbuch für Praktiker" des Autors noch die folgenden Methoden:

- Datensammelmethoden: Checklisten, Checktafeln, Skizzen, Datensammelblatt,
- Rücklaufzeit von Investitionen,
- Managementpräsentation,
- Bekannt-Unbekannt-Tafel,
- Realisierungsüberwachung,
- Zeitplan – Zielsetzung,
- Kommunikationsübung,
- Kreativitätsübung,
- Interviews,
- Kräftefeld,
- Prozeßanalyse: Ursache und Wirkung,
- Aktivitätenfolgeplan,
- Zeitanalyse,
- X-Y-Diagramm.

4.1.9.1 Brainstorming

Zweck dieser Methode:
Das Ideenpotential der Gruppe/Team optimal nutzen, um eine maximale Anzahl von Ideen in Bezug auf eine Zielsetzung zu ermitteln.

Anwendung:
- Ermitteln von Chancen zur Qualitätsverbesserung
- Ermitteln von Problemen (Schicht, Betrieb, Abteilung o. ä.)
- Ermitteln von Verbesserungsmöglichkeiten am Arbeitsplatz
- Ermitteln von Theorien (möglichen Ursachen)
- Ermitteln von Therapien (möglichen Lösungen)

Bei all diesen Anwendungen steht die Anzahl (Quantität) der Ideen im Vordergrund, nicht die Qualität. Diese wird in einem der folgenden Schritte berücksichtigt. Die Vorteile dieser Methode sind vielseitig:

- Jedes Teammitglied erhält eine Chance.
- Jedes Teammitglied wird ermutigt mitzumachen.
- Ideen initiieren weitere Ideen.
- In kurzer Zeit wird eine Vielzahl von Ideen entwickelt.

Durchführung:
Falls die Mitglieder diese Technik noch nicht kennen, wird das Team mit dieser Technik vertraut gemacht, und die Regeln werden erklärt. Es ist sinnvoll, auf diese Regeln vor jedem Brainstorming hinzuweisen:

- Jedes Mitglied wird gebeten, eine Idee zu nennen.
- Falls keine Idee parat ist, wird gepaßt.
- Kritik ist während des Brainstormings nicht erlaubt.
- Keine Idee ist unsinnig.
- Kreativität ist angebracht, erwünscht.
- Alle Ideen werden notiert (auf Flipchart).
- Es wird solange nach Ideen gefragt, bis alle passen.

Der Teamleiter wird in der Regel das Brainstorming leiten. Zunächst wird klar definiert, wozu das Brainstorming dient. Diese „Überschrift“ soll keine vagen Angaben enthalten und sollte mit Grenzen versehen sein. Im Falle Ideen zur Qualitätsverbesserung gewünscht werden, kann man die Abgrenzung mit der Abteilung, der Schicht, des Betriebes oder des Werkes angeben. Eine Abgrenzung könnte auch nach der Art der Qualitätsverbesserung erfolgen: externe, interne Qualitätskosten oder Prüf- und Verhütungskosten. Wie gesagt, eine genaue Definition sollte bestehen und alle Teilnehmer sollten diese verstehen.

Hat der Leiter sich vergewissert, daß alle Mitglieder das Ziel verstehen, werden die Regeln für das Brainstorming erklärt oder bei erfahrenen Mitgliedern nur auf diese verwiesen. Auch kann man diese Regeln als Plakat in dem Raum aufhängen, in dem die Treffen regelmäßig stattfinden. Für einen schnellen, reibungslosen Ablauf ist es empfehlenswert, wenn eine weitere Person die Ideen aufschreibt. Hierdurch gewinnt der Leiter Zeit, und während die Idee aufgeschrieben wird, kann das nächste Mitglied bereits seine Idee formulieren. Die Ideen sollen möglichst kurz gefaßt werden. Der Leiter kann die Idee in eine Kurzform bringen, sollte aber dabei den Sinn nicht verändern. Vor allem sollte es der Leiter vermeiden, den Wert der Idee anzuzweifeln. Eine neutrale Rolle ist hier angebracht.

Es ist zweckmäßig, die Ideen auf ein großes Blatt Papier, z. B. DIN-A 0-Format (= Flipchart) aufzuschreiben, so daß alle Mitglieder die Liste sehen können. Der Reihe nach werden alle Mitglieder nach ihrer Idee gefragt. Sind alle gefragt worden, wird beim ersten Mitglied wieder angefangen. Es wird solange der Reihe nach um Vorschläge gebeten, bis alle Mitglieder passen. Um den Ideenfluß nicht zu unterbrechen, ist es angebracht, auf Diskussionen während des Brainstormings zu verzichten und sich auf kurze Fragen, die der Klärung dienen, zu beschränken. Vielleicht ist zu Anfang mehr auf die Regeln zu achten, bis das Team sich an diese gewöhnt hat. Je „älter“ das Team ist, je legerer und damit auch unkomplizierter wird das Verhalten und meistens wird das strikte Einhalten der Regeln nicht mehr erforderlich sein.

Eine Wandtafel sollte möglichst vermieden werden, da diese oftmals gelöscht wird. Auch kann das Ergebnis nicht mitgenommen oder konserviert werden. Falls zu einem späteren Zeitpunkt einmal eine Präsentation erfolgt, kann oft auf die Flipcharts zurückgegriffen werden, was mit der Wandtafel praktisch unmöglich ist. Es sollte aus den obenerwähnten Gründen auch regelmäßig jedes Blatt mit Namen der Gruppe/Team und Datum versehen werden.

Statt direkt auf ein großes Blatt Papier zu schreiben, kann man auch auf rechteckige steife Karten schreiben und diese mit Stiften an eine Korktafel heften. Dies hat den Vorteil, daß nach dem Brainstorming eine Kombination und Gruppierung einfach durch Umstecken der Karten erfolgen kann. Neuerdings haben sich hierfür auch größere „Post-It" oder sogenannte selbsthaftende Notizzettel bewährt.

Besonders in einem neugeformten Team kann der Anfang des Brainstormings auf Überraschungen stoßen. Der Leiter hat das Brainstorming und die Regeln erklärt. Jetzt deutet er auf Mitglied X und bittet um eine Idee. Mitglied X ist sehr verblüfft und sagt nach der ersten Schrecksekunde: Ich passe. Nun fragt der Leiter das danebensitzende Mitglied nach seiner Idee, mit dem gleichen Ergebnis: Ich passe. Dies kann für manche Leiter und auch für das Team peinlich sein. Um eine solche Situation zu verhindern, kann man zu Anfang für eine kurze Zeit, ca. zwei bis fünf Minuten, das „stille Brainstorming" praktizieren. Die Mitglieder werden gebeten, alle ihre Ideen niederzuschreiben. Nach der angegebenen Zeit wird nach einem Freiwilligen gefragt, der mit der ersten Idee beginnt. Dann wird weiter der Reihe nach gefragt.

Im Anschluß an ein Brainstorming kann die Liste der Ideen diskutiert werden, um irgendwelche Unklarheiten zu beseitigen. Auf keinen Fall sollten die Namen der Personen notiert werden, die die Idee gehabt haben. Falls eine Idee unklar sein sollte, kann der Leiter allgemein fragen, was unter dem Begriff zu verstehen ist. Sobald die Idee niedergeschrieben ist, ist sie Eigentum der Gruppe. Hierdurch wird vermieden, daß Personen kritisiert werden. Statt dessen wird in der evtl. anschließenden Diskussion lediglich die Idee als solche gewertet. Die Ideen nach einem Brainstorming sind Eigentum des Teams.

Sollte während des Brainstormings wirklich eine unpassende Idee vorgeschlagen werden, ist der Leiter gut beraten, auch diese ohne Kritik aufzuschreiben bzw. aufschreiben zu lassen. Hierdurch wird eine Diskussion oder gar eine Konfrontation vermieden, die oft in Frustration auf beiden Seiten endet. Normalerweise wird die Liste nach dem Brainstorming durch die Mehrfachwahl vom Team ausgewertet, um die wesentlichen Ideen herauszufinden. Hierbei erhalten die unpassenden Ideen so wenige Stimmen, daß sie automatisch eliminiert werden.

An dieser Stelle sei nochmals auf den Unterschied zwischen Ursache und Wirkung oder Symptom und Lösung hingewiesen. So wird beim Brainstorming besonders am Anfang oft eine Lösung als Idee vorgeschlagen, statt die Ursache zu nennen. Beispiel: Beim Brainstorming für „Probleme und Chancen an unserem Arbeitsplatz" wurde als mögliche Ursache „zu wenig Schreibkräfte" genannt. Hier sollte der Leiter oder der Facilitator, falls ein solcher

Spezialist zur Verfügung steht, aufpassen und Einschreiten. Hier können Fragen mit

Warum ...
Wer ...
Wann ...
Was ...

sehr hilfreich sein. Auf die Frage des Leiters z. B. „Warum haben wir zu wenig Schreibkräfte?“ könnte die Antwort sein: „Die Schreibarbeit wird nicht termingerecht erledigt.“ Dies wäre dann das eigentliche Problem. Auch sollten die Ideen spezifisch sein. z. B. „Schmutziger Arbeitsplatz“ ist generell. Hier könnte der Leiter fragen: „Wo ist der Arbeitsplatz schmutzig?“ Die Antwort: „Der Mahlraum im 4. Stock ist schmutzig“ ist eine klare Definition des Problems. Wie oben erwähnt, kann nach dem Brainstorming eine Diskussion erfolgen. Dabei kann auch bei jeder Idee gefragt werden, ob diese eine Lösung darstellt oder das Problem beschreibt. Auch kann dabei gefragt werden, ob das Problem spezifisch genug ist. Vielleicht werden Zusatznotizen gemacht in Bezug auf die Fragen warum, wer, wo, was und wann. Dies mag sehr kritisch erscheinen, ist aber im weiteren Ablauf, besonders bei der Analyse des Problems, sehr hilfreich.

Das Beispiel 5 war von einer Marketinggruppe, die ein Brainstorming zur Ermittlung von Chancen zur Verbesserung durchführte. Hier sind nochmals die Ideen aufgeführt:

Nr.	Chance
1	Mangelhafte Produkte
2	Entscheidungen werden zu hoch in der Organisation gefällt
3	Mangelhafte Datenbasis (Endverbr.) für Marktforschung
4	Unzureichendes Testen vor Einführung neuer Produkte
5	Unvermögen, Kundenbedarf durch zeitgerechte Einführung neuer Produkte zu befriedigen
6	Mangel an Zusammenarbeit zwischen verschiedenen Disziplinen
7	Unvollständige Produktpalette der XYZ-Produktlinie
8	Unrealistische Zielsetzungen in Marketing, trotz Marktverlusten, Markttendenzen, Produktqualität
9	Zugesagte Lieferung nicht termingerecht verschickt
10	Keine Reaktion auf Kundenberichte
11	Mangel an Lieferdatum bei ausstehenden Aufträgen
12	Kunden werden keine Alternativen angeboten, wenn Produkt vergriffen
13	Zeitgerechte Information an Kunden bez. Lieferfähigkeit

Fortsetzung S. 108

Nr.	Chance
14	Einführungszeit neuer Produkte
15	Ausbildungsstand, Informationsstand der Händler
16	Unvermögen, Kundenbedarf zu befriedigen
17	Entscheidungen werden in letzter Minute gefällt
18	Keine oder falsche Informationen an Verkaufsrepräsentanten
19	Kosten vermeidbarer Expreßlieferungen
20	Häufigkeit von stornierten Aufträgen
21	Arbeitsanfall zu groß im Vergleich zur Anzahl Mitarbeiter
22	Kein Detailplan zur Einführung neuer Produkte
23	Produktbeschädigung während Versand
24	Keine Kontaktmöglichkeit zu Personen mit Entscheidungsbefugnissen in der Zentrale
25	Produkte befriedigen nicht Kundenbedürfnisse
26	Kundenberichte werden für falsche Ziele mißbraucht
27	Lieferungen zu spät
28	Unbekannte Zuständigkeiten
29	Proben werden nicht zurückgeschickt
30	Unrealistische Vorstellungen von Verkäufern
31	Gutschriften dauern zu lange

Tabelle 2

4.1.9.2 Paretoprinzip

Zweck dieser Methode:

Das Paretoprinzip ist die Unterscheidung zwischen den „wenigen wichtigen" und den „brauchbar vielen". Die graphische Darstellung wird als Paretodiagramm bezeichnet. Es stellt eine Entscheidungshilfe dar, um aus einer Vielzahl von Möglichkeiten diejenigen mit der höchsten Wichtigkeit oder Erfolgsaussicht hervorzuheben.

...

Anwendung:

Die graphische Darstellung von

- Problemen und deren Wichtigkeit (Bedeutung) für die Gruppe bzw. Team
- der Rangordnung der Wahrscheinlichkeit der Ursachen für ein bestimmtes Problem
- gesammelten Informationen und Daten nach ihrer Rangordnung

Durchführung:

Die Daten der in Frage kommenden Kategorien werden untereinandergeschrieben, addiert und die Prozente der einzelnen Rubriken ermittelt. Sodann werden diese %-Anteile in deren Rangordnung in ein X-Y-Diagramm eingetragen. Als weitere Information kann der kumulative Anteil nach einer jeden Rubrik eingetragen werden.

Beispiel:
Im Beispiel 4 wurden die möglichen Fehler nach der Warmbehandlung entsprechend Tabelle 7 notiert:

Fehler Bezeichnung	Wert DM	Anteil %	Anteil kum. %
Flachheit	110.475	46,37	46,37
M-Defekt	46.028	19,32	65,69
Schaden	38.833	16,30	82,00
Beulen	26.588	11,16	93,15
Verlust	10.602	4,45	97,60
Polster	5.098	2,14	99,74
Überstand	619	0,26	100,00

Zur Konstruktion des Paretodiagramms benutzt man nun ein X-Y-Diagramm. Die Y-Achse wird in Prozenten von 0 auf 100 % eingeteilt und erhält die Bezeichnung „Relative Häufigkeit in %“. Die X-Achse wird in diesem Fall in 7 Teile geteilt und mit „Fehler“ bezeichnet. Im ersten Feld der Fehler wird nun ein Balken hochgezogen bis zur Höhe von 46,37 %. Der zweite Balken wird bis 19,32 %, der dritte Balken bis 16,30 % hochgezogen usw. Wenn alle sieben Fehlerarten eingetragen sind, wird die kumulative Linie konstruiert. Zu den 46,37 % der ersten Kategorie werden die 19,32 % der zweiten Kategorie addiert: 65,69 %. Dieser Punkt wird auf der Y-Achse von 65,69 % und der X-Achse, am rechten Rand der zweiten Kategorie, eingetragen. Zu diesem Wert wird die dritte Kategorie von 16,30 % addiert: 82,00 % und eingetragen. Nach der 7. Kategorie ist man bei 100 % und am rechten Rand der letzten Kategorie angelangt. Das fertige Paretodiagramm sollte dann so aussehen wie im Bild 15.

4.1.9.3 Mehrfachwahl und Einfachwahl

a. Mehrfachwahl:

Zweck dieser Methode:
Ermitteln der allgemeinen Meinung bezüglich einer Vielzahl von Themen, um bei der anschließenden Auswertung zu erfahren, welche Themen ein hohes Potential des Zutreffens oder eine allseitige Zustimmung der Gruppe haben. Anders formuliert: Der erste Schritt der qualitativen Auswertung nach einem Brainstorming.

Anwendung:
– Ermitteln der für die Gruppe wichtigsten Themen, Probleme oder Chancen.

- Ermitteln der Ursachen, welche nach der Meinung der Gruppe die wahrscheinlichsten sind.
- Allgemein: Das Reduzieren einer Vielzahl von Themen auf ein Minimum. Oder: Die „wenigen wichtigen“ von den „brauchbar vielen“ trennen.

Durchführung:

Bei der Mehrfachwahl steht in der Regel eine lange Liste zur Diskussion. Bei der Abstimmung, welche normalerweise offen durch Handheben erfolgt, kann jedes Mitglied so oft wählen, wie es möchte.
Im Beispiel 2 „Reklamationen“ wurde das Paretoprinzip angewandt. Das Ergebnis zeigte den häufigsten Grund: „Konzentration der Wirksubstanz ist zu hoch oder zu niedrig.“ Ein Team erstellte daraufhin das Ishikawa-Diagramm mit der Problembehauptung: „Schwankungen in der Wirkstoffkonzentration“. Daraufhin wurden durch Brainstorming mögliche Ursachen ermittelt. Diese sind im Bild 20 dargestellt. Dies war der Ausgangspunkt für die Mehrfachwahl.

Der Teamleiter deutet auf die erste mögliche Ursache und fragt die Mitglieder: „Wer glaubt, dieses sei die wirkliche Ursache?“ Die Anzahl der Stimmen wird entweder links oder rechts daneben (vielleicht in anderer Farbe) auf dem Flipchart niedergeschrieben. Anschließend wird auf die nächste mögliche Ursache gedeutet und gefragt, wer glauben würde, dies sei die wirkliche Ursache. Wieder wird die Anzahl der Stimmen wie oben notiert. Dies wird fortgeführt, bis alle möglichen Ursachen mit einer Stimmenzahl versehen sind. Ideen, welche keine Stimme erhalten, werden durchgestrichen und bleiben im weiteren Verlauf unberücksichtigt. Mögliche Ursachen mit Verzweigungen wie z. B. im Bild 20 „Mischzeit“ mit den Verzweigungen „zu kurz“ und „schwankt“ werden als eine Einheit betrachtet und erhalten zusammen nur eine Stimmenzahl. Das fertige Ishikawa-Ursache-und-Wirkung-Diagramm am Beispiel „Schwankungen in der Wirkstoffkonzentration“ ist im Bild 21 dargestellt.

Im Beispiel 5 war der Ausgangspunkt für den Bedarfsnachweis das Brainstorming, das 31 verschiedene Probleme aufzeigte. Hier wurde die Mehrfachwahl angewandt, um die für die Gruppe wichtigsten Probleme aufzuzeigen. In der Tabelle 8 sind die Stimmenzahlen sowie der Schätzwert für die einzelnen Probleme aufgeführt. Wie man sieht, kann die Rangordnung nach der Schätzung des Wertes anders ausfallen als die Rangordnung nach der Mehrfachwahl. Daher sollten vor der Anwendung einer dieser Methoden die Vor- und Nachteile beider Methoden erachtet werden.

Bei der Mehrfachwahl wird manchmal ein Verhalten beobachtet, das hier erwähnt werden sollte. Es gibt Teammitglieder, die so stark von „ihrer“ Idee überzeugt sind, daß sie vor der Abstimmung die anderen Mitglieder durch eine Diskussion beeinflussen. Dies trifft dann besonders zu, wenn mehrere hierarchische Stufen einer Betriebseinheit im Team vertreten sind. Hier sollte der Teamleiter, besser noch der Facilitator, auf eine solche Meinungsverzerrung achten und diese durch sein Eingreifen korrigieren.

Die Mehrfachwahl verdeutlicht nach Meinung der Gruppe die wesentlichen Punkte. Hier sollte man nun nicht den Fehler machen und die restlichen Punkte, welche nicht unter die wenigen wichtigen fallen, zu eliminieren. Das könnte auf die Mitglieder, die diese Ideen nannten, einen negativen Eindruck machen. Daher wird dem Teamleiter empfohlen, diese als die brauchbar vielen bestehen zu lassen, auf die zu einem späteren Zeitpunkt eventuell zurückgegriffen wird.

b. Einfachwahl

Zweck dieser Methode:

Das Ermitteln *einer* Meinung bezüglich einer begrenzten Zahl von Themen, welche die höchste Zustimmung der Gruppe hat. Oder anders formuliert: Der zweite Schritt der qualitativen Auswertung, besonders dann, wenn bei verschiedenen Punkten bei der Mehrfachwahl Stimmengleichheit auftrat.

Anwendung:

- Entscheidungshilfe, welches Problem oder Chance die Gruppe zuerst bearbeitet.
- Ermittlung der *einen* Ursache, welche nach Meinung der Gruppe die höchste Wahrscheinlichkeit hat.
- Allgemein: Das Reduzieren weniger Themen auf *ein* wesentliches Thema.

Durchführung:

Bei der Einfachwahl steht in der Regel eine kurze Liste zur Diskussion. Bei dieser Abstimmung, welche normalerweise durch Handheben erfolgt, hat jedes Mitglied nur eine einzige Stimme. Meistens geht eine Mehrfachwahl der Einfachwahl voraus, falls es sich um eine sehr lange Liste handelt. In diesem Falle einigt die Gruppe sich, welche Themen bis zu welcher Stimmenzahl in die Einfachwahl einbezogen werden. Dies sind normalerweise die wenigen Punkte mit den höchsten Stimmenzahlen. Hat man sich geeinigt, welche Themen bei der Einfachwahl berücksichtigt werden oder handelt es sich um eine kurze Liste, kann die Einfachwahl erfolgen. Es wird darauf aufmerksam gemacht, daß jedes Mitglied nur eine Stimme hat und sich daher einen Punkt aus der kurzen Liste heraussuchen muß. Wenn keine Fragen mehr bestehen, wird die Einfachwahl durchgeführt, indem jeder Punkt einzeln aufgerufen wird. Die Stimmenzahl wird rechts (oder links) daneben (auf dem Flipchart) notiert. Tritt eine Pattsituation ein, werden nur die Themen mit der gleichen Stimmenzahl einer weiteren Einfachwahl unterzogen.

4.1.9.4 Auswahlmatrix

Zweck dieser Methode:

Die Matrixform dient zur Auswahl oder Bewertung mehrerer Themen unter gleichzeitiger Berücksichtigung verschiedener Aspekte. Bei der Mehr- und Einfachwahl wird das persönliche Interesse oder die Beliebtheit des Objektes bei der Beurteilung eine größere Rolle spielen. Hingegen werden bei Anwendung der Matrix zuvor festgelegte Auswahlkriterien die Entscheidung erleichtern.

Anwendung:

Die Matrixform kann bei der Auswahl von Projekten, möglichen Ursachen für ein Problem oder auch bei der Auswahl von Korrekturmöglichkeiten helfen.

Durchführung:

In eine Matrix werden die Aspekte zur Beurteilung auf der einen Achse und die zur Auswahl anstehenden Themen wie z. B. Projekte, möglichen Ursachen oder Korrekturmöglichkeiten auf der anderen Achse aufgetragen. Zweckmäßigerweise sollte man nur die wenigen wichtigen Projekte berücksichtigen. Nach dem Eintragen in diese Matrix wird dann von den Teammitgliedern eine Bewertungsskala festgelegt, z. B. 0 bis 10. Es ist hierbei darauf zu achten, daß bei dieser Bewertungsskala immer einheitlich benotet wird: Die positiven Seiten der Aspekte erhalten z. B. immer die hohe Punktzahl und die negativen Seiten der Aspekte immer die niedrige Punktzahl. Sind sich alle Mitglieder über die Skala und die Bewertungskriterien einig, wird die Bewertung durchgeführt. Der Leiter fragt z. B. die Gruppe, wie hoch dieses Kriterium für dieses Projekt bewertet wird. Sicherlich werden dann die verschiedenen Mitglieder verschiedene Werte angeben. Es kann z. B. die Summe der einzelnen Werte eingetragen werden. Hierbei ist darauf zu achten, daß die Zahl der Beteiligten konstant bleibt. Der Leiter kann ferner versuchen, den Mittelwert zu schätzen und diesen notieren. Auf jeden Fall sollte eine langatmige Argumentation vermieden werden, da sich die Bewertung sonst als endlos herausstellt und eine Beeinflussung der Mitglieder untereinander zu verfälschten Ergebnissen führen kann. Am Ende werden die Punkte für jedes Thema addiert. Diese Summe zeigt die Wichtigkeit der einzelnen Themen entsprechend den Auswahlkriterien.

Beispiel:

Das Beispiel 5 wurde schon mehrfach erwähnt: Ein Team benutzte die Technik Brainstorming, um eine Liste mit Problemen zu erarbeiten. Das Paretoprinip diente zur Ermittlung der wenigen wichtigen und der brauchbar vielen nach zwei verschiedenen Gesichtspunkten, der Sprache des Geldes und der Mehrfachwahl. Die sieben Probleme mit 15 und mehr Stimmen wurden dann in einer Matrix unter sechs verschiedenen Gesichtspunkten betrachtet, wie im Bild 16 dargestellt. Die Bewertungsskala wurde von den Teammitgliedern von 1 bis 5 festgelegt. In diesem Falle hatte das Team das Ziel, einerseits möglichst rasch ein positives Ergebnis zu erzielen, andererseits sollte es ein Problem sein, das im Zuständigkeitsbereich der Mitglieder lag und das weder zu schwierig noch zu kapitalintensiv war.

Auswahlkriterium 1: Bedeutung für das Team
Eine sehr hohe Bedeutung für das Team wurde mit „5" bewertet, eine sehr niedrige dagegen mit „1".

Auswahlkriterium 2: Zur Lösung erforderliches Kapital
Kapitalaufwendig erscheinende Probleme wurden als stark mit „1" und Probleme, deren Lösung geringen Kapitalaufwand erwarten ließ, mit „5" bewertet.

Auswahlkriterium 3: Zustimmung
Probleme, welche im Zuständigkeitsbereich der Teammitglieder gelöst werden könnten, wurden mit „5", falls die Zustimmung der Vorgesetzten erforderlich war, mit „3" und wenn die Zustimmung der Unternehmensleitung erforderlich schien, mit „1" bewertet.

Auswahlkriterium 4: Schwierigkeit
Probleme, deren Lösung schwierig zu sein schien, wurden mit „1" bewertet, schwierige dagegen mit „5" und wenig schwierige mit „3".

Auswahlkriterium 5: Zeitaufwand zur Lösung
Erschien den Mitgliedern die Lösung eines Problemes sehr zeitaufwendig – mehr als sechs Monate –, so wurde dieses Problem mit „1" bewertet, eine Lösungsdauer von bis zu drei Monaten wurde mit „3" und eine Lösungsdauer von nur einem Monat mit „5" bewertet.

Auswahlkriterium 6: Ergebnis
Falls das Ergebnis meßbar erschien, erhielt das Problem die Bewertungsnote „5", teilweise „3" und, falls das Ergebnis nicht meßbar erschien, „1".

Bei der Bewertung von Theorien kann die Matrix ebenfalls von Bedeutung sein. Im Bild 22 ist eine solche Anwendung gezeigt.

4.1.9.5 Ishikawa-Ursache-und-Wirkung-Diagramm

Zweck dieser Methode:

Das Ishikawa-Ursache-und-Wirkung-Diagramm oder manchmal in der Literatur auch einfach als „Problemanalyse: Ursache und Wirkung" bezeichnet, dient zur systematischen Ermittlung von möglichen Ursachen, welche einem Problem zu Grunde liegen können.

Anwendung:

Das Ishikawa-Ursache-und-Wirkung-Diagramm dient als Teil der Diagnose, zur Auffindung der wahren Ursachen für ein Problem.

Durchführung:

Das Problem, das Symptom oder einfach der „Istzustand" wird so exakt wie möglich formuliert. Vage Angaben sind möglichst zu vermeiden, da sie im weiteren Verlauf zu Mißverständnissen führen können. Konzentrationsschwankungen z. B. könnten noch exakter angegeben werden mit: Schwankungen in der Wirkstoffkonzentration des Produktes ABC. Bei der Durchführung verwendet man entweder ein Flipchart oder noch besser große Zeichenbögen (3 m x 1 m, Querformat). In einem rechteckigen Kasten, wie im Bild 20 ersichtlich, wird das Problem eingetragen. Schräge, von der Mittellinie abzweigende Linien werden mit den vier Grundkategorien bezeichnet: Methoden, Arbeitskraft, Maschinen und Material. Bei Bedarf können noch weitere Kategorien hinzugefügt werden. Die möglichen Ursachen für das besagte Problem werden jetzt mit Hilfe des Brainstormings ermittelt, wobei die Teammitglieder jeweils angeben, unter welcher Kategorie sie ihre Ursache aufgeführt haben möchten. Es ist nicht so wichtig, ob die Zuordnung wirklich exakt stimmt, sondern daß die Idee als solche festgehalten und notiert wird. Zu Anfang wird darauf hingewiesen, daß möglichst spezifische Ursachen genannt werden sollten. Es können in diesem Sinne auch Untergruppierungen oder Verzweigungen von einer bestehenden Idee aus angegeben werden. Das Ziel ist eine möglichst große Anzahl von möglichen Ursachen. Das Brainstorming wird beendet, wenn alle Teammitglieder hintereinander „gepaßt" haben.

Beispiel:

Im Beispiel 2 war der Ausgangspunkt Reklamationen. Als Hauptursache wurden laut Paretodiagramm „Schwankungen in der Wirkstoffkonzentration" ermittelt. Als Teil der Diagnose wurde das Ishikawa-Ursache-und-Wirkung-Diagramm durchgeführt, wie im Bild 20 dargestellt. Wie an verschiedenen Stellen zu sehen ist, wurden Unterteilungen vorgenommen. Dies ist oftmals das Ergebnis des Zusammenspiels mehrerer Teammitglieder. Jemand hat eine Idee: Die Mischzeit könnte die Ursache für das Problem sein. Ein anderes Mitglied spinnt diesen Faden weiter und macht die Unterteilung „zu kurz". Ein drittes Mitglied hat die Idee, die Mischzeit ist nicht einheitlich und schwankt, daher die Angabe „schwankt". Man erkennt an diesem einfachen Beispiel, wie die Idee eines Mitgliedes andere Ideen anderer Mitglieder initiieren können. Dieser synergetische Effekt ist bei dieser Art der Ideenfindung besonders hoch.

4.1.9.6 Faktorenversuchsplanung

Zweck dieser Methode:

Die Faktorenversuchsplanung (experimental design) dient zur Auffindung der Faktoren oder der Kombination von Faktoren, welche einen signifikanten Einfluß auf das Ergebnis des Prozesses haben.

Anwendung:

Oftmals werden bei der Suche nach Ursachen für Probleme durch das Ishikawa-Ursache-und-Wirkung-Diagramm viele mögliche Ursachen aufgezeigt. Diese möglichen Ursachen müssen dann in einem weiteren Schritt auf Wahrhaftigkeit hin untersucht werden. Die Faktorenversuchsplanung kann hierbei wertvolle Hilfe leisten. Die moderne Versuchsplanung unterscheidet sich von dem klassischen oder traditionellen Vorgehen dadurch, daß stets mindestens zwei Faktoren zugleich untersucht werden. Früher wurden dann, wenn die Wirkung mehrerer Faktoren analysiert werden sollte, diese nacheinander durchgetestet, wobei nur jeweils ein Faktor auf mehreren Stufen geprüft wurde. Es läßt sich zeigen, daß dieses Verfahren nicht nur unwirksam sein kann, sondern auch falsche Ergebnisse liefern kann. Der im allgemeinen gesuchte optimale Arbeitsbereich für den kombinierten Einsatz aller Faktoren kann so nicht gefunden werden. Außerdem lassen sich mit dem klassischen Verfahren zwischen den Faktoren keine Wechselwirkungen erkennen. Das Prinzip der modernen statistischen Versuchsplanung besteht darin, die Faktoren so einzusetzen, daß sich ihre Effekte und Wechselwirkungen sowie die Variabilität dieser Effekte messen, untereinander vergleichen und gegen die zufällige Variabilität abgrenzen lassen. Mit einem Minimum an Versuchsaufwand kann durch die systematische Versuchsplanung ein Maximum an Information gewonnen werden. Besonders wenn die Prozeßfähigkeit nicht den Kundenanforderungen entspricht, dient die Versuchsplanung dazu, diese zu verbessern. Im nächsten Kapitel, statistische Prozeßführung, wird nochmals auf diesen Aspekt eingegangen. Wegen des Umfanges der Versuchsplanung sei an dieser Stelle lediglich auf die wichtigsten Anordnungen hingewiesen:

4.1.9.6.1 Vollständige Randomisierung

Die Stufen eines Faktors werden nach einem Zufallsverfahren den experimentellen Einheiten zugeordnet. Die Zahl der Versuche kann von Stufe zu Stufe variieren. Im Hinblick auf die Entdeckung signifikanter Effekte ist dieses Verfahren wenig empfindlich.

4.1.9.6.2 Randomisierte Blöcke

Das Prinzip besteht in der Zusammenfassung möglichst ähnlicher experimenteller Einheiten zu Blöcken, denen jeweils die Stufen eines Faktors zugeordnet werden. Die Zahl der Versuche kann von Stufe zu Stufe variieren. Diese Methode ist empfindlicher als der vollständig randomisierte Plan.

4.1.9.6.3 Lateinische Quadrate

Dieser Versuchsplan dient zur Prüfung von k-Faktoren: aus k^2-Versuchseinheiten bestehend, die (nach zwei Merkmalen mit je k-Stufen) so den Zeilen und Spalten eines Quadrates zugeordnet werden, daß jeder Faktor in jeder Zeile und jeder Spalte genau einmal auftritt. Dieses Verfahren dient dem gemeinsamen Studium zweier oder mehrerer Faktoren. Vorausgesetzt wird, daß die Faktoren unabhängig voneinander wirken und keine Wechselwirkungen bestehen.

4.1.9.6.4 Faktorielle Experimente

Hier handelt es sich um Versuche mit beliebig vielen Faktoren, die jeweils auf beliebig vielen Stufen geprüft werden. Ein Experiment, das z. B. vier Faktoren jeweils auf drei Stufen prüft, erfordert $3^4 = 81$ Versuchskombinationen. Dies sind exakte Experimente und erfassen neben den Hauptfaktoren insbesondere auch alle Wechselwirkungen. Werden alle Kombinationen von Faktoren und Stufen geprüft, dann kann das Experiment leicht zu unhandlich werden, außerdem erfordert es homogeneres Material als die anderen Pläne.

4.1.9.6.5 Unvollständige faktorielle Experimente

Hier wird nur der zur Auswertung von Hauptfaktoren und wichtigeren Wechselwirkungen notwendige Teil der gesamten Kombinationen eines faktoriellen Experimentes ausgewählt. Diese stellen ökonomische Experimente dar. Verglichen mit einem faktoriellen Experiment ist der Versuchsfehler größer und die Schätzung der Hauptfaktoren nicht so exakt. Einige mögliche Wechselwirkungen können nicht berücksichtigt werden.

4.2 Statistische Prozeßführung

Die statistische Prozeßführung (Statistical Process Control, SPC) ist bereits vor vielen Jahren, auch in der deutschen Literatur, unter verschiedenen Aspekten beschrieben worden. Die Gesetze der Wahrscheinlichkeitslehre sind immer noch die Basis. Was sich in den letzten Jahren geändert hat, ist die Anwendung von SPC als Methode zur systematischen Verbesserung im Zusammenhang mit der Vereinfachung von SPC. Vor Jahren war die „Statistische Prozeßführung" lediglich den Ingenieuren und Statistikern vorbehalten. Auch heute noch trifft man vereinzelt die Meinung, nur Personen mit vertieften Kenntnissen der Statistik dürften sich an die statistische Prozeßführung heranwagen. Hierdurch aber werden diese Methoden einer kleinen Gruppe von Mitarbeitern oder Spezialisten vorbehalten. Der wirkliche Vorteil aber liegt in der breiten Anwendung der *statistischen Denkweise*. Da der Aufwand an Mathematik und Tabellen drastisch reduziert werden konnte, wird heute diese Methode sehr erfolgreich einer breiten Mitarbeiterschicht zugänglich gemacht.

4.2.1 Statistische Prozeßführung als Verbesserungssystem

In bezug auf die Qualität der Produkte und Dienstleistungen wurde auch ohne die statistische Prozeßführung Erhebliches geleistet. Besonders im Hinblick auf die Normen DIN ISO 9000 bis DIN ISO 9004 könnte man geneigt sein zu fragen, was denn die statistische Prozeßführung überhaupt bringen kann. In der Tat gibt es viele Unternehmen, die über ein Qualitätskonzept entsprechend dieser Norm bereits verfügen oder dabei sind, ein solches Konzept einzurichten. Hier sei nochmals auf die Definition der fünf Schlüsselbegriffe hingewiesen:

- *Qualitätspolitik:* die grundlegenden Absichten und Zielsetzungen einer Organisation zur Qualität, wie sie von ihrer Leitung formell erklärt werden.
- *Qualitätsmanagement:* derjenige Aspekt der Gesamtführungsaufgabe, welcher die Qualitätspolitik festlegt und zur Ausführung bringt.
- *Qualitätssicherungssystem:* die Aufbau- und Ablauforganisation, die Zuständigkeiten, Verfahren, Prozesse und Mittel für die Ausführung des Qualitätsmanagements.
- *Qualitätslenkung:* die zur Erfüllung der Qualitätsforderungen angewendeten Arbeitstechniken und Tätigkeiten.
- *Qualitätsnachweisführung:* alle geplanten und systematischen Tätigkeiten, die notwendig sind, um hinreichendes Vertrauen herzustellen, daß ein materielles oder immaterielles Produkt wie Qualitätsanforderung erfüllen wird.

Diese Norm konzentriert sich auf die Darstellung des Qualitätssicherungssystems. Was hier noch fehlt, sind Hinweise, was ein Unternehmen tun kann, um die Qualität der Produkte und Dienstleistungen zu *verbessern*. Die Normen beziehen sich darauf, den Zustand zwischen Lieferant und Kunde transparenter zu gestalten. Was aber ist zu tun, wenn die Qualitätsanforderungen nicht oder nicht immer erfüllt werden können? Außerdem sei hier an die Tatsache erinnert, daß die Kundenanforderungen nicht für lange Zeiträume festgelegt sind, sondern daß diese Forderungen sich mit der Zeit ändern. Die Toleranzen werden immer enger und die Anforderungen immer präziser. Auch daher ist es von der Unternehmensseite her wünschenswert, nicht nur die jetzigen Kundenanforderungen zu berücksichtigen, sondern schon die zukünftigen

Kundenvorstellungen möglichst mit einzubeziehen. Auch ist es vorteilhaft, die Entwicklungen der Konkurrenten zu verfolgen.

Alle diese Aspekte legen es nahe, nicht nur die Qualität der Produkte und Dienstleistungen zu *beweisen*, sondern unabhängig davon die Qualität ständig zu verbessern, um den Konkurrenzvorsprung wie im Kapitel 1 „Globales Qualitätsbewußtsein, Qualität als Zielsetzung“ bereits formuliert zu erarbeiten, zu erhalten und auszubauen. Die statistische Prozeßführung ist geeignet, diesen Prozeß der stetigen Qualitätsverbesserung praktisch durchzuführen, als Ergänzung, wie im Bild 23 dargestellt.

Die Bedeutung von

- Qualitätspolitik
- Qualitätsmanagement
- Qualitätssicherungssystem
- Qualitätslenkung
- Qualitätsnachweisführung

- *Qualitätsverbesserung*

Bild 23: Qualität

Qualitätspolitik
Qualitätsmanagement
Qualitätssicherung
Qualitätslenkung und
Qualitätsnachweisführung

wird in keinster Weise geschmälert. Im Gegenteil, dieses System, falls vorhanden, wird mittels SPC ausgebaut.

4.2.2 Anwendung und Einsatz der statistischen Prozeßführung

Die statistische Prozeßführung hat fünf bedeutende Einsatzgebiete, wie im Bild 24 dargestellt. Zunächst ist die *Prozeßfähigkeit* zu nennen. Diese Aussage ist sowohl für den Hersteller als auch für den Kunden von Bedeutung. Der Prozeß ist z. B. fähig, wenn alle Prozeßvariablen oder auch Prozeßparameter, die einen Einfluß auf die Qualität der Erzeugnisse haben, beherrscht werden, wenn nur zufällige Schwankungen auftreten und diese z. B. zu 99,73 % innerhalb der Kundenspezifikation liegen ($C_{PK} = 1.0$ Einzelheiten, siehe Kapitel 4.2.9). Dieser Zustand kann mit Hilfe der statistischen Prozeßführung erreicht, verbessert und dokumentiert werden.

Prozeßfähigkeit

Ständige Verbesserung

Prozeßstabilität

Zertifizierung

Fehlerverhütung

Bild 24: Statistische Prozeßführung (Statistical Process Control SPC)

Darüber hinaus ist die *Prozeßstabilität* von Bedeutung. Es interessiert hier, ob die einmal erreichte Prozeßfähigkeit auf Dauer aufrechterhalten werden kann. Die statistische Prozeßführung zeigt dies auf.

Ferner ist zu beachten, daß sich Prozesse, auch wenn sie sich im idealen Zustand (in statistischer Kontrolle) befinden, ändern und früher oder später dazu neigen, aus der statistischen Kontrolle auszubrechen. Hier dient die statistische Prozeßführung dazu, rechtzeitig Warnsignale zu geben, bevor ein signifikantes Problem entsteht. So wird z. B. aus der vorbeugenden Instandhaltung eine prozeßbezogene Instandhaltung, da mittels SPC der Zeitpunkt für eine Überholung erkannt werden kann, ohne daß diese Tätigkeit zu früh oder zu spät erfolgt. Die Anwendung der statistischen Prozeßführung hierfür bezeichnet man als *Fehlerverhütung.*

Die statistische Prozeßführung dient ferner dazu, ständig den Ursachen für Schwankungen auf der Spur zu sein. Werden die Ursachen erkannt und wird Sorge dafür getragen, daß diese in der Zukunft nicht wieder auftreten, so wird ständig die Qualität der Prozesse und deren Erzeugnisse verbessert. Hier ist die statistische Prozeßführung ein Mittel zur stetigen *Qualitätsverbesserung.*

Bei der *Zertifizierung* nach DIN ISO 9001 spielt SPC eine wichtige Rolle. So wird z. B. unter Punkt 4.20 auf statistische Verfahren verwiesen. Im Leitfaden DIN ISO 9004 werden diese statistischen Verfahren unter Punkt 20: „QS-Element Statistische Verfahren“ näher bezeichnet.

4.2.3 SPC: prozeßorientiert

Während die universelle Sequenz sich auf Probleme und allgemeine Symptome anwenden läßt, richtet sich SPC speziell auf Prozesse. Hier denkt man natürlich sofort an die Produktion von Gütern. Jedoch läßt sich SPC auch auf viele andere Prozesse, z. B. der Dienstleistungsbetriebe anwenden. Qualität wird heute nicht mehr nur als reine Zahlenangabe oder als Spezifikation angesehen. Die moderne Betrachtung sieht Qualität als wichtigen Bestandteil in einer Reihe von Prozessen, wobei diese Kette vom Rohstofflieferanten bis zum Endverbraucher reicht.

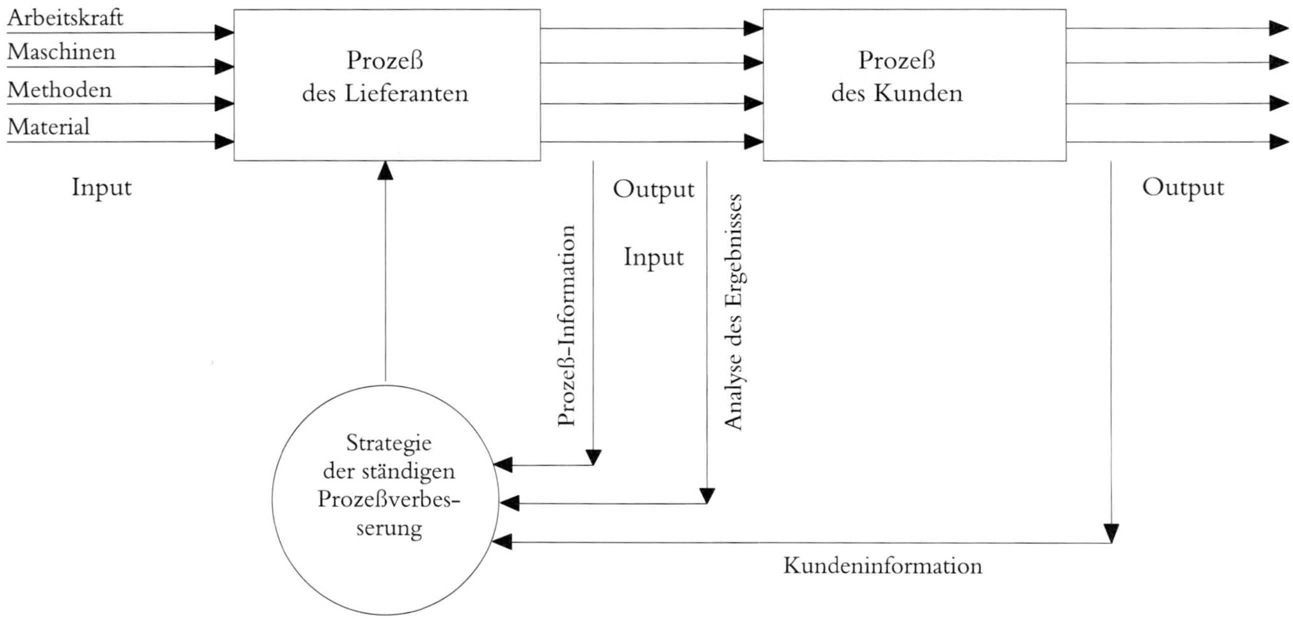

Können alle Kundenwünsche beschrieben werden?
Was will der Kunde wirklich?
Reicht es aus, Spezifikationen aufzustellen?
Wo kommen Spezifikationen her?

Bild 25: Kundendefinition von Qualität

Im Bild 25 ist ein Teil einer solchen Kette für eine Ware dargestellt. Der Lieferant benutzt die statistische Information von seinem eigenen Prozeß zur stetigen Prozeßverbesserung. So eignen sich z. B. die Prozeßvariablen für eine statistische Betrachtung. Darüber hinaus liefert die Analyse des Prozeßergebnisses zusätzliche Information, welche zur stetigen Prozeßverbesserung dient. Die Qualitätscharakteristiken wie z. B. Farbe, Viskosität, Spannung oder Glanz lassen sich statistisch auswerten. Diese Ergebnisse dienen wiederum zur stetigen Prozeßverbesserung. Ferner ist es denkbar, daß der Kunde oder der nächste Verbraucher sein Prozeßergebnis zur Verfügung stellt, um den Prozeß des Lieferanten zu verbessern.

Bedenkt man die Komplexizität der Verfahren und die Unterschiedlichkeit der Prozesse, könnte man sich fragen, ob wirklich alle Kundenwünsche in Zahlen und Spezifikationen angegeben werden können. Wichtiger scheint in diesem Zusammenhang, daß ein Produkt, das einmal als brauchbar akzeptiert wurde, in seiner Qualität wirklich zuverlässig konstant bleibt. Auch wenn nicht alle qualitätsrelevanten Paramter spezifiziert werden, ist man doch vor unangenehmen Überraschungen sicher, wenn eine hohe Gleichmäßigkeit gewährleistet wird. SPC eignet sich hier in hervorragender Weise, die Konstanz der Verfahren und Produkte zu erreichen, zu erhalten, zu garantieren und zu dokumentieren. In manchen Fällen kommt es vor, daß der Kunde nicht in der Lage ist, die für seinen Prozeß wichtigen Parameter anzugeben. Hier ist es ebenfalls wichtig, daß der Prozeß des Lieferanten eine möglichst hohe Konstanz aufweist.

An dieser Stelle sei noch auf einen anderen Gesichtspunkt hingewiesen. Oftmals sind Spezifikationen historisch gewachsen und von Zeit zu Zeit verschärft. Die Gehalte an tolerierten Verunreinigungen werden immer geringer, Schwankungsbreiten immer kleiner. Lieferant und Kunde diskutieren über Sinn und Unsinn bzw. Durchführbarkeit und Realitätsaussichten. Oftmals ändern sich dann aber nur die Spezifikationen, ohne daß der *Prozeß* sich ändert. Dies führt dazu, daß noch mehr gemischt und aussortiert wird mit dem Ergebnis, daß die vermeidbaren Qualitätskosten sich erhöhen. Daher tendieren mehr und mehr Verbraucher dazu, sich die Prozesse des Lieferanten anzuschauen, und zwar in bezug auf Prozeßfähigkeit, Prozeßstabilität und ob der Lieferant über ein System zur stetigen Verbesserung (SPC) verfügt.

4.2.4 Wissen von Variabilität (natürlich-systematisch)

Heute ist SPC bereits ein modernes Schlagwort, und trotzdem besteht viel Unsicherheit bzw. auch falsche Vorstellungen. Es gibt Meinungen wie: „SPC ist die graphische Darstellung von Daten“ oder: „SPC ist das Ermitteln von Standardabweichungen“. Die wichtigste Erkenntnis jedoch ist die Tatsache, daß jeder Prozeß variiert und schwankt. Jeder Prozeß schwankt, auch wenn eine Messung eine konstante Zahlenreihe oder ein Meßwertschreiber in der Meßwarte einen konstant geraden Strich erzeugt. Es ist möglich, daß das Meßsystem die geringen Schwankungen nicht erkennt; oder das Meßsignal wird vor der Verwendung im Schreiber gemittelt; oder das Meßsystem ist zu träge. Die Tatsache der Existenz der Variabilität nennt man „Statistisches Denken" und ist eine von zwei Voraussetzungen für das Verständnis von SPC (siehe Bild 26).

Management-Philosophie

Statistisches Denken:

Existenz von Variabilität

Variabilität: zufällig – systematisch
(natürlich – unnatürlich)

Bild 26: Statistische Prozeßführung

Wenn man von Variabilität spricht, muß man sofort auch die zwei Arten nennen: die natürliche oder zufällige Variabilität und die systematische oder unnatürliche Variabilität. Die Einteilung der Variabilität in diese zwei Kategorien ist die zweite wesentliche Voraussetzung für das Verständnis von SPC. Die Art der Variabilität z. B. entscheidet mit darüber, welcher Personenkreis welche Methoden und Techniken zur Bearbeitung einsetzt. Auf diesen Punkt wird später noch näher eingegangen. Oftmals wird die Variabilität gerade noch akzeptiert, besonders wenn man entsprechende Beispiele aufführt:

- Die Brötchen von der Bäckerei haben unterschiedliche Gewichte.
- Das Gewicht von Neugeborenen variiert.
- Die Anzahl Nägel pro Packung variiert.
- Die Zeit des Eintreffens an der Arbeitsstelle variiert.

Schwieriger jedoch wird es manchmal mit der Akzeptanz der zwei Kategorien der Variabilität, mit deren Unterscheidung und mit den jeweiligen Konsequenzen (siehe Bild 27). Der natürliche Anteil der Variabilität ist immer vorhanden und kann nicht aus dem Prozeß entfernt werden. Das Ausmaß dieser natürlichen Variabilität kann unter Umständen mit entsprechendem Aufwand reduziert werden, und oftmals sind drastische Änderungen am Prozeß erforderlich. Ein Prozeß, welcher nur über den natürlichen Anteil der Variabilität verfügt, befindet sich in einem Idealzustand. Man könnte auch behaupten, daß alle Parameter des Prozesses, die einen Einfluß auf die Qualität des Ergebnisses haben, beherrscht werden und nur minimalen (oder keinen) Schwankungen unterworfen sind. Diese idealen Prozesse sind mit großer Wahrscheinlichkeit auch stabil und lassen das zukünftige Ergebnis vorhersagen.

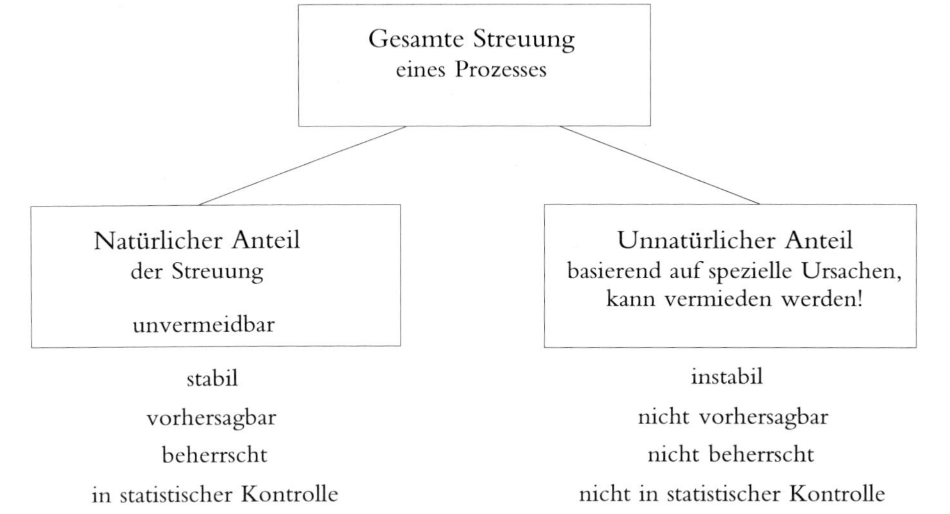

Bild 27

Im Bild 28 ist unter Prozeß 1 ein Beispiel aufgeführt. Man erkennt gewisse Schwankungen im Ergebnis, doch kann mit großer Wahrscheinlichkeit das nächste Ergebnis vorhergesagt werden: Es wird sich aller Voraussicht nach wieder um ein kleines „a" in schwarzer Farbe ohne einen Aufstrich handeln. Da dieser Herstellungsprozeß vorhersagbar und stabil zu sein scheint, können die Rohstoffvorräte gering gehalten werden. Es ist nur ein Filzstift einer Stärke und Papier in der Höhe des höchsten bisherigen Auftrages unter Berücksichtigung der Herstellungszeit erforderlich. Die Qualität des Ergebnisses dieses Prozesses ist sehr hoch, und die Qualitätskosten sind minimal, da die Qualität nur von Zeit zu Zeit durch eine Stichprobe geprüft wird.

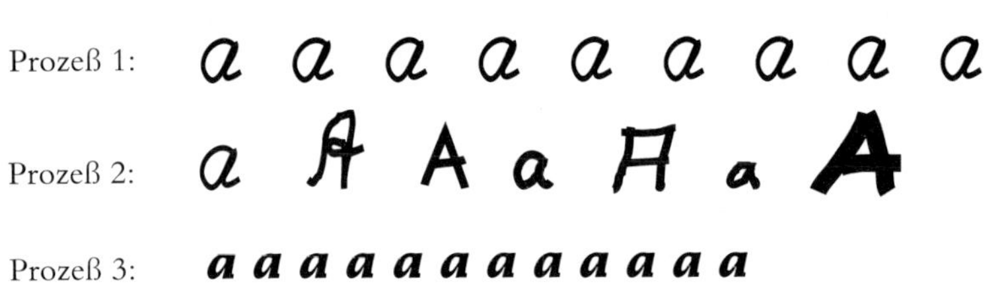

Bild 28: Natürliche und systematische Variabilität

Viele Prozesse (Bild 27) verfügen zusätzlich zu der natürlichen Variabilität noch über die systematische Variabilität. Diese jedoch kann vermieden werden, wenn die speziellen Ursachen dafür bekannt sind. Diese systematische Variabilität macht den Prozeß instabil, und sein Ergebnis kann nicht vorhergesagt werden. Im Bild 28 ist unter Prozeß 2 ein Beispiel aufgeführt: Auch hier werden „a“ herstellt. Wünscht der Kunde wie im Prozeß 1 kleine „a“, so wird bei diesem Prozeß wesentlich mehr fabriziert werden müssen, um die gewünschte Menge an „a“ zu erhalten. Diese bedingt auch eine höhere Lagerhaltung, da mindestens zwei verschieden starke Filzstifte und mehr als das Doppelte an Papier auf Vorrat gehalten werden muß. Die Lieferzeit ist bei Prozeß 2 sicherlich länger, vorausgesetzt, gleiche Stückzahlen werden pro Zeiteinheit hergestellt. Die Stückkosten von Prozeß 2 sind auch systembedingt höher, da eine „100 %-Inspektion“ erforderlich ist und zusätzliches Hantieren und Aussortieren bedingt.

Obwohl die Qualität der Buchstaben von Prozeß 1 sehr hoch ist, wird sicherlich einmal der Zeitpunkt kommen, da die Anforderungen der Kunden mit diesem Prozeß nicht mehr erfüllt werden können. Da nur die natürliche Variabilität vorhanden ist, kann dieser Prozeß nicht mehr mit einfachen Mitteln verbessert werden. Hier ist eine drastische Veränderung im Prozeß erforderlich, um das Ergebnis signifikant zu verbessern. Im Bild 28 ist unter Prozeß 3 ein Beispiel aufgeführt. Hier werden auch kleine „a“ hergestellt, wobei jedoch die Konstanz der Qualität gegenüber Prozeß 1 wesentlich verbessert wurde. Die drastische Veränderung im Prozeß bestand auf dem Wechsel vom manuellen Verfahren auf das automatische Verfahren mit einem Computer einschließlich Plotter. Auch hier sind noch Unterschiede und Schwankungen vorhanden, wobei diese vielleicht nicht mehr von jeder Person mit dem direkten Auge wahrgenommen werden können. Die natürliche Variabilität unterliegt den Gesetzen der Wahrscheinlichkeit (Bild 34.1, Seite 141).

Dieses Beispiel, wenn auch ein wenig naiv, sollte den Unterschied sowie manche Konsequenzen der zwei Arten von Variabilität demonstrieren.

Auch hier sei wieder daran erinnert, daß Variabilität nicht nur in der Produktion oder in der Technik auftritt, sondern bei allen Prozessen: Das Erstellen eines Briefes von der Sekretärin ist genauso ein Prozeß wie das Aufrufen einer Person auf dem Bahnhof. Auch das Herbeiführen von Entscheidungen im Management ist ein Prozeß und somit mit natürlicher und systematischer Variabilität verbunden. Ein interessanter Gesichtspunkt taucht bei der Frage nach der Art der Gehaltsregulierungen in Verbindung mit der statistischen Denkungsart auf. Normalerweise werden die Personen mit den wenigsten Fehlern (den meisten Erfolgen) gelobt oder sogar befördert im Gegensatz zu den Personen mit den meisten Fehlern (wenigsten Erfolgen). Ob die Personen, die über diese Entlohnung oder Beförderung entscheiden, sich wohl der unterschiedlichen Variabilität bewußt sind? Für interessierte Leser sei hier auf eine ausführliche Behandlung dieses Gesichtspunktes von William W. Scherkenbach hingewiesen. In seinem Buch: „The Deming Route to Quality and Productivity“ beschreibt er im Kapitel 5 ausführlich die Gehaltsregulierung unter statistischen Gesichtspunkten.

Die statistische Prozeßführung hat zum Ziel, die Prozesse so zu ändern, daß die Ursachen für die systematische Variabilität erkannt und eliminiert werden, so daß diese Variabilität (Störung) in der Zukunft nicht mehr auftritt. Es ist nicht nur ein Gegensteuern, sondern ein zukünftiges Verhindern von Störungen. Nur auf diesem Wege erhält man Prozesse, die frei von systematischer Variabilität sind. Ferner sollte man daran denken, daß kein Prozeß lange in einem solch idealen Stadium verharrt. Es gibt genügend Ursachen, warum ein jeder Prozeß aus diesem Idealzustand auszubrechen versucht: Die Kugellager verschleißen und führen so zu systematischer Variabilität, oder der Nullpunkt der Elektrode driftet oder das Material zeigt Ermüdungserscheinungen. Die statistische Prozeßführung hat daher ebenfalls die Aufgabe, rechtzeitig Alarmsignale zu geben, damit das Auftreten von systematischer Variabilität in den Anfängen erkannt und verhindert wird. Eine weitere Aufgabe fällt unter diesen Begriff: Falls die Kundenanforderungen über die Fähigkeiten des Prozesses hinausgehen, wird mittels der Faktorenversuchsplanung die natürliche Variabilität verringert, wenn dies nicht schon vom Lieferanten als Präventivmaßnahme geplant bzw. durchgeführt wird,

> um den Konkurrenzvorsprung zu *erarbeiten*, zu *erhalten* und *auszubauen.*

Daher kann auf die statistische Prozeßführung, wenn sie einmal eingeführt ist, nicht mehr verzichtet werden.

4.2.5 SPC-Aktivitäten-Ablaufplan

Die Anwendung der statistischen Prozeßführung läuft häufig nach einem bewährten Schema ab, das im Bild 29 dargestellt ist. Irgend jemand in der Organisation trifft die Entscheidung, SPC einzuführen. Der Geltungsbereich für diese Entscheidung ist manchmal nicht auf einen Prozeß beschränkt, und daher muß eine Entscheidung gefällt werden, welcher Prozeß zuerst ausgewählt wird. Auswahlkriterien können sehr verschieden sein: die Bedeutung für den Kunden, Qualitätsprobleme, hohe Prüfkosten, hohe Ausfallkosten, Zertifizierungsbedürfnis, Vergrößerung des Konkurrenzvorsprunges sind nur einige der Gründe, warum SPC eingeführt werden sollte.

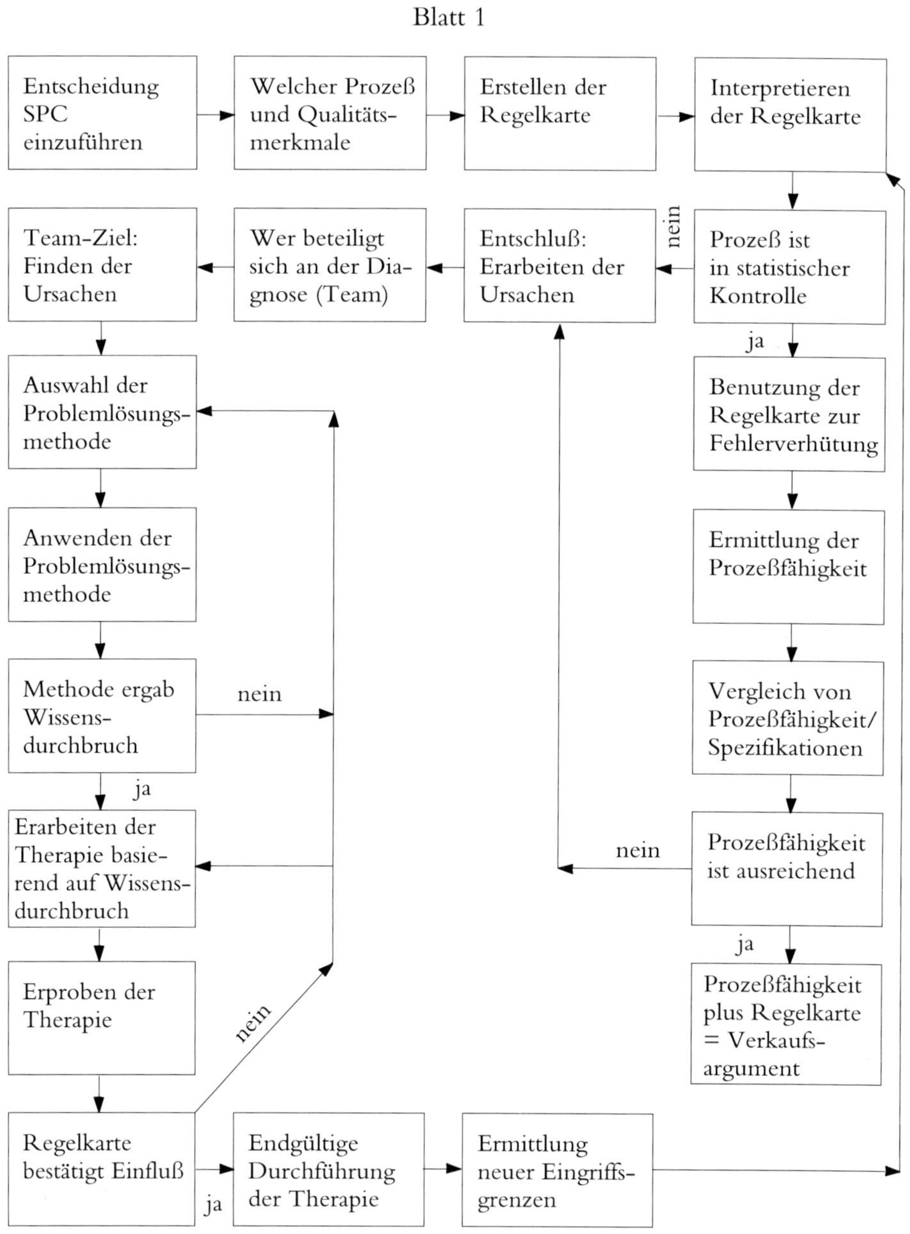

Bild 29: SPC Aktivitäten-Ablaufdiagramm

Es sei bereits hier darauf hingewiesen, daß zu Anfang sehr häufig mit zu vielen Regelkarten begonnen wird. Die Schwierigkeiten setzen aber erst später ein, wenn die Regelkarte zeigt, daß der Prozeß nicht in statistischer Kontrolle ist. Dann nämlich müssen die Ursachen für das Vorhandensein der unnatürlichen Variabilität erarbeitet werden, was normalerweise recht viel Zeit in Anspruch nimmt. Es kommt sogar vor, daß so viele Regelkarten existieren, daß für die Ermittlung der Ursachen oder die Problemlösung keine Zeit mehr übrigbleibt.

Ist ein passender Prozeß ausgewählt, muß nun als nächstes festgelegt werden, was mit der Regelkarte verfolgt werden soll. Hier sei vielleicht darauf hingewiesen, daß zuerst einmal die Qualität des Ergebnisses des Prozesses auszuwerten ist. Besonders diejenigen Qualitätscharakteristika, die für den Kunden von Bedeutung sind, sollten mit in die nähere Wahl kommen. Anschließend können dann einzelne Prozeßparameter untersucht werden. Hier sei auch auf die FMEA (**F**ailure **M**ode and **E**ffect **A**nalysis, oder **F**ehler-**M**öglichkeit und **E**influß-**A**nalyse) hingewiesen. Die dort ermittelten kritischen Parameter können z. B. mittels Regelkarten überwacht werden. Der Prozeß, die interessierende Variabilität und die zu untersuchende Variable oder Charakteristik bestimmen praktisch, welche Art von Regelkarte zur Anwendung kommt.

Die Interpretation der Regelkarte erfolgt erstmalig nach dem Anlegen, wenn genügend Daten zur Verfügung stehen, um die Eingriffsgrenzen zu ermitteln. Die Frage lautet: Ist der Prozeß in statistischer Kontrolle? Man könnte die Frage auch anders formulieren: Deutet die Regelkarte, auf Varibilität basierend, auf spezielle Ursachen hin? Wenn keine unnatürliche Variabilität vorhanden ist, zeigt die Regelkarte lediglich das Minimum an natürlicher Variabilität an. Sobald eine neue Stichprobe analysiert wird, werden die statistischen Werte ermittelt und die Graphik auf neuen Stand gebracht. Wieder wird die Frage gestellt, ob der Prozeß in statistischer Kontrolle ist oder sich statistisch gesehen seit der letzten Probe etwas geändert hat.

Um sich vor Überraschungen zu schützen, sei hier darauf hingewiesen, daß vor der Anwendung von SPC eine Wahrscheinlichkeit von ca. 95 % besteht, daß der Prozeß nicht in statistischer Kontrolle ist.

Die Interpretation der Regelkarte hat zwei Möglichkeiten:

1. Der Prozeß ist nicht in statistischer Kontrolle. Dies bedeutet, daß spezielle Ursachen auf den Prozeß einwirken und zu vermeidbaren Schwankungen führen. Der Prozeß läßt sich verbessern. Ferner kann behauptet werden, daß der Prozeß nicht stabil und vorhersagbar ist. Daher muß die Ursache für diese unnatürliche Variabilität gefunden werden. Ist die Tendenz der Schwankung positiv gewesen, muß die Ursache gefunden werden, damit der Prozeß ständig in dieser positiven Situation bleibt. War die Tendenz der Schwankung hinge-

gen negativ, muß ebenfalls die Ursache gefunden werden, damit eine Gegenmaßnahme ergriffen werden kann, damit diese Ursache in Zukunft nicht wieder auftritt.

In manchen Fällen wird es einfach sein, die Ursache für die unnatürliche Variabilität zu benennen und die richtige Maßnahme zu ergreifen. Die Kenntnis des Prozesses, die Erfahrung und die Ausbildung sind die Grundlagen hierfür. Die Regelkarte selbst kann manchmal die Antwort geben, besonders dann, wenn alle Beobachtungen, d. h. alle möglichen Ursachen für unnatürliche Variabilität in die Regelkarte eingetragen werden. Auch Vermutungen (Theorien) sollten vermerkt werden, denn zum Zeitpunkt des Eintragens weiß man meistens noch nicht, ob die Regelkarte von dem Moment an ein anderes Verhalten des Prozesses signalisiert. Daher sollten alle Mitarbeiter, welche am Prozeß beteiligt sind, ungehindert Einsicht in die Regelkarte haben.

Die Mitarbeiter sollten in der Lage sein, jederzeit einen Blick auf die Regelkarte zu werfen und Notizen einzutragen. Damit dies besonders bei der Einführung gefördert wird, sollte die Regelkarte möglichst nicht in irgendeinem Aktenordner oder Schrank aufbewahrt werden, sondern offen, sichtbar (an der Wand). Ferner sollten möglichst so viele Punkte erkennbar sein, daß ein möglichst großer Zeitraum abgedeckt wird, wenn möglich mehrere Tage. Es bietet sich daher an, die Regelkarten aneinanderzukleben oder längere Formulare zu verwenden.

An dieser Stelle sollte überlegt werden, wer sich bei der Suche nach der unbekannten Ursache für die Variabilität beteiligt. Natürlich kann eine Einzelperson sich bemühen, die Ursachen zu finden, die Diagnose durchzuführen. Der garantiert schnellste und effektivste Weg, um unbekannte Ursachen besonders bei komplexen Prozessen zu finden, ist die Teamarbeit. Bei der Auswahl der Personen sollten Positionen kein Kriterium sein. Diejenigen Personen, die sinnvoll an der Diagnose mitarbeiten können, sollten als Teammitglieder aufgestellt werden, auch dann, wenn sie verschiedenen Abteilungen angehören.

Zum Auffinden der Ursachen bzw. zur Durchführung der Diagnose wird das Team oder die Einzelperson eine Problemlösungsmethode auswählen und diese anwenden. Man erwartet von dieser Anwendung nun einen Wissensdurchbruch, das Erkennen, was die Ursache für die vermeidbare Variabilität war. Manchmal ist es erforderlich, einen Schritt zurückzugehen, um eine andere Problemlösungsmethode auszuwählen und anzuwenden.

Basierend auf dem Wissensdurchbruch kann nun die Therapie erarbeitet werden. Bevor diese durchgeführt wird, wird empfohlen, sie zunächst einmal auszuprobieren. Falls die Therapie die erwünschte Verbesserung im Prozeß ergibt, müßte diese sich in der Regelkarte zeigen. Bestätigt die Regelkarte die Maßnahme mit einer Prozeßverbesserung, kann die Therapie endgültig durchgeführt werden.

Eine Prozeßverbesserung erfordert normalerweise das Ermitteln neuer Eingriffsgrenzen. Dann wird die Regelkarte wieder interpretiert wie oben angegeben.

Dieser Verbesserungsprozeß wird ständig angewandt und somit werden stets Ursachen für systematische Variabilität erkannt und entsprechende Korrekturen vorgenommen. Daher wird irgendwann die Interpretation der Regelkarte ergeben, daß der Prozeß sich in statistischer Kontrolle befindet. Jetzt kann nicht einfach mit der Regelkarte aufgehört werden. Da jeder Prozeß versucht, den Idealzustand zu verlassen, dient die Regelkarte jetzt vorwiegend zur Fehlerverhütung und dazu, daß die Ursachen für die spezielle Variabilität rechtzeitig erkannt werden, bevor diese einen negativen Effekt auf den Prozeß ausüben können.

Erst jetzt, nachdem der Prozeß in statistischer Kontrolle ist, kann die Prozeßfähigkeit ermittelt werden, da der Prozeß stabil und vorhersagbar ist. (Rein mathematisch kann natürlich auch ein Zahlenwert entsprechend der Formel für die Prozeßfähigkeit ermittelt werden, wenn der Prozeß *nicht* in statistischer Kontrolle ist. Dieser Wert ist ohne jegliche Bedeutung, da spezielle Ursachen vorhanden sind, die jedoch bisher nicht erkannt wurden.) Die Prozeßfähigkeit kann dann mit den Kundenanforderungen oder Spezifikationen verglichen werden. Ist die Prozeßfähigkeit ausreichend, kann die Regelkarte vom Marketing als Verkaufsargument benutzt werden (Einzelheiten siehe hierzu Kapitel 4.2.9: Prozeßfähigkeit).

Ist die Prozeßfähigkeit nicht ausreichend, wird wie im Falle der Antwort „Der Prozeß ist nicht in statistischer Kontrolle" der Entschluß gefaßt, die Ursache zu finden. Die Technik, die hier oft zur Anwendung kommt, ist die Faktorenversuchsplanung (Design of experiments). Diese Technik eignet sich besonders dazu, mit einem Minimum an Aufwand aus der Vielzahl der Prozeßvariablen diejenigen herauszuarbeiten, die einen Einfluß auf das Prozeßergebnis haben. Hier kann es auch vorkommen, daß nicht nur einzelne Variablen einen Einfluß besitzen, sondern Kombinationen von Prozeßvariablen. Je nach verwendeter Methode können auch diese Kombinationen, welche einen Einfluß auf das Prozeßergebnis haben, ermittelt werden.

Bei der Auswahl der Problemlösungsmethode im Zyklus der SPC-Aktivitäten wurden keine Hinweise gegeben, um welche Methoden es sich hier speziell handelt. Dies ist im Bild 30 „SPC-Aktivitäten-Ablaufdiagramm, Blatt 2 Problemlösungsmethoden" dargestellt. Man erkennt die Kombination der „Universellen Sequenz" mit der statistischen Prozeßführung. Wenn spezielle Variabilität vorhanden ist, muß die Ursache festgestellt werden, bevor die Korrektur vorgenommen werden kann. Man könnte dies auch anders ausdrücken: Es existiert ein Problem, und man muß die Ursache finden, wozu man die Diagnose durchführen muß, um zu einem Wissensdurchbruch zu kommen. Basierend auf diesem Wissensdurchbruch kann dann die Therapie erarbeitet werden. Da die Diagnose bereits hinreichend bei der universellen Sequenz erläutert wurde, braucht daher nicht näher auf Bild 30 eingegangen zu werden.

Blatt 2: Problemlösungsmethoden

1. Analyse der Symptome
   Autopsie
   Pareto-Diagramm
   Standardisierte Terminologie
2. Erarbeiten möglicher Ursachen, Theorien: Brainstorming
3. Erarbeiten möglicher Ursachen, Theorien: Ursachen- und Wirkungs-Diagramm (Ishikawa-Diagramm)
4. Bewertung der Theorien
   Einfachwahl
   Mehrfachwahl
   Matrixbewertung
5. Testen der Theorien
   a. alle simultan
   b. in Gruppen
   c. einzeln nacheinander
6. Testen der Theorien
   a. durch Auswerten vorhandener Daten
   b. durch systematisches Beobachten des Prozesses
      – Segmentierung der Materialströme
      – Zeitablaufanalyse
      – Einzeluntersuchung
      – Ansatzuntersuchung
      – Personaluntersuchung
      – Konzentrationsdiagramme
      – Prozeßfähigkeit
   c. Neue Blickwinkel
      – Erhalten der Materialidentität im Prozeß
      – Unterteilung des Prozesses in kleinere Einheiten
      – Messen von bisher nicht erfaßten Daten
      – Messen von erfaßten Daten mit höherer Präzision
   d. Planung und Durchführung von Versuchen
   e. Faktorenversuchsplanung
7. Faktorenversuchsplanung

Bild 30: SPC-Aktivitäten-Ablaufdiagramm

Die hier skizzierten Aktivitäten können von Einzelpersonen ausgeführt werden, jedoch empfiehlt es sich, wo immer sinnvoll, ein Team einzusetzen. Die Zusammensetzung der Teams sollte sich nach praktischen Gesichtspunkten richten und nicht nach der Stellung in der Hierarchie. Das Führen und Interpretieren von Regelkarten sowie das Auffinden der Ursachen und Erarbeiten von Maßnahmen zur Korrektur wird vorwiegend von den Mitarbeitern ausgeführt, die direkt am Prozeß beteiligt sind. Dies können bzw. sollten sein: Arbeiter, Facharbeiter, Ansatzfahrer, Bedienungspersonal, Vorarbeiter, Meister, Betriebsführer, Betriebsingenieure, Verfahrensingenieure usw. Hingegen ist die Faktorenversuchsplanung meistens in den Händen von Ingenieuren und anderen Wissenschaftlern. Bei der Aufstellung von Teams sollte man sich von dem Gedanken leiten lassen: „Wer in unserem Unternehmen könnte sinnvoll bei der Lösung dieses Problemes mithelfen oder im Team mitarbeiten", wobei möglichst Mitarbeiter von verschiedenen Bereichen bzw. Abteilungen berücksichtigt werden sollten.

Bei der Einführung von SPC wird oftmals sehr viel Zeit und Sorgfalt auf das Anlegen von Regelkarten verwendet. Wie aus der Abbildung im Bild 29 hervorgeht, ist dies allerdings nur ein Teil der Aktivitäten. Die Konsequenz muß sein, daß die Ursachen für spezielle Variabilität gefunden werden und eine Korrekturmaßnahme getroffen wird, daß diese Ursachen in Zukunft nicht wieder auftreten können. Denn wenn z. B. die Ursachen für den Zustand „nicht in statistischer Kontrolle" nicht gefunden werden, kann keine Korrektur vorgenommen werden, keine Präventivmaßnahme erfolgen. Dann wird diese unnatürliche Variabilität oder Störung garantiert (!!!) wieder auftreten.

Das Beschreiben von Papier ist Zeit- und Materialverschwendung, wenn dadurch keine dauernde, signifikante Verbesserung des Prozesses erreicht wird. Es sei denn, der Idealzustand (in statistischer Kontrolle) ist erreicht und die Regelkarte dient der Vorbeugung.

4.2.5.1 Auswahl der Prozesse für SPC

Prinzipiell kann jeder Prozeß statistisch betrachtet werden, Produktionsprozesse als auch Dienstleistungsprozesse. Ferner treffen die Regeln der Wahrscheinlichkeitslehre auf kontinuierliche Prozesse zu, ebenso wie auf diskontinuierliche Prozesse. Leider stößt man besonders bei der Einführung von SPC häufig auf Ablehnung, und die betroffenen Mitarbeiter sind häufig der Überzeugung, daß dies zwar alles recht schön und gut ist, daß aber bei ihren eigenen Prozessen diese Technik nicht zutrifft. Häufig werden auch entsprechende Gründe angeführt. Die Praxis hat jedoch das Gegenteil bewiesen. Natürlich haben auch die statistischen Methoden ihre Grenzen. Besonders dort, wo Fehlerraten (Attributivdaten) sehr kleine Werte annehmen und in den ppm-Bereich gehen, lassen sich die klassischen Methoden oftmals nicht mehr ökonomisch anwenden. Dieser Zustand muß aber in den meisten Fällen erst mit SPC erreicht werden. Ein weiterer Fehler wird manchmal bei der Auswahl der Prozesse dahingehend gemacht, daß SPC bei zu vielen Prozessen gleichzeitig eingeführt wird. Meistens wird dann festgestellt, daß die meisten nicht in statistischer Kontrolle sind, und dann fehlt die Zeit, die Ursachen zu finden. Das führt dazu, daß zwar „Regelkarten" geführt werden, daß diese Aktivität aber nicht zu einer Verbesserung des Prozesses führt. Bleibt ein solcher Zustand über einen längeren Zeitraum erhalten, setzt bald die Erkenntnis ein, daß diese Tätigkeit lediglich eine zusätzliche Belastung darstellt und keinen Gewinn bringt. Manchmal werden dann die ganzen Aktivitäten der SPC eingestellt.

4.2.5.2 Auswahl von Regelkarten

Nachdem man sich auf einen Prozeß geeinigt hat, muß man entscheiden, was nun mit Regelkarten überwacht werden soll. Es gibt manchmal eine hohe Anzahl von Qualitätsmerkmalen eines Produktes und wahrscheinlich noch weit mehr Prozeßvariablen, die alle mit Regelkarten versehen werden könnten. Dies würde bei weitem die Kapazität der Organisation überschreiten. Hier sei folgendes Vorgehen empfohlen: Zu Anfang sollte man möglichst mit einem Qualitätscharakteristikum des Produktes (Prozeßergebnisses) anfangen. Es könnte ja sein, daß der Prozeß sich bereits in statistischer Kontrolle befindet und die Prozeßfähigkeit vorhanden ist. Daher wären zusätzliche Regelkarten von Prozeßvariablen in diesem Falle tatsächlich ein unnötiger Aufwand. Sind die bedeutendsten Qualitätscharakteristiken in statistischer Kontrolle und handelt es sich um kompliziertere Verfahren, können anschließend Prozeßvariable mit Regelkarten versehen werden. Auch könnte von seiten der Kunden der Wunsch bestehen, daß gewisse für den Kunden wichtige Prozeßvariable in das SPC-Programm mit einbezogen werden. Ein weiterer Grund für das Anlegen einer Regelkarte könnte das Ergebnis der FMEA-Analyse („Failure Mode Effect and Analysis", was manchmal mit: „Fehler-Möglichkeit und Einfluß-Analyse" übersetzt wird) sein, indem besonders wichtige Prozeßvariablen statistisch mit Regelkarten verfolgt werden.

In Bild 31 ist eine Übersicht über die wichtigsten Regelkarten zu sehen. Diese Zusammenstellung erhebt keinen Anspruch auf Vollständigkeit. Zunächst werden die Regelkarten für Attributivdaten erläutert.

Attributivdaten unterscheiden sich von variablen Daten dadurch, daß sie nur zwei Zustände kennen: gut oder schlecht, brauchbar oder nicht brauchbar, das Teil paßt oder paßt nicht, das Teil funktioniert oder funktioniert nicht. Diese Daten verraten nicht, wie groß die Abweichung vom Ideal- oder Sollzustand ist. Es wird die Anzahl der Fehler gezählt. Hier gibt es nun verschiedene Betrachtungsweisen und daher auch verschiedene Regelkarten:

Die Poisson-Verteilung:

C-Karte: Hier handelt es sich um ein System, wo Fehler pro Einheit gezählt werden. So können bei einer integrierten Schaltung mit 238 Einzelteilen, bestehend aus Widerständen, Dioden und anderen elektronischen Bauteilen, die Fehler pro Einheit gezählt werden. Da nur identische Einheiten miteinander verglichen werden, ist die Möglichkeit des Auftretens eines Fehlers immer identisch, man sagt, der Stichprobenumfang ist in diesem Falle konstant. Dies würde auch zutreffen, wenn man die Fischaugen auf einer Fläche von einem Quadratmeter Kunststoffolie zählen würde. Ist der Stichprobenumfang jedoch nicht konstant, so spricht man von der

U-Karte: Ein Beispiel für den variablen Stichprobenumfang dieser Karte wären die Fehler an reparierten Pumpen pro Tag in der Pumpenwerkstatt. Es können verschiedene Fehler pro Pumpe auftreten, und die Anzahl der reparierten Pumpen pro Tag variiert. Die Art dieser Wahrscheinlichkeiten sowohl der C-Karte als auch der U-Karte bezeichnet man als Poisson-Verteilung. Sie kann mathematisch beschrieben werden.

Die Binomial-Verteilung:

Hier werden nicht die Fehler pro Einheit, sondern die fehlerhaften Teile gezählt, wobei auch hier der Stichprobenumfang konstant oder variabel sein kann:

NP-Karte: Hier wird eine bestimmte, konstante Anzahl von Teilen untersucht und die Anzahl der fehlerhaften Teile bestimmt. So werden z. B. jede Stunde 40 Transistoren aus der kontinuierlichen Produktion gezogen, geprüft und die Anzahl der defekten Transistoren notiert. In diesem Falle ist der Stichprobenumfang konstant.

P-Karte: Diese Karte wird verwendet, wenn der Stichprobenumfang sich ändert. Eine Anwendung wäre z. B. die Anzahl der fehlerhaften Reisekostenabrechnungen pro Woche, denn die Anzahl der eingereichten Abrechnungen kann und wird wahrscheinlich variieren.

Diese Regelkarten basieren auf Fehlern oder Defekten. Wenn der Anteil oder die Anzahl hoch ist, lassen sich diese Karten mit Erfolg anwenden, um Fehler und Defekte zu verbessern, d. h. zu verringern. Da aber in der modernen, qualtiätsorientierten Unternehmensführung der „fehlerfreie" oder „Zero-Defekt" angestrebt wird, können diese Karten nur für einen begrenzten Zeitraum sinnvoll eingesetzt werden. Besonders im ppm-Bereich müßte man derart große Proben ziehen, daß es einer hundertprozentigen Inspektion nahe käme.

Hinzu kommt, daß bei der variablen Stichprobengröße und dem variablen Stichprobenumfang für jeden Punkt die Eingriffsgrenzen neu errechnet werden müssen, was einen erheblichen Aufwand bedeutet. Werden diese Karten tatsächlich in der Praxis benutzt, so wird auf Grund der obengenannten Nachteile und Frustration oftmals nach einer gewissen Zeit auf eine konstante Stichprobengröße bzw. einen konstanten Stichprobenumfang umgestellt. Daher haben von diesen vier Karten jeweils nur die C-Karte und die NP-Karte eine gewisse Bedeutung erlangt.

Regelkarten für *variable Daten* (Bild 31) haben eine weitaus größere Bedeutung erlangt. Im Gegensatz zu den Attributivdaten, wo Fehler und Defekte gezählt werden, handelt es sich hier um Messungen mit einer theoretisch unendlichen Abstufung. Der Meßwert gibt Hinweise darauf, wie gut oder wie schlecht eine Charakteristik ist, oder wie weit man sich von dem Sollzustand entfernt befindet. Diese Information ist weit umfangreicher als nur eine Einteilung in „gut“ oder „schlecht“. Häufig werden Qualitätsmerkmale gemessen: Farbe, Gewicht, Länge, Durchmesser, Volt, Viskosität, Glanz, oder es werden am Prozeß die Prozeßvariablen gemessen: Druck, Temperatur, Geschwindigkeit, Drehzahl, pH-Wert, Konzentration.

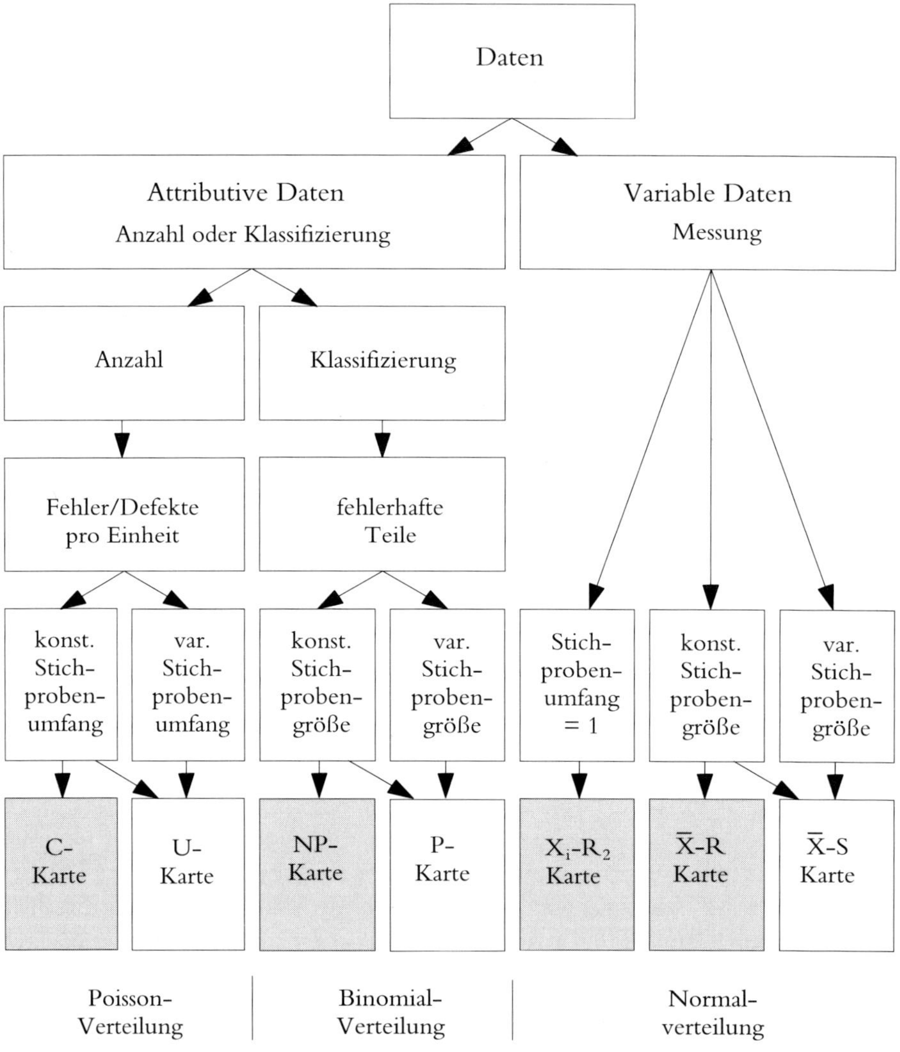

Bild 31: Auswahl von Regelkarten

Einzelwertkarte mit gleitender Spannweite: Werden in regelmäßigen zeitlichen Abständen Einzelmessungen durchgeführt, so kommt die Regelkarte für Einzelwerte und die gleitende Spannweite zur Anwendung. Sehr häufig findet man diese Karte daher bei diskontinuierlichen Prozessen und hier besonders bei solchen, die keine diskreten Teile herstellen, sondern ein mehr oder weniger homogenes Produkt. In der chemischen Industrie wird z. B. im Chargenbetrieb jeder anfallende Ansatz analysiert. Jede Analyse repräsentiert hier eine bestimmte Menge einer bestimmten Substanz. Indem man diese Meßwerte, eine Analyse pro Ansatz, statistisch miteinander mit der Hilfe der Regelkarte vergleicht, betrachtet man die Variabilität des Herstellungsprozesses. Häufig wird der Fehler gemacht, daß an einem Ansatz mehrere Analysen vorgenommen werden und mit diesen Werten dann eine X-quer-R-Regelkarte angelegt wird. Da die Inhomogenität der Ansätze meistens recht klein ist, erhält man als Schwankungen der Meßwerte häufig nur die Variabilität des Meßverfahrens. Hingegen sind die Schwankungen des Prozesses wesentlich größer und werden hierbei nicht berücksichtigt. Solche Regelkarten haben dann sehr enge Eingriffsgrenzen, und die meisten Meßwerte liegen sogar außerhalb dieser Eingriffsgrenzen. In diesem Falle wird die Variabilität des Meßverfahrens auf den Prozeß projiziert, was nicht zulässig ist. Manchmal wird eine solche falsche Anwendung als Beweis verwendet, warum man Regelkarten in dem speziellen Falle nicht anwenden kann, wobei in Wirklichkeit die Methode am falschen Platz angewendet wurde.

Auch bei kontinuierlichen Prozessen wird die Regelkarte für Einzelwerte und gleitende Spannweiten angewandt. Besonders bei aufwendigen (teueren oder zeitraubenden) Messungen bietet sich diese Technik an. So wird beim chemischen kontinuierlichen Prozeß z. B. alle zwei Stunden die Viskosität bestimmt. Bei der Herstellung von Aluminiumblech wird die Oberflächenrauhheit am Anfang einer jeden Rolle gemessen.

Den mathamtisch wissenschaftlichen Hintergrund der Einzelwertkarte kann man bei Donald Wheeler finden (siehe Literaturverzeichnis).

Fallen bei einer Stichprobe mehr als ein Meßwert an, so kommt die Regelkarte für

Mittelwerte und Spannweiten (X-quer-R-Karte) oder
Mittelwerte und Standardabweichungen (X-quer-S-Karte)

zur Anwendung (siehe Bild 31). Diese Regelkarten haben schon vor langer Zeit Einzug in die Maschinenbauindustrie gefunden und sind recht bekannt. Bei diesen Methoden werden ebenfalls in regelmäßigen Abständen Stichproben und mehrere Messungen vorgenommen. So wird z. B. bei der Herstellung von Nägeln alle Stunde eine Probe von fünf Nägeln gezogen und die Länge gemessen. Ein anderes Beispiel ist das Abfüllen von Cornflakes. Hier wird ebenfalls jede Stunde eine Stichprobe von fünf Kartons gezogen und die

Einzelgewichte auf einer Analysenwaage ermittelt. Bei der Eloxierung von Aluminiumblech wird alle zwei Stunden an zwei verschiedenen Platten die Oxidschichtdicke gemessen. Die errechneten Mittelwerte dieser Proben geben Auskunft, ob der Prozeß driftet oder einen konstanten Mittelwert aufweist. Die Spannweiten oder Standardabweichungen der Proben geben Auskunft über herrschende Variabilität und deren zeitliches Verhalten, ob diese sich ändert. Stellt sich eine unnatürliche systematische Variabilität ein, kann sich diese auf den Prozeß auswirken:

auf den Mittelwert – positiv,
auf den Mittelwert – negativ,
auf die Variabilität – vergrößernd
auf die Variabilität – verkleinernd

Daher können sowohl positive als auch negative Änderungen erkannt werden.

Die X-quer-R-Karte wird bei konstanter Stichprobengröße angewandt und hat den Vorteil, daß die Spannweite und die Eingriffsgrenzen sehr leicht zu errechnen sind. Auch gibt es vom Verständnis her kaum Schwierigkeiten, so daß diese Karte auf breiter Schicht Akzeptanz findet. Ferner gibt die X-quer-R-Karte Information über die Genauigkeit des Maßsystems, welche die X-quer-S-Karte *nicht* gibt.

Die X-quer-S-Karte wird dann eingesetzt, wenn der Stichprobenumfang nicht konstant gehalten werden kann. Häufig muß man den Personen, die diese Karte führen, eine Rechenhilfe in Form eines Taschenrechners zur Verfügung stellen, um die Standardabweichung der Proben jeweils zu ermitteln. Auch das Verständnis für die Standardabweichung ist etwas schwieriger. Um Widerstände gegen SPC bei der Einführung zu vermeiden oder zu verringern, sollte eventuell mit einer einfachen Regelkarte begonnen werden. Die X-quer-S-Karte erfordert einen höheren Aufwand und bietet weniger Information.

4.2.5.3 Anlegen von Regelkarten

Da recht viele Personen mit SPC in Berührung kommen und bei der Anwendung beteiligt sind, ist es zweckmäßig, das geplante Vorgehen festzulegen und zu fixieren. Dies hilft, den eigenen Standpunkt zu überprüfen und den anderen Mitarbeitern diesen und das geplante Vorgehen zu erläutern. Dies braucht kein großartiges Unterfangen zu werden, sondern ein DIN-A4-Bogen reicht sicherlich voll aus. Ein solches fixiertes Vorgehen ist im Bild 32 dargestellt. Für jede Regelkarte sollte ein solches Formular ausgefüllt werden. Es wäre angebracht, dies in einem Team mit Mitarbeitern von verschiedenen Fachabteilungen wie Produktion, Forschung, Marketing, Qualitätssicherung aufzustellen.

Der wichtigste Punkt im Bild 32 ist der letzte Punkt: Revision. Er gewährleistet, daß SPC normaler Bestandteil der Geschäftspolitik auf den verschiedenen

Ebenen wird. Diese Revision gibt dem oberen Management andererseits eine Möglichkeit, die Verpflichtung zu praktizieren.

Prozeß: ______________ Produkt: ______________

Ziel/ Zweck:	Eine oder mehrere Angaben Beispiele: Erhöhung der Ausbeute. Identifiziere und elliminiere spezielle Ursachen. Den Zustand der statistischen Kontrolle erreichen, um die Prozeßfähigkeit ermitteln zu können. C_{PK} soll innerhalb von 6 Monaten auf 1,33 gebracht werden.
Maßsystem:	Zu Beginn: Charakteristiken des Prozeßergebnisses, welche für den Kunden von Bedeutung sind: pH, Länge, Viskosität, Farbe. Anschließend: Prozeßvariable, welche die Qualitätscharakteristiken beeinflussen (Temperatur, Druck, Zeit, Spannung, Konzentration).
Probenahme:	Ort der Probenahme/Messungen Häufigkeit Strategie der Gruppierung: Der Benutzer der Regelkarte sollte angeben können, welche Ursachen für Variation innerhalb der Probe und welche Ursachen für Variation zwischen den Proben auftreten können. Die spezielle Zielsetzung für die Regelkarte bestimmt manchmal die Strategie der Gruppierung.
Dokumentation:	Änderungen im Prozeß. Identifizierung spezieller Ursachen. Relevante Prozeßdaten/Informationen. Datum der Ermittlung der Eingriffsgrenzen. Zeitraum der Daten, die zur Ermittlung der Eingriffsgrenzen dienten.
Administration:	Verantwortlichkeiten für: Probeentnahme Messung Eintragen Errechnen der Kenndaten Einzeichnen der Punkte
Plan zur Überprüfung:	(für jede aktive Regelkarte) Das Verbesserungsteam: jede Woche Das Verbesserungsteam plus Betriebsführer: monatliche Revision Betriebsführer plus Produktionsleiter: vierteljährliche Revision

Bild 32: Planung von Regelkarten

Im folgenden wird das Anlegen von Regelkarten beschrieben, wobei darauf hingewiesen wird, daß nicht alle Aspekte hier aufgeführt werden können. Daher ist die hier beschriebene Vorgehensweise nur als grobe Übersicht zu betrachten, um dem Leser den wesentlichen Eindruck zu vermitteln.

Einzelwertkarte mit gleitender Spannweite:

Die einfachste Form einer Einzelwertkarte mit gleitender Spannweite ist im Bild 33 dargestellt. Zu Beginn wird entweder ein sogenannter Vorlauf verwendet oder man benutzt Meßdaten, so wie sie anfallen. Es sei darauf hingewiesen, daß diese Meßpunkte unabhängig voneinander sein müssen, da sonst die hier zu Grunde liegenden Regeln der Wahrscheinlichkeitslehre nicht stimmen. Die Zeitintervalle sollten auf diesen Gedanken hin untersucht werden. Es sollten nicht weniger als 20 und nicht mehr als 30 Meßwerte zur Berechnung der Eingriffsgrenzen verwendet werden. Nachdem die Meßwerte eingetragen und die gleitenden Spannweiten ermittelt wurden, können die Eingriffsgrenzen entsprechend dem Formblatt Bild 35 ermittelt und in die Karte eingezeichnet werden. Bevor mit der Interpretation begonnen wird, muß wie im Bild 35 angegeben auf überhöhte Grenzen geprüft werden, denn bei Vorhandensein von unnatürlicher Variabilität sind die Grenzen manchmal überhöht.

Bei der Herstellung einer hochviskosen Substanz wurde eine solche Regelkarte angelegt: Jede Stunde wurde eine Probe gezogen und die Viskosität im Labor gemessen. Diese Daten wurden in eine Einzelwertkarte eingetragen (Bild 34). Die Ermittlung der Eingriffsgrenzen ist im Bild 36 dargestellt.

Mittelwerte und Spannweitenkarte (X-quer-R-Karte):

Auch hier bedient man sich entweder eines Vorlaufes oder man sammelt die Daten, wie sie anfallen. Bei dieser Mittelwertkarte erhält man mehrere Meßpunkte gleichzeitig. Man geht davon aus, daß die Variabilität innerhalb der Meßpunkte der Variabilität des Prozesses entspricht. Diese soll zeitlich konstand bleiben. Dieses Gedankenmodell trifft manchmal nicht zu, besonders dann nicht, wenn die Variabilität des Prozesses keine Chance hatte, sich innerhalb der Probe bemerkbar zu machen. Dies ist z. B. der Fall, wenn aus einem kontinuierlichen Prozeß *eine* Probe entnommen und diese mehrfach gemessen wird. Werden diese Meßwerte in eine Mittelwertkarte eingetragen, so werden die Spannweiten sehr klein ausfallen, da die zu Grunde liegende Variabilität nur von dem Meßverfahren stammt. Die gefundenen Werte werden daher mit großer Wahrscheinlichkeit in der Mehrzahl außerhalb der Eingriffsgrenzen liegen.

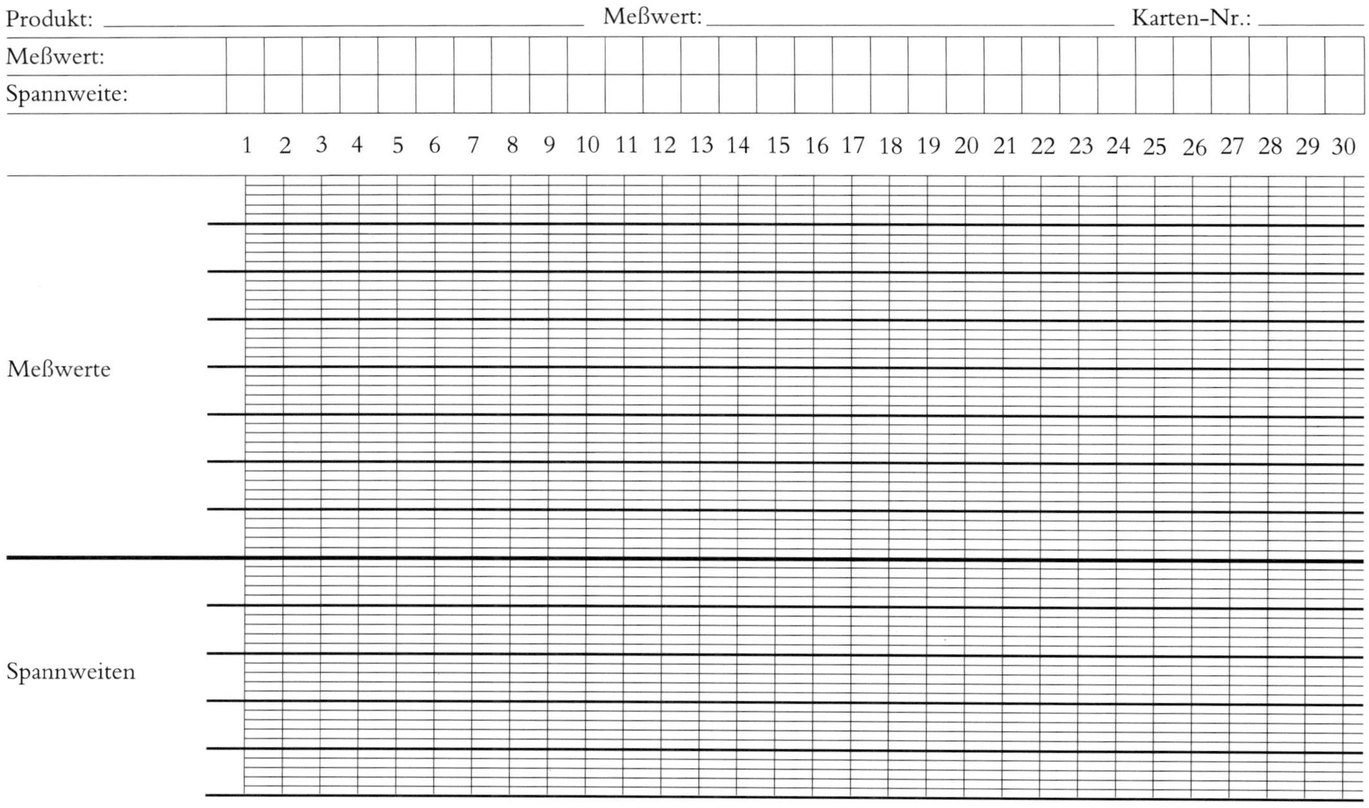

Bild 33: Einzelwert-Regelkarte mit gleitender Spannweite

Produkt: ______________ Meßwert: ______________ Karten-Nr.: ________

Meßwert:	80	85	86	81	80	88	82	85	85	82	85	87	84	88	87	83	83	86	84	81	80	82	77	84	84					
Spannweite:		5	1	5	1	8	6	3	0	3	3	2	3	4	1	4	0	3	2	3	1	2	5	7	0					

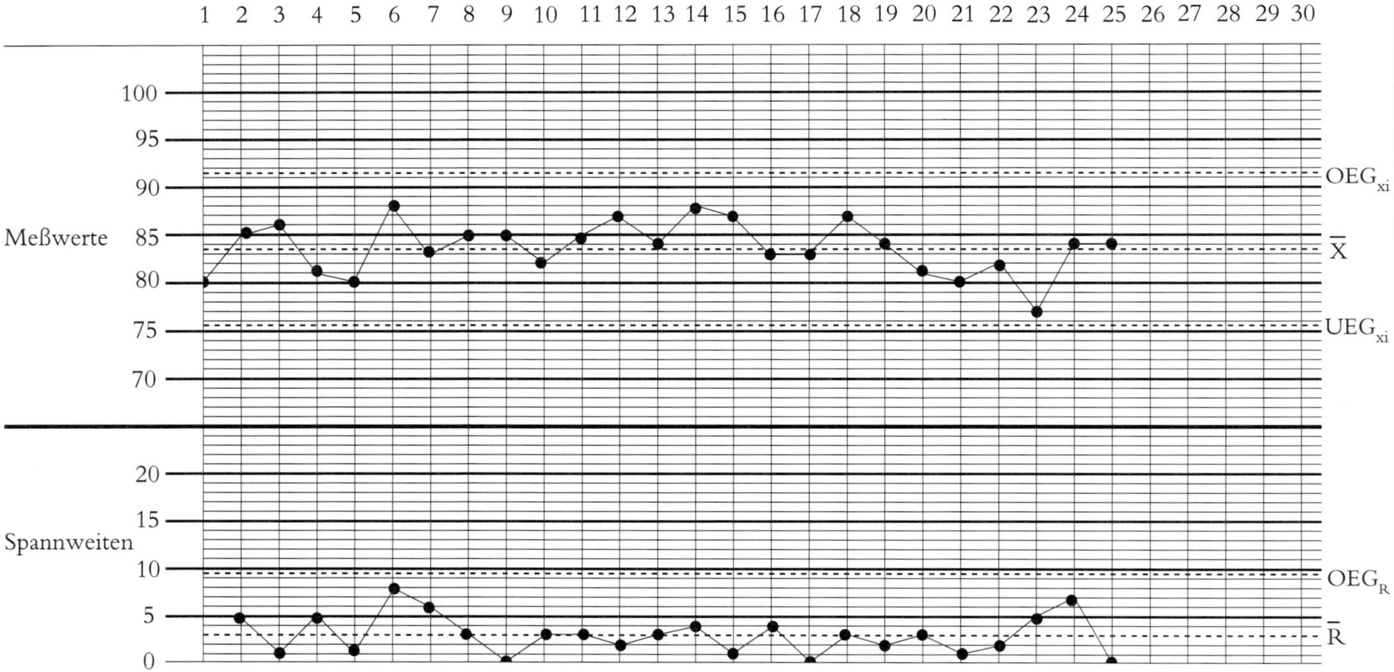

Bild 34: Einzelwert-Regelkarte mit gleitender Spannweite

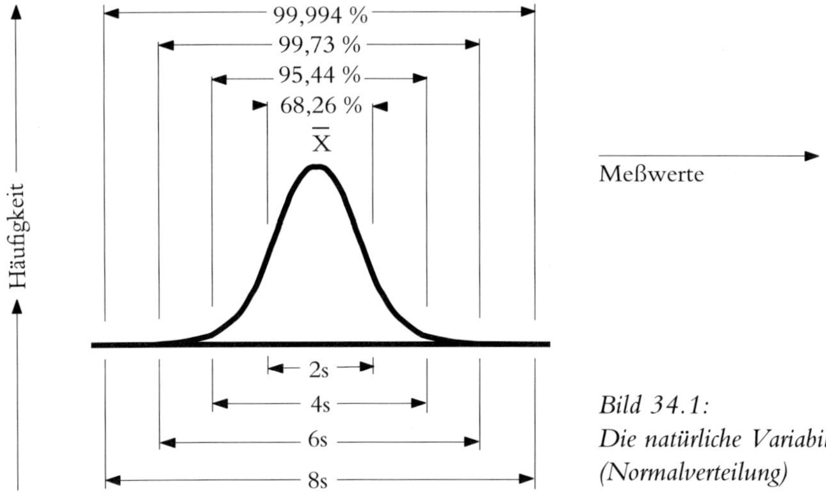

Bild 34.1:
Die natürliche Variabilität (Normalverteilung)

Anzahl Werte = N = $\quad = \_\_\_\_$

Summe X_i $\quad = \_\_\_\_$

Mittelwert $= \dfrac{\text{Summe } X_i}{N_{x_i}} = \overline{X} \quad = \_\_\_\_$

Mittelwert $= \overline{X} \quad = \_\_\_\_$

Summe der Spannweiten $\quad = \_\_\_\_$

Mittl. Spannweite $= \dfrac{\text{Summe } R_i}{N_R} \quad = \_\_\_\_$

Mittl. Spannweite $= \overline{R} \quad = \_\_\_\_$

$3s = 2{,}660\ \overline{R} \quad = \_\_\_\_$

$OEG_X = \overline{X} + 3s \quad = \_\_\_\_$

Mittellinie$_X = \overline{X} \quad = ____$

$UEG_X = \overline{X} - 3s \quad = \_\_\_\_$

$OEG_R = 3{,}268\ \overline{R} \quad = \_\_\_\_$

Mittellinie$_R = \overline{R} \quad = ____$

Prüfung auf überhöhte Grenzen:
Ist die Spannweitenkarte außer Kontrolle? ☐ ja ☐ nein

Sind 2/3 oder mehr Punkte der Spannweiten unterhalb von $\overline{R}$?
☐ ja ☐ nein

Falls eine der Fragen mit ja beantwortet wurde, müssen revidierte Grenzen nach den folgenden Formeln ermittelt werden:

Median Spannweite: $\tilde{R} \quad = \_\_\_\_$

$3s = 3{,}144\ \tilde{R} \quad = \_\_\_\_$

Falls $3{,}144\ \tilde{R}$ größer als $2{,}660\ \overline{R}$ ist, so ist die Verzerrung minimal, und es kann auf revidierte Grenzen verzichtet werden.

$OEG_{X_{rev}} = \overline{X} + 3s \quad = \_\_\_\_$

$UEG_{X_{rev}} = \overline{X} - 3s \quad = \_\_\_\_$

$OEG_{R_{rev}} = 3{,}865\ \tilde{R} \quad = \_\_\_\_$

Mittellinie$_{R_{rev}} = \tilde{R} \quad = ____$

(Eingriffsgrenzen: $\pm 3s = 99{,}72\ \%$)

Bild 35: Grenzen für Einzelwert-Regelkarten mit gleitender Spannweite (2 Werte)

Anzahl Werte = N = $= 25$	Prüfung auf überhöhte Grenzen: Ist die Spannweitenkarte außer Kontrolle? ☐ ja ☒ nein
Summe X_i $= 2089$	
Mittelwert $= \frac{\text{Summe } X_i}{N_{x_i}} = \overline{X} = \frac{2089}{25}$	Sind 2/3 oder mehr Punkte der Spannweiten unterhalb von $\overline{R}$?
Mittelwert $= \overline{X} = 83{,}56$	☐ ja ☒ nein
Summe der Spannweiten $= 72$	Falls eine der Fragen mit ja beantwortet wurde, müssen revidierte Grenzen nach den folgenden Formeln ermittelt werden:
Mittl. Spannweite $= \frac{\text{Summe } R_i}{N_R} = \frac{72}{24}$	
Mittl. Spannweite $= \overline{R} = 3$	Median Spannweite: $\tilde{R}$ = _____
	$3s = 3{,}144\,\tilde{R}$ = _____
$3s = 2{,}660\,\overline{R} = 7{,}98$	Falls $3{,}144\,\tilde{R}$ größer als $2{,}660\,\overline{R}$ ist, so ist die Verzerrung minimal, und es kann auf revidierte Grenzen verzichtet werden.
$OEG_X = \overline{X} + 3s = 91{,}54$	
$\text{Mittellinie}_X = \overline{X} = 83{,}56$	$OEG_{X_{rev}} = \overline{X} + 3s$ = _____
$UEG_X = \overline{X} - 3s = 75{,}58$	$UEG_{X_{rev}} = \overline{X} - 3s$ = _____
$OEG_R = 3{,}268\,\overline{R} = 9{,}8$	$OEG_{R_{rev}} = 3{,}865\,\tilde{R}$ = _____
$\text{Mittellinie}_R = \overline{R} = 3$	$\text{Mittellinie}_{R_{rev}} = \tilde{R}$ = _____

(Eingriffsgrenzen: ± 3s = 99,72 %)

Bild 36: Grenzen für Einzelwert-Regelkarten mit gleitender Spannweite (2 Werte)

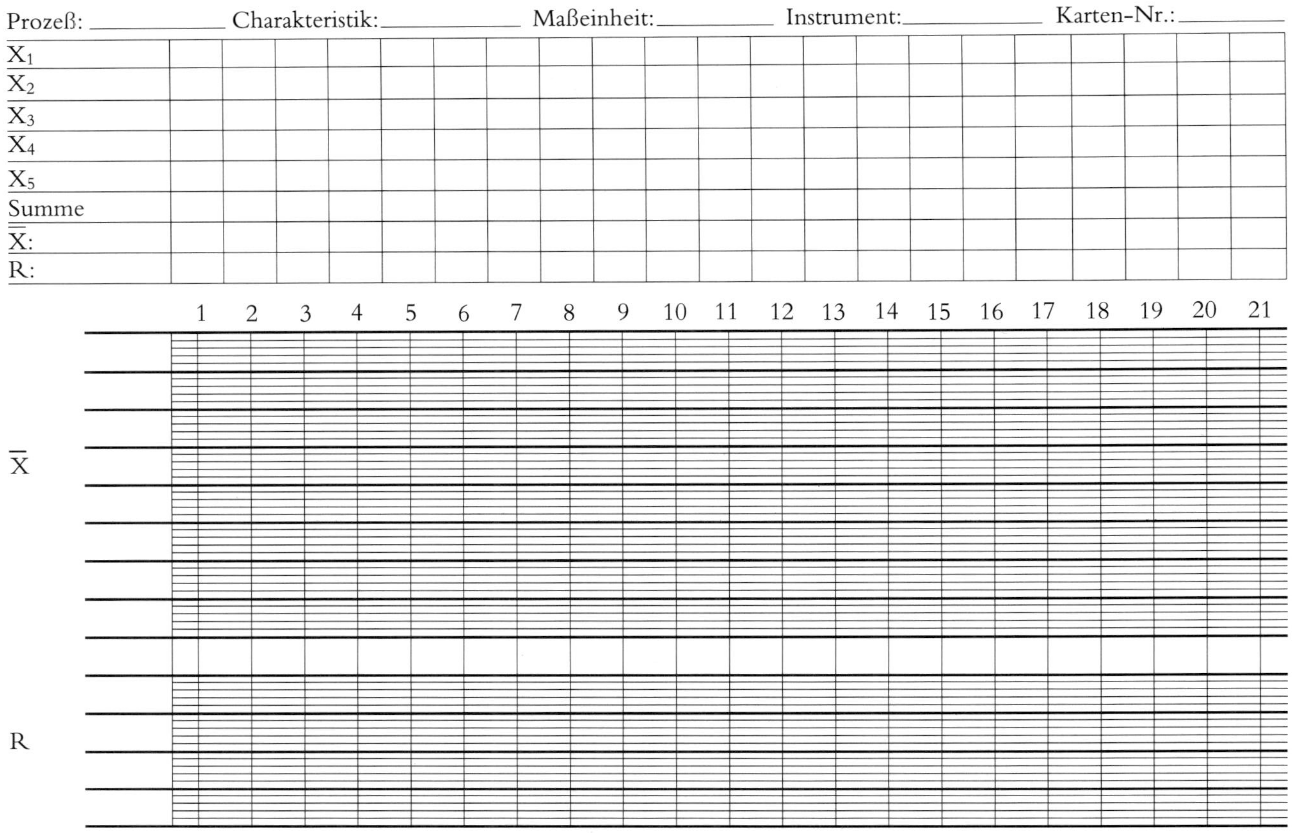

Bild 37: $\overline{X}$-R-Regelkarte

Prozeß: ______ Charakteristik: ______ Maßeinheit: ______ Instrument: ______ Karten-Nr.: ______

X_1	54,7	54,2	57,4	53,8	53,1	54,2	56,5	54,1	55,2	55,4	54,6	55,1	56,0	55,5	54,6	55,4	55,1	53,5	55,5	54,8	
X_2	55,3	54,7	54,6	54,4	55,5	54,6	54,5	56,4	53,4	54,8	54,9	55,6	54,7	55,9	56,2	56,5	55,4	53,7	55,1	54,5	
X_3	54,8	56,9	55,3	54,6	53,8	54,5	54,1	55,0	55,6	55,4	54,3	54,4	53,2	54,4	55,0	55,8	55,7	55,2	55,6	57,1	
X_4	55,7	55,5	53,5	54,4	55,5	55,8	57,2	54,2	55,3	55,0	54,6	54,5	56,0	54,2	56,4	54,0	54,6	55,5	56,3	53,7	
X_5	57,4	55,5	54,3	56,2	54,5	54,9	54,3	53,8	54,6	55,2	53,3	55,0	57,1	54,8	54,2	56,0	55,6	53,0	54,5	54,1	
Summe	277,9	278,8	275,4	273,4	272,4	274,0	276,6	273,5	274,1	275,8	271,7	274,6	277,0	274,8	276,4	277,7	276,4	271,5	277,0	274,2	
X:	55,6	55,4	55,0	54,7	54,5	54,8	55,3	54,7	54,8	55,1	54,3	54,9	55,4	55,0	55,3	55,5	55,3	54,3	55,4	54,8	
R:	2,7	2,7	3,9	2,4	2,4	1,6	3,1	2,6	2,2	0,6	1,6	1,2	3,9	1,7	2,2	2,5	1,1	2,0	1,8	3,4	

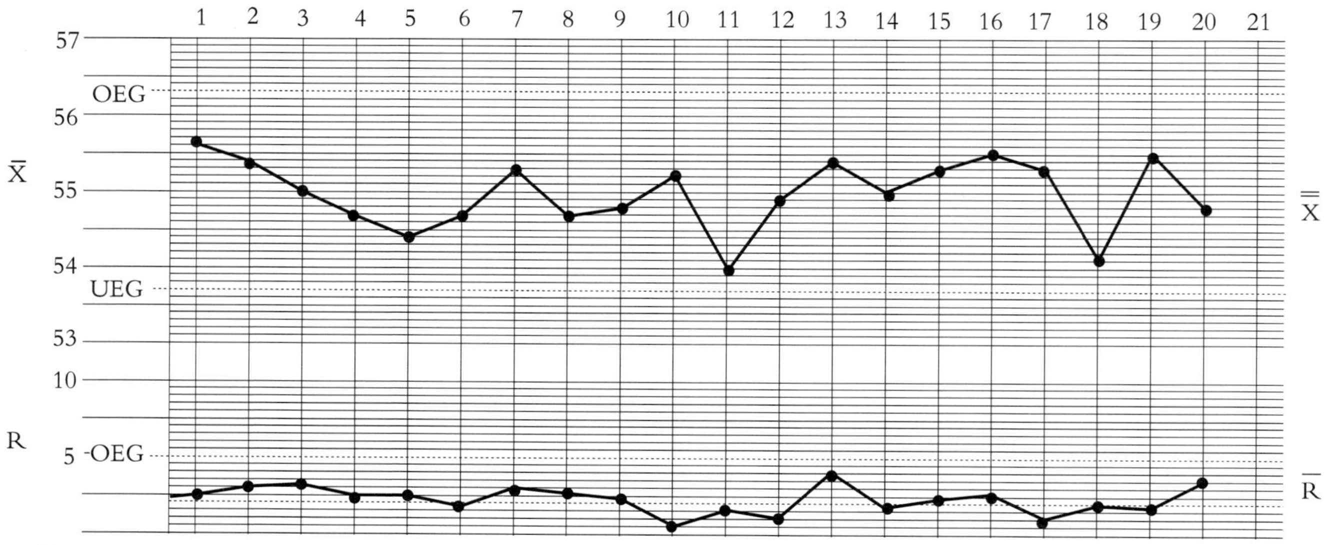

Bild 38: $\overline{X}$-R-Regelkarte

Stichprobengröße: $n =$ ______

Mittelwert: $\overline{\overline{X}} =$ ______

Mittl. Spannweite: $\overline{R} =$ ______

multipliziere $\overline{R}$ mit $A_2 =$ ______

$OEG_{\overline{X}} = \overline{\overline{X}} + A_2\overline{R} =$ ______

$Mittellinie_{\overline{X}} = \overline{\overline{X}} =$ ______

$UEG_{\overline{X}} = \overline{\overline{X}} - A_2\overline{R} =$ ______

$OEG_R = D_4\,\overline{R} =$ ______

$Mittellinie_R = \overline{R} =$ ______

Faktoren für $\overline{R}$:

A_2	n	D_4
1,880	2	3,268
1,023	3	2,574
0,729	4	2,282
0,577	5	2,114
0,483	6	2,004

A_4	n	D_6	d_2	d_4
2,224	2	3,865	1,128	0,954
1,091	3	2,745	1,693	1,588
0,758	4	2,375	2,059	1,978
0,594	5	2,179	2,326	2,257
0,495	6	2,055	2,534	2,472

Prüfung auf überhöhte Grenzen:
Ist die Spannweitenkarte außer Kontrolle? ☐ ja ☐ nein

Sind 2/3 oder mehr Punkte der Spannweiten unterhalb von $\overline{R}$? ☐ ja ☐ nein

Falls eine der Fragen mit ja beantwortet wurde, müssen revidierte Grenzen nach den folgenden Formeln ermittelt werden:

Median Spannweite: $= \tilde{R} =$ ______

multipliziere $\tilde{R}$ mit A_4: $=$ ______

$OEG_{\overline{X}_{rev}} = \overline{\overline{X}} + A_4\tilde{R} =$ ______

$UEG_{\overline{X}_{rev}} = \overline{\overline{X}} - A_4\tilde{R} =$ ______

$OEG_{R_{rev}} = D_6\,\tilde{R} =$ ______

$Mittelwert_{R\,rev} = \tilde{R} =$ ______

Falls $A_4\tilde{R}$ größer als $A_2\overline{R}$ ist, so ist die Verzerrung minimal, und es kann auf revidierte Grenzen verzichtet werden.

Falls Mittelwerte und Spannweiten beide in Kontrolle sind, kann die Standardabweichung für Einzelwerte ermittelt werden:

$\hat{s} = \overline{R}/d_2$ oder: $\hat{s} = \tilde{R}/d_4$

$1\hat{s} =$ ______ $3\hat{s} =$ ______

$ONPG = \overline{\overline{X}} + 3\hat{s} =$ ______

$UNPG = \overline{\overline{X}} - 3\hat{s} =$ ______

ONPG = Obere natürliche Prozeßgrenze
UNPG = Untere natürliche Prozeßgrenze

(Eingriffsgrenzen: $\pm 3s = 99{,}72\ \%$)

Bild 39: Grenzen für $\overline{X}$-R-Regelkarten

Stichprobengröße: n = 5,00

Mittelwert: $\bar{\bar{X}}$ = 55,00

Mittl. Spannweite: $\bar{R}$ = 2,28

multipliziere $\bar{R}$ mit A_2 = 1,32

$OEG_{\bar{X}} = \bar{\bar{X}} + A_2\bar{R}$ = 56,32

$Mittellinie_{\bar{X}} = \bar{\bar{X}}$ = 55,00

$UEG_{\bar{X}} = \bar{\bar{X}} - A_2\bar{R}$ = 53,68

$OEG_R = D_4\,\bar{R}$ = 4,82

$Mittellinie_R = \bar{R}$ = 2,28

Faktoren für $\bar{R}$:

A_2	n	D_4
1,880	2	3,268
1,023	3	2,574
0,729	4	2,282
0,577	5	2,114
0,483	6	2,004

A_4	n	D_6	d_2	d_4
2,224	2	3,865	1,128	0,954
1,091	3	2,745	1,693	1,588
0,758	4	2,375	2,059	1,978
0,594	5	2,179	2,326	2,257
0,495	6	2,055	2,534	2,472

Prüfung auf überhöhte Grenzen:
Ist die Spannweitenkarte außer Kontrolle? ☐ ja ☒ nein

Sind 2/3 oder mehr Punkte der Spannweiten unterhalb von $\bar{R}$? ☐ ja ☒ nein

Falls eine der Fragen mit ja beantwortet wurde, müssen revidierte Grenzen nach den folgenden Formeln ermittelt werden:

Median Spannweite: $= \tilde{R}$ = _____

multipliziere $\tilde{R}$ mit A_4: = _____

$OEG_{\bar{X}_{rev}} = \bar{\bar{X}} + A_4\tilde{R}$ = _____

$UEG_{\bar{X}_{rev}} = \bar{\bar{X}} - A_4\tilde{R}$ = _____

$OEG_{R_{rev}} = D_6\,\tilde{R}$ = _____

$Mittelwert_{R_{rev}} = \tilde{R}$ = _____

Falls $A_4\tilde{R}$ größer als $A_2\bar{R}$ ist, so ist die Verzerrung minimal, und es kann auf revidierte Grenzen verzichtet werden.

Falls Mittelwerte und Spannweiten beide in Kontrolle sind, kann die Standardabweichung für Einzelwerte ermittelt werden:

$\hat{s} = \bar{R}/d_2$ oder: $\hat{s} = \tilde{R}/d_4$

1s = _____ $3\hat{s}$ = _____

$ONPG = \bar{\bar{X}} + 3\hat{s}$ = _____

$UNPG = \bar{\bar{X}} - 3\hat{s}$ = _____

ONPG = Obere natürliche Prozeßgrenze
UNPG = Untere natürliche Prozeßgrenze

(Eingriffsgrenzen: $\pm 3s$ = 99,72 %)

Bild 40: Grenzen für $\bar{X}$-R-Regelkarten

Es sollten hier ebenfalls 20 bis 30 Stichproben zur Ermittlung der Eingriffsgrenzen verwendet werden. Ein einfaches Formular ist im Bild 37 dargestellt. Die Ermittlung der Eingriffsgrenzen ist im Bild 39 wiedergegeben. Auch hier ist vor der Interpretation auf überhöhte Grenzen zu prüfen, da während der Datensammlung spezielle Ursachen unnatürliche Variabilität verursacht haben könnten. Um trotzdem mit einer Regelkarte arbeiten zu können, werden revidierte Grenzen ermittelt.

Vielfach besteht die Meinung, man könnte erst dann eine Regelkarte anwenden, wenn der Prozeß in statistischer Kontrolle ist. Da aber in den allermeisten Fällen die Prozesse nicht in statistischer Kontrolle sind, wenn SPC nicht praktiziert wird, könnte man ja gar nicht in den Kreislauf hineingeraten. Tatsache ist jedoch, daß man gerade *mit Hilfe der Regelkarten* erst auf den Zustand „nicht in statistischer Kontrolle" aufmerksam gemacht wird und die nötigen *Methoden* erhält, um diesen Zustand zu verbessern, d. h. den Prozeß in statistische Kontrolle zu bringen.

Eine Mittelwertkarte wurde bei der Herstellung von Folien benutzt. Hier wurde alle zwei Stunden an fünf verschiedenen Stellen die Schichtdicke gemessen. Die entsprechende Regelkarte ist im Bild 38 und die Ermittlung der Eingriffsgrenzen im Bild 40 wiedergegeben.

4.2.5.4 Interpretation von Regelkarten

Die Interpretation der Regelkarte beginnt bereits bei der Erstellung, indem geprüft wird, ob überhöhte Grenzen vorliegen. Statt Interpretation könnte man auch sagen, es wird laufend geprüft, ob zusätzlich zu der natürlichen Variabilität noch systematische unnatürliche Variabilität, hervorgerufen durch spezielle Ursachen, vorhanden ist oder sich einstellt. Die in der Regelkarte aufgezeigte Variabilität ist die Summe der Variabilität des Prozesses plus der Variabilität des Meßsystems. Daher ist es angebracht, bei der Einführung von SPC das Meßsystem zu überprüfen. Natürlich sollte das Meßsystem in statistischer Kontrolle sein, was aber nicht immer der Fall ist. Hier sei vor voreiligen Annahmen ausdrücklich gewarnt, auch wenn regelmäßig Kontrollmessungen mit Eichsubstanzen vorgenommen werden und diese Werte den menschlichen Erwartungen entsprechen. Besonders in den Fällen, wo routinemäßig Eichsubstanzen gemessen werden, sollte man eine Regelkarte anlegen. Der Arbeitsaufwand ist minimal, da die Meßwerte ja bereits vorliegen und diese nur noch anhand der Regelkarte ausgewertet werden müssen. Ist das Meßsystem in statistischer Kontrolle, ist ferner die Prozeßfähigkeit zu ermitteln. Diese sollte 10 Prozent der Toleranzen nicht überschreiten. Trifft dies nicht zu, so muß das Meßsystem überarbeitet werden. Die Methoden der Faktorenversuchsplanung sind oftmals hilfreich. Manchmal ist es auch erforderlich, völlig neue Meßmethoden zu erarbeiten.

Die Interpretation oder Überprüfung der Regelkarte, ob spezielle Ursachen unnatürliche Variabilität hervorruft, erfolgt mit statistischen Regeln und Methoden. Aus der Vielzahl der Möglichkeiten sind hier einige ausgewählt:

Statistische Regeln:

Für die Spannweitenspur:
- Ein Punkt (oder mehr) außerhalb der oberen Eingriffsgrenze für Spannweiten (1)
- zwei Drittel der Punkte unterhalb der mittleren Spannweite (2)

Für die Meßwertspur:
- ein Punkt (oder mehr) außerhalb der oberen oder unteren Eingriffsgrenze (+/– 3s) (3)
- sieben (sechs) aufeinanderfolgende Punkte steigend oder fallend: Trend (4)
- acht (sieben) aufeinanderfolgende Punkte auf einer Seite von X-quer: Mittelwertverschiebung (5)
- mindestens 10 von 11 aufeinanderfolgenden Punkten auf einer Seite von X-quer: Mittelwertverschiebung (5.1)
- mindestens 12 von 14 aufeinanderfolgenden Punkten auf einer Seite von X-quer: Mittelwertverschiebung (5.2)
- mindestens 14 von 17 aufeinanderfolgenden Punkten auf einer Seite von X-quer: Mittelwertverschiebung (5.3)
- mindestens 16 von 20 aufeinanderfolgenden Punkten auf einer Seite von X-quer: Mittelwertverschiebung (5.4)
- zwei von drei aufeinanderfolgenden Punkten außerhalb von 2s (6)
- vier von fünf aufeinanderfolgenden Punkten außerhalb von 1s (7)

Die Regeln 5.1 bis 5.4 können zur Verschärfung herangezogen werden.

Trifft eine oder mehrere dieser Bedingungen zu, so ist der Prozeß außer statistischer Kontrolle.

Diese Regeln (siehe Bild 40.1) gelten sowohl für Einzelwertkarten mit gleitender Spannweite als auch für X-quer – R- und X-quer – S-Karten. Für gleitende Mittelwertkarten gelten diese Regeln nicht mehr, da die einzelnen Punkte nicht mehr als unabhängig voneinander betrachtet werden können.

Gelegentlich stößt man auf „Regelkarten", bei der die zur Ermittlung der Eingriffsgrenzen erforderliche Standardabweichung (s) über die allgemeine Formel (siehe Bild 47) ermittelt wird. Dann wird eine Prüfung auf eine Normalverteilung mit dem Wahrscheinlichkeitsnetz vorgenommen bzw. empfohlen.

Wenn keine Punkte außerhalb der Eingriffsgrenzen fallen und das Wahrscheinlichkeitsnetz eine Gerade ergibt, wird angenommen, daß der Prozeß sich „in statistischer Kontrolle" befindet.

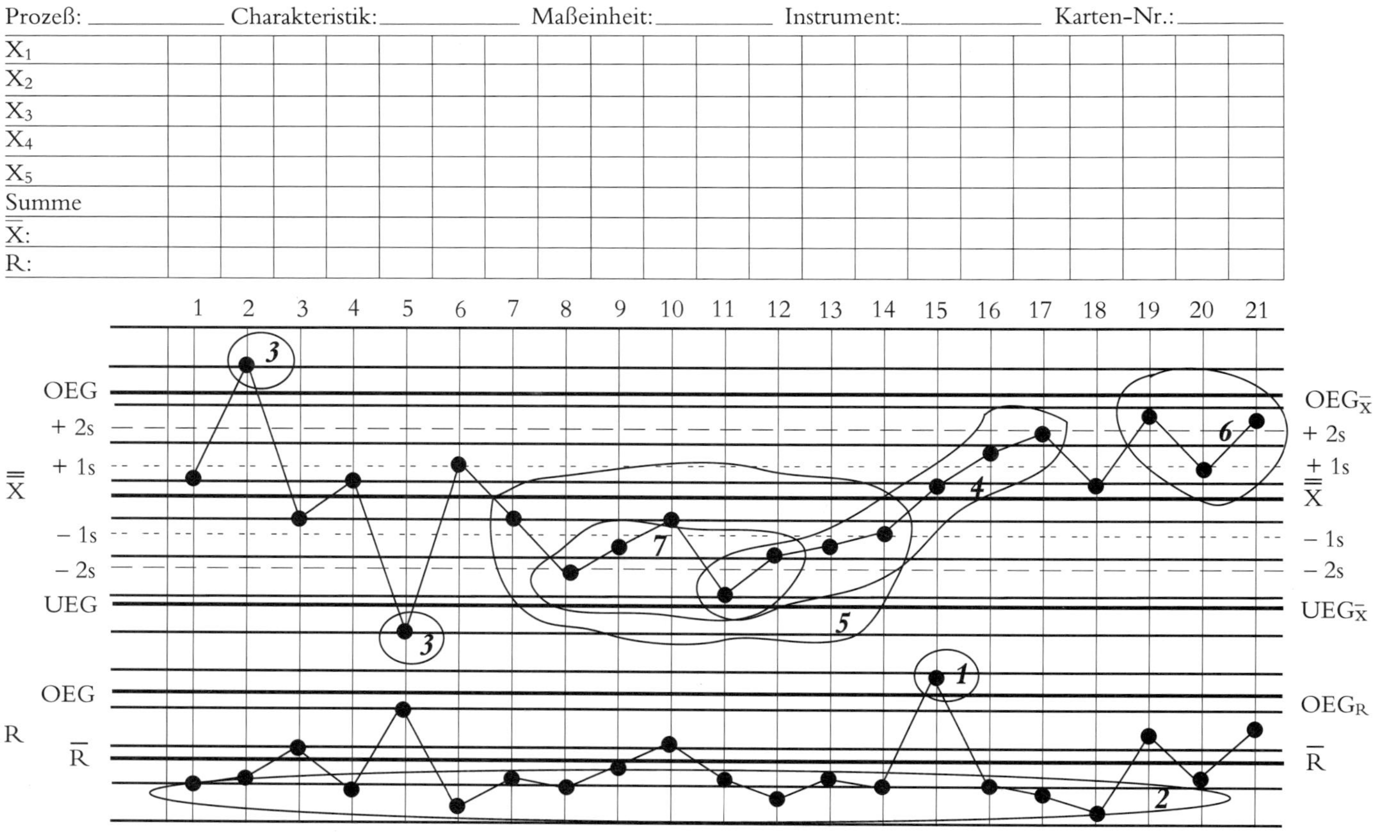

Bild 40.1: Statistische Regeln

Diese Vorgehensweise kann unter Umständen zu falschen Annahmen führen, was an dem folgenden Kugelspiel erläutert werden soll. Aus einer Mischung von über 3200 Kugeln wurden jeweils Proben von 100 Kugeln gezogen, die farbigen Kugeln gezählt und die Probe wieder zurückgegeben. Nach dem Mischen wurde die zweite Probe gezogen und die farbigen Kugeln gezählt. Dies wurde wiederholt, bis insgesamt 30 Zahlenwerte vorlagen:
90, 81, 85, 76, 78, 83, 85, 80, 81, 86, 80, 79, 85, 83, 81, 87, 88, 86, 83, 85, 83, 86, 86, 79, 85, 83, 81, 80, 81, 88
Die Einzelwert-Regelkarte mit gleitender Spannweite, wie sie hier beschrieben wurde, ist für dieses Kugelspiel 1 im Bild 41 zu sehen. Die Eingriffsgrenzen wurden auf Grund der mittleren gleitenden Spannweite ermittelt. Nach der hier beschriebenen Methode kann man behaupten, daß dieser Prozeß sich „in statistischer Kontrolle" befindet, da keine der statistischen Regeln verletzt werden:

1. Nicht 1 oder mehr Punkte befinden sich außerhalb der Eingriffsgrenzen.
2. Keine 8 oder mehr aufeinanderfolgenden Punkte befinden sich auf einer Seite des Mittelwertes
3. Keine 7 oder mehr aufeinanderfolgenden Punkte steigen oder fallen.
4. Keine 2 von 3 aufeinanderfolgenden Punkte befinden sich außerhalb von zwei Drittel der Eingriffsgrenzen. (±2S)
5. Keine 4 von 5 aufeinanderfolgenden Punkte befinden sich außerhalb von einem Drittel der Eingriffsgrenzen. (±3S)

Die Standardabweichung errechnet sich zu 3,34 nach der allgemeinen Formel, und kein Wert fällt außerhalb von plus oder minus 3s, wie auch zu erwarten war. Das Wahrscheinlichkeitsnetz zeigt eine Gerade, was im Bild 44 zu sehen ist. Daher lautet auch in diesem Falle die Interpretation: Der Prozeß befindet sich mit sehr großer Wahrscheinlichkeit „in statistischer Kontrolle".

Produkt: **Kugelspiel 1** Meßwert: Prozent farbige Kugeln Karten-Nr.: ________

	1	2	3	4	5	6	7	8	9	10	11	12	13	14	15	16	17	18	19	20	21	22	23	24	25	26	27	28	29	30
Meßwert:	90	81	85	76	78	83	85	80	81	86	80	79	85	83	81	87	88	86	83	85	83	86	86	79	85	83	81	80	81	88
Spannweite:		9	4	9	2	5	2	5	1	5	6	1	6	2	2	6	1	2	3	2	2	3	0	7	6	2	2	1	1	7

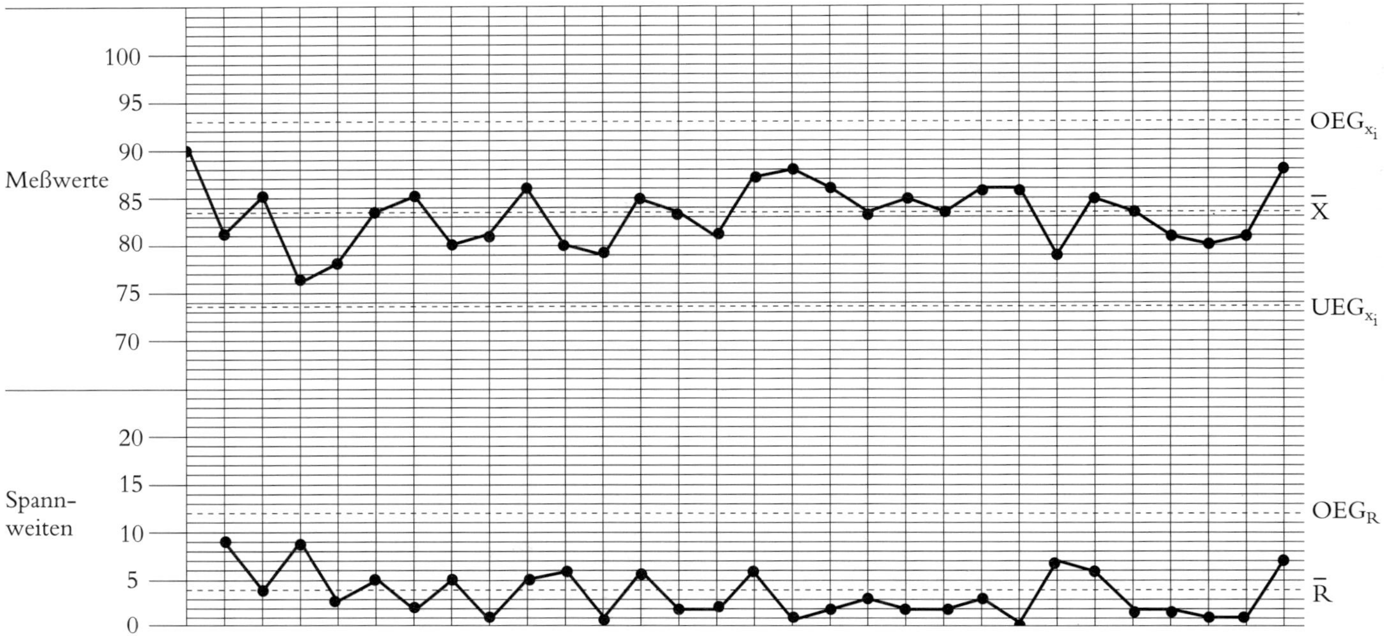

Bild 41: Einzelwert-Regelkarte mit gleitender Spannweite

Nun werden im Kugelspiel 2 dieselben Zahlen vom Kugelspiel 1 verwendet, jedoch nur in ihrer Reihenfolge verändert. Die Einzelwert-Regelkarte mit der gleitenden Spannweite nach der hier beschriebenen Methode ist im Bild 42 wiedergegeben. Die Interpretation führt zu dem Ergebnis: Dieser Prozeß ist „nicht in statistischer Kontrolle“, da etliche Regeln verletzt werden.

Für die Ermittlung der Standardabweichung ist die Reihenfolge der (ursprünglichen) Werte ohne Bedeutung. Daher bleibt auch der Wert für die Standardabweichung konstant und ebenfalls der Wert für 3s. Daher wird auch jetzt kein Punkt außerhalb der 3s-Grenzen liegen. Auch die Linie im Wahrscheinlichkeitsnetz hängt *nicht* von der Reihenfolge der (Ur-) Werte ab. Daher bleibt auch diese Linie unverändert. Infolge dessen müßte man nach dieser Methode wieder behaupten: Da sich kein Punkt außerhalb von 3s befindet und die Linie im Wahrscheinlichkeitsnetz eine Gerade ist (siehe Bild 45), befindet sich der Prozeß „in statistischer Kontrolle“, was aber in starkem Kontrast zu den Aussagen von Bild 42 steht.

Wie aus dem Vergleich von Bild 41 mit Bild 42 zu ersehen ist, besteht ein signifikanter Unterschied zwischen dem Prozeß Kugelspiel 1 und dem Prozeß Kugelspiel 2, da die „statistischen Regeln“ den zeitlichen Verlauf mitberücksichtigen. Ferner sind die Eingriffsgrenzen im Kugelspiel 2 (über R-quer ermittelt) enger. Die Mittelwertverschiebung führt bei der Anwendung der allgemeinen Formel für s zu überhöhten Werten für die Differenzen zwischen den Einzelwerten und dem Mittelwert, was seinerseits zu überhöhten quadratischen Differenzen führt und somit zu einem überhöhten Wert für die Standardabweichung. Das hier beschriebene Verfahren, die Ermittlung des Wertes für 3s über die Spannweite in Verbindung mit den aufgeführten „statistischen Regeln“, vermeidet diesen Nachteil.

Besonders der Sprung in der Graphik der gleitenden Spannweite (Punkt 13 im Bild 42) oberhalb der oberen Eingriffsgrenze macht den Wert dieser Karte deutlich. Hingegen ist das Bild im Wahrscheinlichkeitsnetz (im Bild 45) wie zu erwarten gegenüber Bild 44 konstant geblieben.

Auch wenn man die Eingriffsgrenzen über die Spannweiten ermittelt, kann man nicht auf die statistischen Regeln verzichten, die den zeitlichen Ablauf berücksichtigen.

Produkt: **Kugelspiel 2** Meßwert: Prozent farbige Kugeln Karten-Nr.: ______

Meßwert:	81	81	76	78	80	81	80	79	81	79	81	80	90	85	83	83	83	83	83	85	86	85	87	88	86	85	86	86	85	88
Spannweite:		0	5	2	2	1	1	1	2	2	2	1	10	5	2	0	0	0	0	2	1	1	2	1	2	1	1	0	1	3

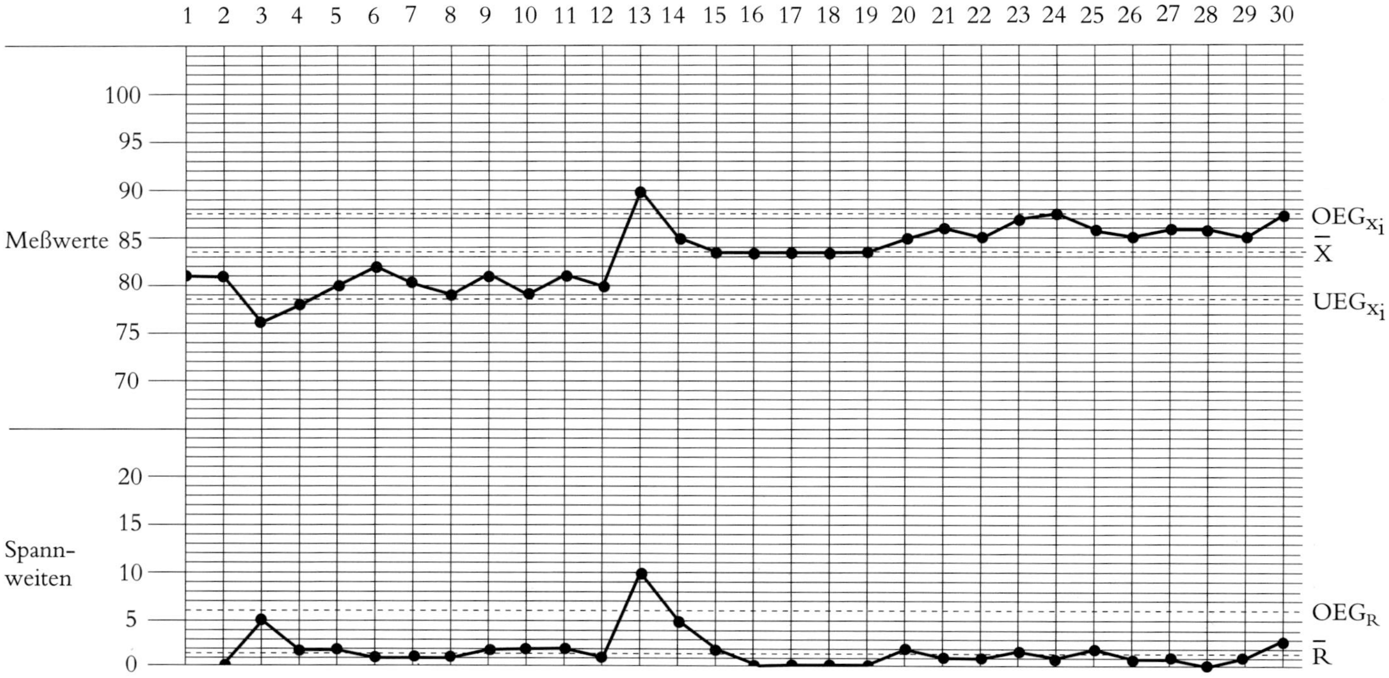

Bild 42: Einzelwert-Regelkarte mit gleitender Spannweite

Im Kugelspiel 3 sind dieselben Zahlen nochmals in ihrer Reihenfolge geändert. Im Bild 43 ist die Einzelwert-Regelkarte nach dem hier beschriebenen Verfahren wiedergegeben und im Bild 46 die Wahrscheinlichkeitsgerade, welche sich wie erwartet nicht geändert hat.

Die Einzelwert-Regelkarte Bild 43 zeigt, daß zwar alle Punkte innerhalb der Eingriffsgrenzen liegen, aber trotzdem einen Prozeß darstellen, der sich „nicht in statistischer Kontrolle" befindet, da etliche statistische Regeln verletzt werden.

Die statistischen Kenndaten (Bild 47) sowie die jeweiligen Linien im Wahrscheinlichkeitsnetz sind, wie zu erwarten, in den drei Fällen identisch. Daraus kann aber noch nicht geschlossen werden, daß die Prozesse auch identisch sind. Das Kugelspiel in den erwähnten drei Versionen demonstriert dies sehr deutlich. Das hier beschriebene Verfahren zur Regelkartentechnik schließt diesen Nachteil weitgehend aus.

Produkt: **Kugelspiel 3** Meßwert: Prozent farbige Kugeln Karten-Nr.: ________

	1	2	3	4	5	6	7	8	9	10	11	12	13	14	15	16	17	18	19	20	21	22	23	24	25	26	27	28	29	30
Meßwert:	81	76	80	80	79	81	78	83	79	81	80	81	85	90	85	86	85	88	85	87	86	83	85	83	86	83	86	83	88	81
Spannweite:		5	4	0	1	2	3	5	4	2	1	1	4	5	5	1	1	3	3	2	1	3	2	2	3	3	3	3	5	7

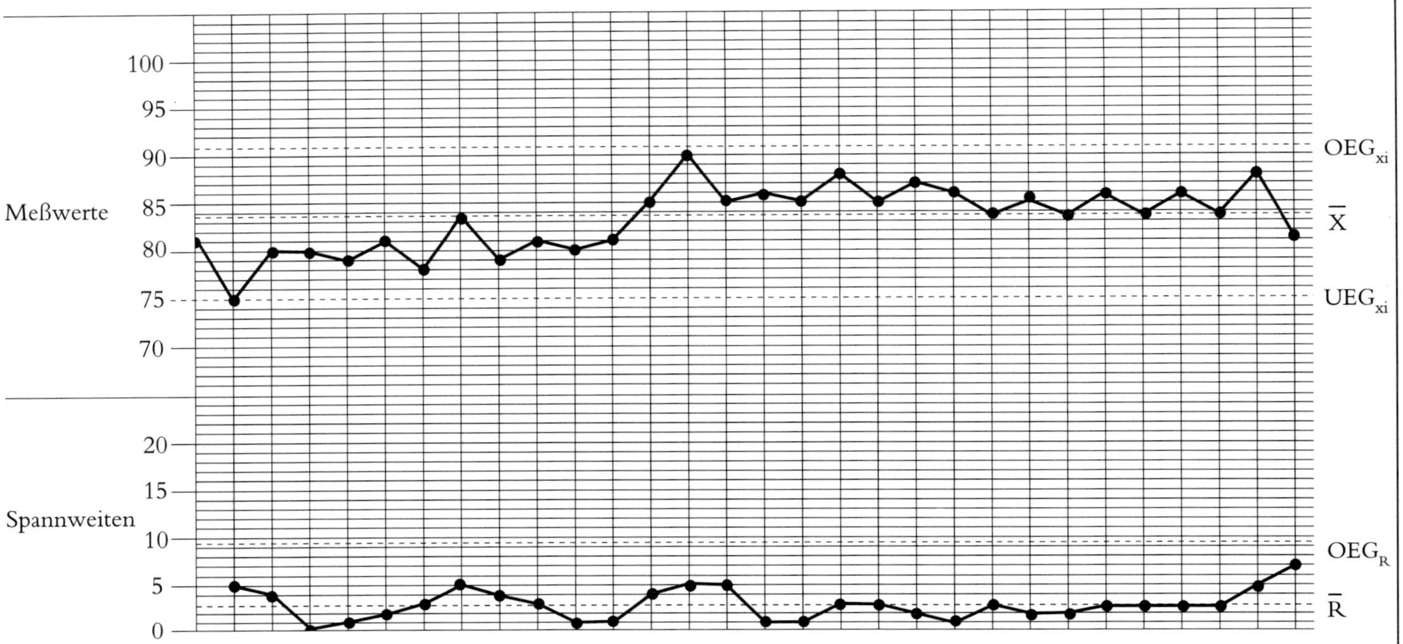

Bild 43: Einzelwert-Regelkarte mit gleitender Spannweite

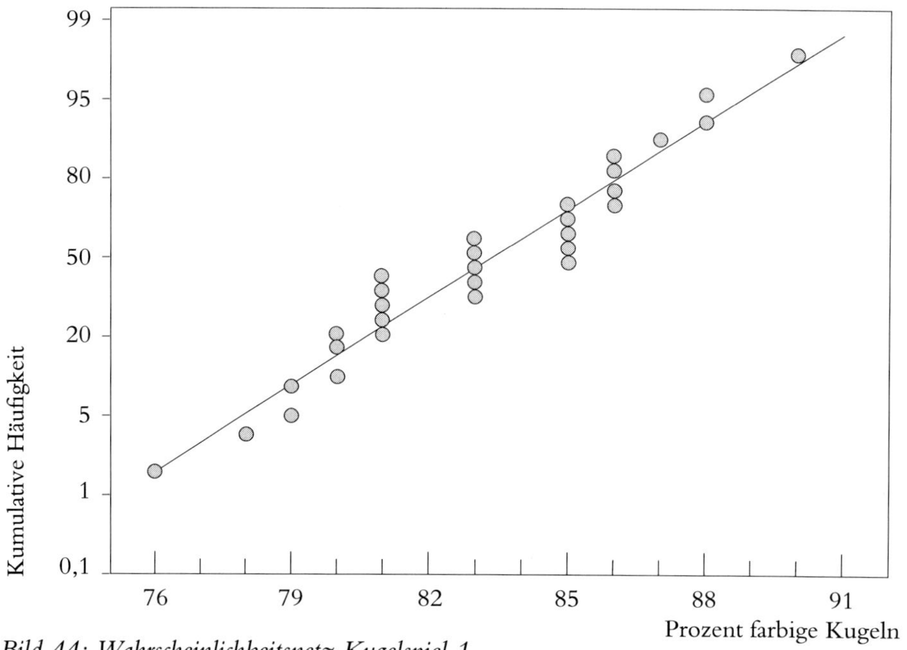

Bild 44: Wahrscheinlichkeitsnetz Kugelspiel 1

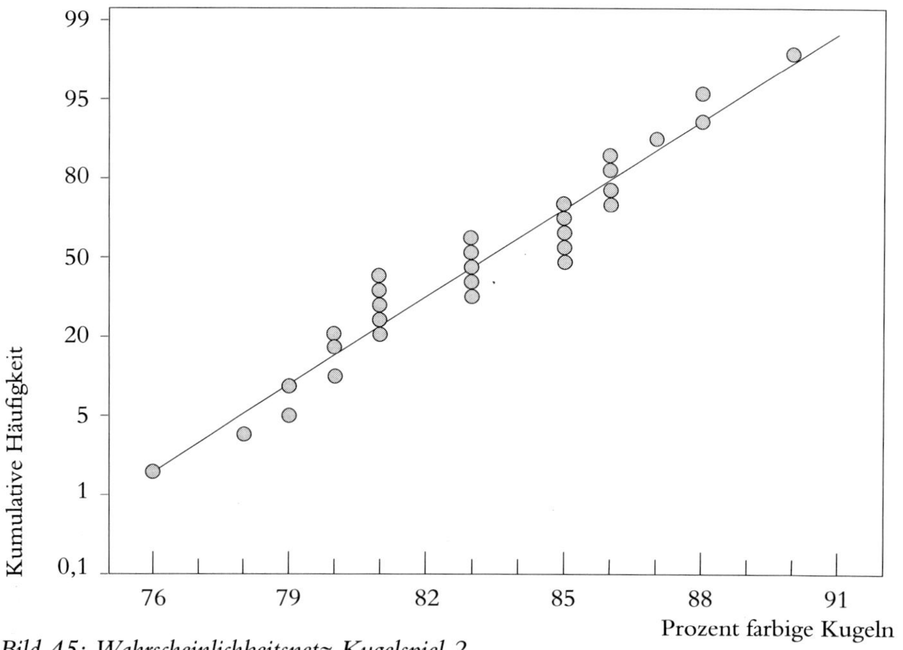

Bild 45: Wahrscheinlichkeitsnetz Kugelspiel 2

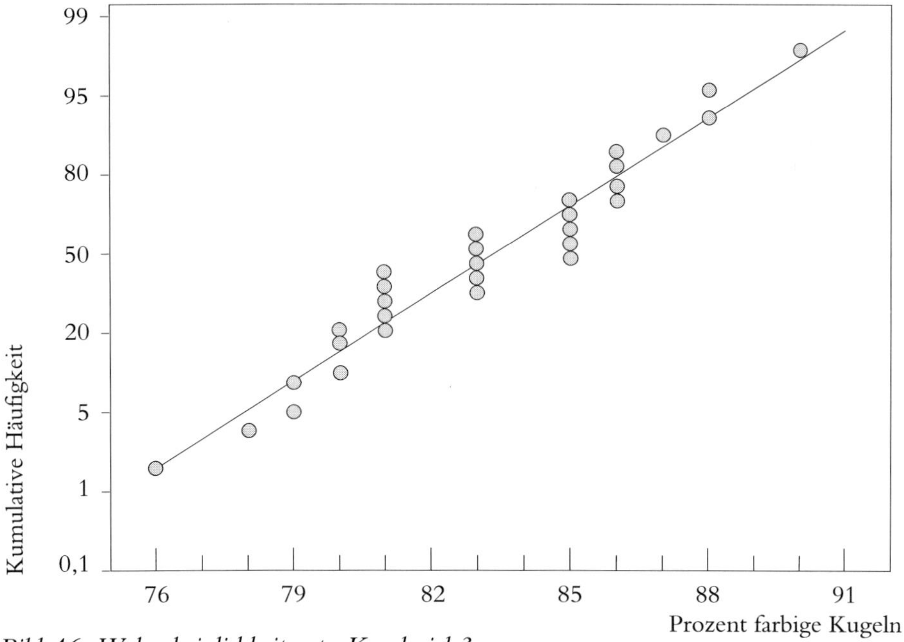

Bild 46: Wahrscheinlichkeitsnetz Kugelspiel 3

Kugelspiel:	1	2	3
Mittelwert:	83,133	83,133	83,133
Medianwert:	83,000	83,000	83,000
Varianz:	11,154	11,154	11,154
Standardabweichung:	3,340	3,340	3,340
Minimaler Wert:	76,000	76,000	76,000
Maximaler Wert:	90,000	90,000	90,000
Spannweite:	14,000	14,000	14,000
Schiefe:	- 0,041	- 0,041	- 0,041
Wölbung:	- 0,555	- 0,555	- 0,555
In "statistischer Kontrolle":	Ja	Nein	Nein

$$S = \sqrt{\frac{\text{Summe } (\overline{X} - X_i)^2}{n - 1}}$$

Bild 47: Statistische Daten zum Kugelspiel

4.2.5.5 Gebrauch der Regelkarten

Nachdem eine Regelkarte angelegt wurde, werden die danach anfallenden Meßpunkte sofort nach der Ermittlung in die Karte eingetragen und der neueste Stand auf die statistischen Regeln hin untersucht. Wird keine der oben erwähnten Regeln verletzt, so deutet nichts auf eine Änderung, d. h. systematische oder unnatürliche Variabilität hin. Beobachtungen seitens der Mitarbeiter werden von diesen auf der Karte vermerkt. Diese Beobachtungen sind bei der Suche nach möglichen Verursachern der speziellen Variabilität oft sehr hilfreich. Daher ist es auch wichtig, daß die Regelkarten, wenn möglich, sichtbar in der unmittelbaren Nähe des Prozesses aufgehängt werden, damit möglichst viele Mitarbeiter den statistischen Zustand jederzeit erkennen können und auch die Möglichkeit haben, Informationen niederzuschreiben. Daher verbietet sich von selbst, daß Regelkarten von Spezialisten alleine geführt werden, besonders wenn dies entfernt vom Prozeß geschieht. In den meisten Fällen wissen die Spezialisten nicht die Ursache für die spezielle Variabilität und müssen die Mitarbeiter befragen, die direkt und unmittelbar am Prozeß arbeiten. Auch ist es nicht sinnvoll, daß die Regelkarten in größeren Zeitabständen „auf den letzten Stand" gebracht werden. Oftmals sind dann wertvolle Informationen längst vergessen.

Deutet die letzte Eintragung in die Regelkarte spezielle Variabilität an, so ist die Frage zu stellen: „Was hat sich seit dem letzten Meßpunkt verändert? Was kann die Ursache für das Auftreten der unnatürlichen Variabilität sein?" Auch wenn die Ursache bekannt ist und nicht erst systematisch danach gesucht werden muß, sollte eine irreversible Korrektur stattfinden, damit diese Ursache nicht wieder auftreten kann. Denn eine erhöhte zukünftige Qualität läßt sich ja nur erreichen, wenn das Auftreten von systematischer Variabilität in Zukunft verhindert wird.

4.2.5.6 Konsequenzen der Interpretation

Ist die Ursache für das Auftreten der systematischen Variabilität unbekannt, muß wie im Bild 29 dargelegt eine Problemlösungsmethode ausgewählt und probiert werden. Es wird entweder von Einzelpersonen oder von einem Team erwartet, daß durch die Anwendung der Problemlösungsmethode ein Wissensdurchbruch erreicht wird. Darauf aufbauend kann dann eine Therapie erarbeitet werden, die meistens zuerst einmal ausprobiert wird. Zeigt die Regelkarte einen Effekt, kann die Korrekturmaßnahme dauerhaft eingeführt werden. Wenn der Effekt in der Regelkarte für mindestens 20 Punkte anhält, werden auf Grund dieser Daten neue Grenzen ermittelt und verwendet. Der nächste Schritt ist dann wieder die Interpretation, womit der SPC-Kreislauf wieder beginnt.

Wenn die Ursachen für den Zustand „nicht in statistischer Kontrolle“ nicht gefunden werden, dann kann keine Korrektur vorgenommen werden, kann keine Präventivmaßnahme (irreversible Korrektur) erfolgen. Dann wird diese Störung wieder auftreten.
Das Beschreiben von Papier ist Zeit- und Materialverschwendung, wenn durch die Anwendung der Regelkarten keine dauernde signifikante Verbesserung des Prozesses erreicht wird, es sei denn, der Idealzustand (z. B. in statistischer Kontrolle *und* Cpk $>$ 2,0) ist erreicht und die Regelkarte dient dem Verhüten von Fehlern und Vorbeugen von Problemen.

Das Auffinden der speziellen Ursachen ist manchmal sehr zeitaufwendig und dauert manchmal, besonders bei komplizierten chemischen Prozessen, bis zu mehreren Monaten. Daher sollte besonders bei der Einführung von SPC mit wenigen Regelkarten angefangen werden. Das Anlegen selbst und auch das Führen der Regelkarten kann meistens noch zeitlich verkraftet werden. Das Auffinden der speziellen Ursachen macht häufig die größten Probleme.

Wird jedoch der Kreislauf konsequent verfolgt, wird der Zeitpunkt kommen, daß der Prozeß sich in statistischer Kontrolle befindet, das heißt, daß alle Ursachen, welche systematische oder unnatürliche Variabilität aufkommen lassen, beseitigt sind. Die Variablen, welche einen Einfluß auf das Prozeßergebnis besitzen, werden beherrscht. Jetzt ist auch der Zeitpunkt gekommen, an dem die Prozeßfähigkeit ermittelt werden kann. Bei der Einzelwertkarte sind die Eingriffsgrenzen identisch mit den natürlichen Prozeßgrenzen. Bei der Mittelwertkarte werden die Grenzen (ONPG, UNPG), wie im Bild 39 unten rechts angegeben, ermittelt. Anschließend werden diese natürlichen Grenzen mit den Spezifikationen verglichen. Ist der Prozeß nicht fähig, kann wieder wie im Bild 29 „SPC-Aktivitäten-Ablaufdiagramm Blatt 1“ in den Kreis eingestiegen werden.

Checkliste 1 zum Einführen einer Einzelwert-Regelkarte mit Spur für die gleitende Spannweite:

1. Planung von Regelkarten entsprechend Bild 32.
2. Festlegen des Prozesses.
3. Festlegen des Qualitätsmerkmales.
4. Überprüfung: Qualitätsmerkmal liefert variable Daten (wenn nicht, siehe Bild 31).
5. Überprüfung, ob Einzelwertkarte mit gleitender Spannweite zutrifft (falls nicht, siehe Bild 31 oder Checkliste 2).
6. Anlegen der Regelkarte mit Formblatt entsprechend Bild 33.
7. Eintragen von mindestens 20, maximal 30 Punkten.
8. Ermitteln der gleitenden Spannweiten, Formblatt Bild 33.

9. Ermitteln von X-quer (Mittelwert) und R-quer (mittlere Spannweite), Formblatt Bild 35.
10. Ermittlung der Grenzen für Einzelwert-Regelkarten entsprechend Formblatt Bild 35.
11. Für Spannweitenspur: OEG_R und R-quer einzeichnen, Formblatt Bild 33.
12. Prüfen, ob überhöhte Grenzen vorliegen: Formblatt Bild 33, evtl. revidierte Grenzen nach Formblatt Bild 35 ermitteln.
13. Grenzen oder revidierte Grenzen für die Meßwertspur einzeichnen. Ebenfalls 1/3 und 2/3 der OEG_{xi} und UEG_{xi} ermitteln und einzeichnen, Formblatt Bild 33.
14. Interpretation unter Verwendung der statistischen Regeln.
15. Falls der Prozeß nicht in statistischer Kontrolle ist, entsprechend Bild 29 die unnatürliche Variabilität entfernen, indem zuerst die Ursache ermittelt wird.
16. Die ermittelten Grenzen extrapolieren und den Prozeß beobachten, ob dieser sich gegenüber der ursprünglichen Periode in Bezug auf den Mittelwert oder die Streuung ändert. Spezielle Ursachen oder unnatürliche Variabilität können den Prozeß positiv oder negativ beeinflussen: den Mittelwert und die Streuung. Daher Spannweitenspur und Meßwertspur nach dem Eintragen eines jeden neuen Punktes überprüfen, ob eine statistische Regel verletzt wird.
17. Falls 20 oder mehr Punkte eine *positive* Änderung andeuten *und* die Ursache bekannt ist, dürfen neue Grenzen ermittelt werden.
18. Falls der Prozeß sich in statistischer Kontrolle befindet, kann die Prozeßfähigkeit ermittelt und diese mit den Spezifikationen verglichen werden. Der C_{PK}-Wert darf dann ermittelt werden (siehe Bild 29). Falls diese den Erwartungen entspricht, Marketing informieren. Falls dieser Wert *nicht* den Erwartungen entspricht, entsprechend Bild 29 die Variabilität reduzieren unter besonderer Berücksichtigung der Versuchsplanung (Design of Experiments).
19. Zur zusätzlichen Überprüfung der Effizienz der Bemühungen sollte ein C_{PK}-Diagramm entsprechend dem Bild 49 geführt werden.

Checkliste 2 zum Einführen einer Mittelwert-Spannweiten-Regelkarte:

1. Planung von Regelkarten entsprechend Bild 32.
2. Festlegen des Prozesses.
3. Festlegen des Qualitätsmerkmales.
4. Überprüfung: Qualitätsmerkmal liefert variable Daten (wenn nicht, siehe Bild 31).
5. Überprüfung, ob Mittelwert-Spannweitenkarte zutrifft (falls nicht, siehe Bild 31 oder Checkliste 1).
6. Anlegen der Regelkarte mit Formblatt entsprechend Bild 37.

7. Eintragen der Meßwerte von mindestens 20, maximal 30 Stichproben.
8. Ermitteln der Mittelwerte und der Spannweiten der Stichproben, Formblatt Bild 37.
9. Ermitteln von X-quer (Gesamtmittelwert) und R-quer (mittlere Spannweite) entsprechend Formblatt Bild 39.
10. Ermitteln der Grenzen für Mittelwert-Spannweiten-Regelkarten entsprechend Formblatt Bild 39.
11. Für Spannweitenspur: OEG_R und R-quer einzeichnen, Formblatt Bild 37.
12. Prüfen, ob überhöhte Grenzen vorliegen, Formblatt Bild 37, evtl. revidierte Grenzen nach Formblatt Bild 39 ermitteln.
13. Grenzen oder revidierte Grenzen für die Meßwertspur einzeichnen. Ebenfalls 1/3 und 2/3 der OEG und UEG ermitteln und einzeichnen, Formblatt Bild 37.
14. Interpretation unter Verwendung der statistischen Regeln.
15. Falls der Prozeß nicht in statistischer Kontrolle ist, entsprechend Bild 29 die unnatürliche Variabilität entfernen, indem zuerst die Ursache ermittelt wird.
16. Die ermittelten Grenzen extrapolieren und den Prozeß beobachten, ob dieser sich gegenüber der ursprünglichen Periode in Bezug auf den Mittelwert oder die Streuung ändert. Speziellen Ursachen oder unnatürliche Variabilität können den Prozeß positiv oder negativ beeinflussen: den Mittelwert und die Streuung. Daher die Spannweitenspur und die Meßwertspur nach dem Eintragen eines jeden neuen Punktes überprüfen, ob eine statistische Regel verletzt wird.
17. Falls 20 oder mehr Punkte eine *positive* Änderung andeuten *und* die Ursache bekannt ist, dürfen neue Grenzen ermittelt werden.
18. Falls der Prozeß sich in statistischer Kontrolle befindet, kann die Prozeßfähigkeit ermittelt und diese mit den Spezifikationen verglichen werden. Der Cpk-Wert darf dann ermittelt werden, siehe Bild 29, 39 und 48. Falls dieser den Erwartungen entspricht, Marketing informieren. Falls dieser Wert *nicht* den Erwartungen entspricht, entsprechend Bild 29 die Variabilität reduzieren, unter besonderer Berücksichtigung der Versuchsplanung (Design of Experiments).
19. Zur zusätzlichen Überprüfung der Effizienz der Bemühungen sollte ein Cpk-Diagramm entsprechend dem Bild 49 geführt werden.

4.2.6 Faktorenversuchsplanung

Das Reduzieren der natürlichen Variabilität ist meistens Spezialisten vorbehalten, die speziell für diese Aufgabe trainiert sind und über entsprechende Methoden verfügen. Oftmals wird hier die Faktorenversuchsplanung erfolgreich eingesetzt, um die natürliche Variabilität zu verringern. Die Faktorenversuchsplanung wurde bereits im Kapitel 4.1.9 erwähnt und wird daher hier nicht näher erläutert.

4.2.7 Erkennen von Chancen zur Verbesserung

Mit den bisher dargelegten Methoden lassen sich die Prozesse in verschiedene Gruppen einteilen:

Prozesse, die nicht in statistischer Kontrolle sind. Diese Prozesse verfügen über ein sehr hohes Potential an Verbesserungen. Oftmals sind diese Verbesserungen mit geringen finanziellen Mitteln zu realisieren.

Prozesse, die in statistischer Kontrolle sind und nicht den Spezifikationen der Kunden gerecht werden können. Dies stellt zwar auch eine Verbesserungschance dar, jedoch ist in den meisten Fällen ein drastischer Eingriff in den Prozeß erforderlich.

Die Prozesse, die in statistischer Kontrolle sind und den Spezifikationen der Kunden gerecht werden. Hier scheinen Anstrengungen zur systematischen Verbesserung nicht nötig zu sein. Oftmals gibt es noch genügend Prozesse der ersten beiden Kategorien. Trotzdem darf man sich nicht der Idee der weiteren Verbesserung verschließen. Hier wäre es sicherlich interessant zu untersuchen, wo die Konkurrenz sich mit ihrer Qualität befindet. Eine qualifizierte Aussage ist wiederum mit statistischen Methoden möglich.

4.2.8 Erhalten von erreichten Verbesserungen

Auch wenn der sogenannte Idealzustand erreicht ist, kann auf die Anwendung von Regelkarten nicht verzichtet werden. Jeder Prozeß verfügt über genügend Variablen, die über die Zeit gesehen nicht konstant sind und somit als spezielle unnatürliche Variabilität auf den Prozeß einwirken können. Es sei nur an das Abnutzen von Kugellagern, das Driften von Nullpunkten, Ermüdungserscheinungen an Material, Vergiften von Katalysatoren erinnert. Die Regelkarten können hier als „Frühwarnsystem“ fungieren und bereits Signale geben, bevor ein Problem entsteht. Es dient dann als Problemverhütung. Auch gibt es immer mehr Kunden, die sich bei einer Bestellung zuerst die Regelkarte anschauen, wie der Prozeß beim Lieferanten ausgesehen hat. Es gibt bereits Fälle, in denen der Lieferant seine Regelkarten elektronisch dem Kunden zur Verfügung stellt, bevor eine Kaufentscheidung gefällt wird. An dieser Stelle sei auch an die universelle Sequenz der Verbesserungen erinnert. Dort gibt es als den letzten Schritt Erhaltung der Verbesserung. Dies ist in vielen Fällen nur mit den Methoden von SPC möglich. Es zeigt sich, daß einerseits die universelle Sequenz SPC bei der Suche nach den Ursachen für spezielle Variabilität sehr hilfreich ist und andererseits die universelle Sequenz auch von SPC profitiert. Beide Methoden ergänzen sich in hervorragender Weise.

4.2.9 Prozeßfähigkeit

Bei der Diskussion um Kundenforderungen und Spezifikationen allgemein ist man oft geneigt, auch die Grenzen eines Prozesses mit Zahlen zu beschreiben. Hier haben sich zwei Begriffe eingebürgert: das Prozeßpotential und die Prozeßfähigkeit. Voraussetzung für beide Begriffe ist, daß die Prozesse sich tatsächlich in statistischer Kontrolle befinden. Dies ist durch entsprechende Regelkarten zu belegen. Leider wird diese Voraussetzung oftmals ignoriert und es werden Werte für Prozeßfähigkeiten angegeben, ohne daß die wichtigste Voraussetzung erfüllt ist. Ohne diese Voraussetzung jedoch ist ein Zahlenwert völlig irrelevant. Ist ein Prozeß nicht in statistischer Kontrolle, so bedeutet dies doch, daß systematische Variabilität vorhanden ist, die nicht beherrscht wird: Man weiß nicht, wann diese erscheint; wenn sie auftaucht, weiß man nicht, wie intensiv sie den Prozeß beeinflußt, wie lange sie bleibt. Wenn sie weggeht, weiß man nicht, wie lange sie wegbleibt. Mit anderen Worten, das Ergebnis des Prozesses kann nicht vorhergesagt werden, der Prozeß ist nicht stabil, es gibt keine vorhersagbaren Grenzen, und daher ist es auch nicht möglich, Grenzen in Form von Zahlen anzugeben. Dies hindert manche Menschen jedoch nicht, gewisse Formeln anzuwenden und Behauptungen anzustellen.

Prozeßpotential: Hier handelt es sich um eine vorläufige Schätzung, die auf einer kurzfristigen Analyse basiert. Dieses Prozeßpotential oder auch Maschinenfähigkeit gibt noch keine Aussage über die langfristige Prozeßfähigkeit. Es beschreibt praktisch „den besten Zustand", den ein Prozeß einnehmen kann. Dieser Schätzung sollten mindestens 30 Stichproben zugrunde liegen. Ein Aussortieren der Werte ist hierbei nicht gestattet, daher sollten die Stichproben aufeinanderfolgend sein. Die Analyse dieser Daten erfolgt mit statistischen Methoden, z. B. mit Regelkarten und den statistischen Regeln.

Falls sich keine Punkte außerhalb der Eingriffsgrenzen befinden, keine Trends oder Verschiebungen vorhanden sind, keine zwei aus drei aufeinanderfolgenden Punkten jenseits von 2s sind, keine vier aus fünf aufeinanderfolgenden Punkten jenseits von 1s sind und sonstige Prüfungen eine Normalverteilung erwarten lassen, kann das Prozeßpotential ermittelt werden, basieren auf der Standardabweichung für Einzelwerte.

Ein akzeptables Prozeßpotential für variable Daten bedeutet, daß der gefundene Mittelwert +/– 4 Standardabweichungen beidseitig innerhalb der bilateralen Spezifikationen liegt. Diese Behauptung gilt im Jahre 1989 und wird sich im Laufe der Zeit und sicherlich auch von Kunde zu Kunde ändern.

Prozeßfähigkeit: Die Studie zur Prozeßfähigkeit wird durch die dauernde Anwendung der Regelkarte durchgeführt, während der Prozeß unter aktuellen Produktionsbedingungen läuft und alle Faktoren/Variablen, welche einen

Einfluß auf den Prozeß haben können, am Prozeß teilgenommen haben, z. B. Rohmaterial, Personal, Umwelt, Maschinenabnutzung u. ä.

Dieses Intervall beträgt oft mindestens 30 Tage.

Die Prozeßfähigkeit kann ermittelt werden, wenn die Regelkarten für diesen Zeitraum zeigen, daß der Prozeß sich in statistischer Kontrolle befindet: Es befinden sich keine Punkte außerhalb der Eingriffsgrenzen, es sind keine Trends oder Verschiebungen vorhanden, zwei aus drei aufeinanderfolgenden Punkten liegen nicht jenseits von 2s, vier aus fünf aufeinanderfolgenden Punkten liegen nicht jenseits von 1s und sonstige Prüfungen lassen eine Normalverteilung erwarten. Zur Zeit (1989) bedeutet für variable Daten eine akzeptable Prozeßfähigkeit, daß der gefundene Mittelwert +/– 3 Standardabweichungen beidseitig innerhalb der bilateralen Spezifikationen fällt.

Die Berechnung erfolgt entsprechend den Formeln im Bild 48. Die ersten zwei Formeln berücksichtigen nicht, ob der Mittelwert des Prozesses sich auch innerhalb der Spezifikationen befindet. Daher ermittelt man zwei Werte, den C_{PO}- und C_{PU}-Wert. Der kleinere der beiden Werte wird dann als C_{PK}-Wert bezeichnet.

$$C_p = \frac{\text{Toleranz}}{6s}$$

$$C_p = \frac{\text{OSG} - \text{USG}}{6s}$$

$$C_{p_o} = \frac{\text{OSG} - \bar{\bar{X}}}{3s}$$

$$C_{p_u} = \frac{\bar{\bar{X}} - \text{USG}}{3s}$$

$$C_{p_k} = \text{Min}\,(C_{p_o};\, C_{p_u})$$

kurzfristig: $C_{p_k} \geq 1{,}33$

langfristig: $C_{p_k} \geq 1{,}00$

OSG = obere Spezifikationsgrenze
USG = untere Spezifikationsgrenze

$$s = \frac{\bar{R}}{d_2}$$

n	d_2
2	1,128
3	1,693
4	2,059
5	2,326
6	2,534

Bild 48: Prozeßfähigkeit

Die C_{PK}-Werte sind, wenn korrekt ermittelt, ein Instrument nicht nur der Kunden, sondern auch der Unternehmensleitung, sei es der Betriebsleiter, der Gruppenleiter, der Produktionsleiter, der Besitzer oder sonst jemand in der Leitung der Organisation. Daher wird empfohlen, diese C_{PK}-Werte in ein Diagramm einzutragen, da es sowohl den aktuellen Stand als auch das angestrebte Ziel anzeigen. Ein Beispiel ist in Bild 49 wiedergegeben. Hier wird auch deutlich, daß zeitweilig der Prozeß nicht in statistischer Kontrolle war: An den Stellen ist eine entsprechende Bemerkung eingetragen worden: „NISK", *n*icht *i*n *s*tatistischer *K*ontrolle. Auch erkennt man deutlich den Prozeß der stetigen Qualitätsverbesserung. Ferner ist das Ziel für die nächste Zeitperiode festgelegt, was an der Punktierung zu erkennen ist.

Da die kurzfristige Betrachtung +/− 4s verlangt, resultiert daraus ein minimaler C_{PK}-Wert von 1,33. Der minimale C_{PK}-Wert der langfristigen Betrachtungsweise beträgt demnach 1,0 (siehe auch Kapitel 5 Kundenerwartungen).

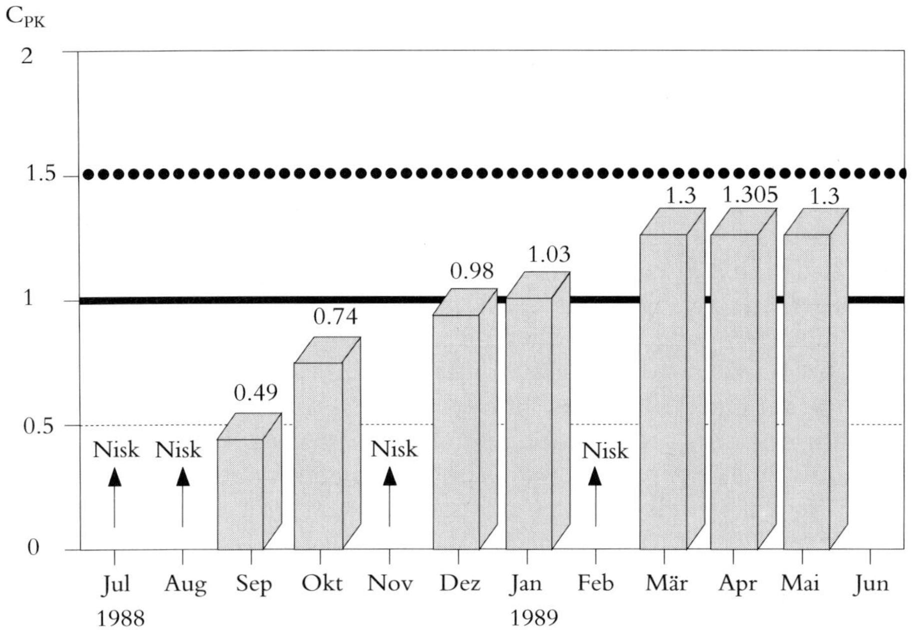

Bild 49: Prozeßfähigkeit

4.2.10 SPC als Mittel zum Einkauf qualitativ hochwertiger Güter und Dienstleistungen

Wie im Bild 25 dargestellt, ist das eigene Unternehmen oder die Organisation meistens nur ein Glied in der Kette der Veredelungsstationen. Wenn SPC konsequent im Unternehmen eingeführt und praktiziert wird, kann es zu einem starken Qualtiätsglied in der Kette werden. Die eigenen Anstrengungen jedoch müssen von den Zulieferanten unterstützt werden, da die Produkte und Dienstleistungen der Zulieferer einen Einfluß auf die eigenen Prozesse ausüben. Dieser Einfluß muß in drei verschiedenen Beziehungen gesehen werden. Einmal ist es die Qualität. Sind die Prozesse der Zulieferer nicht in statistischer Kontrolle, besteht die Gefahr, daß die eigenen Prozesse darunter leiden. Alleine von diesem Geischtspunkt her sollte ein entsprechender Druck ausgeübt werden. Der zweite Gesichtspunkt wird weit weniger ausgesprochen und diskutiert. Sind die Prozesse der Zulieferer nicht in statistischer Kontrolle, so sind die Qualitätskosten bei den Zulieferern hoch. Diese (zum Teil vermeidbaren) Qualitätskosten zahlt jedoch der Kunde. Der dritte Punkt bezieht sich auf die Zuverlässigkeit der Liefertermine. Durch eine entsprechend hohe Lagerhaltung seitens des Lieferanten kann jedoch versucht werden, diesen Umstand zu kompensieren. Auch diese Kosten gehen wiederum zu Lasten des Kunden.

Aus diesen wenigen Denkanstößen ersieht man, daß die Einkaufsabteilung stark vom statistischen Denken gefordert wird. Daher ist es unumgänglich, daß der Einkauf sich diese Denkungsart zu eigen und unaufhörlich davon Gebrauch macht. Es geht sicherlich nicht zu weit zu behaupten, daß Einkauf und Marketing die Bindeglieder in der Qualitätskette darstellen. Bisher waren es besonders die großen internationalen Automobilhersteller und die Elektronikindustrie, die ihre Zulieferer mehr oder weniger zur Einführung von Qualitätsmanagement zwangen, bis die Unternehmen selbst erkannten, daß sie durch die Anwendung dieser Strategien Konkurrenzvorteile errangen.

Um die Beziehungen möglichst intensiv gestalten zu können und die Variabilität auf einen Minimum zu halten, gehen manche Unternehmen dazu über, „single source", d. h. Einzellieferanten zu halten. Hierfür gibt es viele Argumente und Gegenargumente. Von dem Standpunkt der Variabilität her gesehen ist ein Einzellieferant (vorausgesetzt sein Prozeß ist in statistischer Kontrolle und der C_{PK}-Wert liegt nahe an 2,0) natürlich ideal. Wird eine solche Kunden-Lieferanten-Beziehung dann noch durch eine Zertifizierung und/oder Audit gefestigt, dann dürften die Grundlagen für eine lange erfolgreiche Zusammenarbeit gelegt sein. Voraussetzung hierfür ist jedoch, daß der Einkauf seiner Funktion entsprechend positioniert und ein kompetentes Mitglied in diesem Qualitätsteam wird.

4.2.11 SPC als Mittel zur Vermarktung von Gütern und Dienstleistungen

Die Punkte im letzten Abschnitt gelten mit den entsprechenden Vorzeichen auch für den Verkauf bzw. Marketing. Die partnerschaftlichen Beziehungen gehen z. T. so weit, daß Qualitätsverbesserungsteams mit Mitgliedern verschiedener Firmen gegründet werden, um gemeinsam Qualitätsprobleme zu lösen. Hier treten dann sofort Bedenken bezüglich „Know how", d. h. Betriebsgeheimnisse und Geheimhaltungsvorschriften auf. In der Mehrzahl der bekannten Fälle waren diese Bedenken jedoch gegenstandslos.

4.3 Qualitätszirkel

Die qualitätsorientierte Unternehmensführung hat zum Ziel, möglichst *alle* Mitarbeiter in den Prozeß der Qualitätsverbesserung einzubeziehen bzw. daran teilhaben zu lassen. Die „Universelle Sequenz von Verbesserungen" geht normalerweise davon aus, daß an einer hierarchischen Stelle im Unternehmen z. B. ein Qualitätsteam Chancen für Verbesserungen (Probleme) identifiziert, Projekte ernennt und jeweils ein Team für das entsprechende Problem zusammenstellt. Wenn die Aufgabe von diesem (interdisziplinären) Team gelöst wurde, hört auch meistens das Team auf zu existieren. Manche Firmen haben dieses System soweit geführt, daß jede natürliche Arbeitsgruppe aus einem solchen Qualitätsteam besteht. Andere Unternehmen wiederum benutzen zum Beispiel Qualitätszirkel, da diese Form der Mitarbeitereinbindung in den Qualitätsverbesserungsprozeß speziell die Basis einbezieht und systematisch Ideen von der Basis hochkommen läßt. Sehr erfolgreich hat sich z. B. die Kombination des Qualitätszirkelkonzeptes, der universellen Sequenz von Verbesserungen und der statistischen Prozeßführung erwiesen. Diese Kombination gibt praktisch allen Mitarbeitern die Gelegenheit, praktisch am Prozeß der Qualitätsverbesserungen teilzunehmen und vermittelt den Mitarbeitern den verschiedenen hierarchischen Stufen das nötige Handwerkszeug.

Einzelheiten bezüglich Qualitätszirkel können in dem Buch: „Qualitätszirkel-Handbuch für Praktiker" vom selben Autor nachgelesen werden.

4.4 Just in Time

Die Idee der stetigen Qualitätsverbesserungen hat zwischen Kunden und Lieferanten eine spezielle Form der Zusammenarbeit gefunden, die man mit „Just in Time" bezeichnet. Wenn die Prozesse ständig verbessert werden und der Zustand der statistischen Kontrolle erreicht ist, wird die Planung wesentlich erleichtert.

Vereinfacht dargestellt kann nun die Produktion der Lieferanten auf die Produktion des Kunden abgestimmt werden. Hierdurch wird eine große Lagerhaltung stark reduziert und in manchen Fällen sogar eliminiert. Diese Idee kann natürlich auch intern und ebenso erfolgreich angewandt werden. Es muß allerdings nochmals darauf hingewiesen werden, daß dieses System nur dann funktionieren kann, wenn die Prozesse vorhersagbar und zuverlässig sind, das heißt in statistischer Kontrolle. Natürlich müssen hier besondere Risiken wie theoretische Lieferausfälle rechtzeitig diskutiert werden und wie man diese im Falle des Eintreffens zu mildern gedenkt. Zugegebenermaßen hat es hier auch negative Erfahrungen gegeben. Einzelheiten zu Just in Time entnehme man den im Literaturverzeichnis aufgeführten Veröffentlichungen.

5. Kundenerwartungen

Im Zuge der globalen Qualitätsbewegung hat sich das Verhältnis zwischen Kunden und Lieferanten schon in vielen Fällen geändert, und dieser Trend wird sich in Zukunft noch verstärken: Früher hat der Kunde seine Vorstellungen in Form von Spezifikationen geäußert, wobei oftmals ein Kompromiß zwischen den Kundenvorstellungen und den Möglichkeiten des Lieferanten eingegangen wurde. Die Distanz zwischen Hersteller/Lieferant und Verbraucher/Kunde wurde noch durch die Einschaltung der Fachabteilungen Verkauf beim Lieferanten und Einkauf beim Kunden vergrößert. Der Kunde bekam lediglich die Güter oder Dienstleistungen, die er bestellte. Wie und in welcher Weise diese Güter und Dienstleistungen erbracht wurden, hatte den Kunden nicht zu interessieren. Das wurde oftmals mit dem Mantel des Betriebsgeheimnisses verschwiegen.

Ein qualitätsorientiertes Unternehmen betrachtet dagegen seine Lieferanten als einen verlängerten Arm seines eigenen Unternehmens. Das Verhältnis wird von der Erkenntnis geprägt, daß der Erfolg des eigenen Unternehmens eng mit dem Erfolg der Lieferanten und der Kunden verknüpft ist. Unter dem Gesichtspunkt der langfristigen Zusammenarbeit wird eine bisher nicht erlebte Transparenz angestrebt, die sich in manchen Fällen bis hin zu den sogenannten „single sources" oder Einzellieferanten entwickelt.

Dieser Trend ist international bereits erkennbar. Das heißt andererseits, daß sich langfristig ein Ausleseprozeß anbahnen wird. Die Anzahl der Anbieter oder Lieferanten wird sich in den nächsten Jahren deutlich reduzieren. Gleichzeitig werden die überlebenden Lieferanten einen starken Aufschwung erleben, indem sie sich einen wesentlichen Marktanteil sichern können.

Besonders die Unternehmen, die neben qualitativ hochwertigen Gütern und Dienstleistungen darüber hinaus über die Strategie der systematischen ständigen Qualitätsverbesserung verfügen, haben besonders gute Chancen, auch zu den zukünftigen Anbietern zu zählen.

Die Transparenz zwischen den Unternehmen wird neue Dimensionen annehmen. Als Beispiel sei hier eine Computerfirma angeführt: Für die Herstellung der Computergehäuse wird ein Kunststoffgranulat benötigt. In der Vergangenheit wurde dieses Granulat von verschiedenen Lieferanten bezogen. Im Zuge der ständigen Qualitätsverbesserung wurden die Lieferanten einer Qualitätsprüfung (Audit) unterzogen.

Ein Unternehmen wurde als Einzellieferant ausgewählt und ein längerfristiges Abkommen unterzeichnet. Wenn jetzt der Vorrat an Granulat beim Computerhersteller zur Neige geht, dann ruft der Leiter des Verarbeitungsbetriebes beim Lieferanten an und betrachtet die Qualitätsregelkarte der verfügbaren Ware auf dem Bildschirm. Die Lieferentscheidung für das entsprechende Produktionslos richtet sich nach der Konstanz des Herstellungsprozesses in dem betrachteten Zeitraum, ob der Prozeß sich während dieser Zeit in statistischer Kontrolle befand.

Unternehmen, die selbst die qualitätsorientierte Unternehmensführung eingeführt haben, werden ihrerseits versuchen, die Zahl der Lieferanten drastisch zu reduzieren, um mit wenigen langfristige Verbindungen einzugehen. Diese Beziehungen werden sich nicht einfach auf Gutdünken gründen, sondern die Firmen werden versuchen, ihre Entscheidungen auf entsprechende Fakten zu gründen. Manche Firmen haben entsprechende Prüfungen oder sogenannte Audits ausgearbeitet, um die Lieferanten zu beurteilen. Manche Firmen schließen in diese Betrachtung die Qualitätskosten mit ein. Andere Firmen wiederum legen Wert auf den sogenannten C_{PK}-Wert, der jeder Lieferung beigefügt sein muß. Leider sind diese Techniken noch nicht so bekannt, daß diese als Stand der Qualitätstechnik betrachtet werden können. So kommt es vor, daß z. B. C_{PK}-Werte ermittelt werden, ohne daß die Vorbedingung erfüllt wird (Einzelheiten siehe Kapitel 4.2.9). Dann laufen diese Bemühungen, falls sie nicht korrigiert werden, auf einen „*S*how *P*rocess for *C*ustomers“ hinaus. Auf den C_{PK}-Wert wird im späteren Verlauf dieses Kapitels nochmals eingegangen.

Andere Firmen wiederum haben entdeckt, daß man „Statistische Prozeßführung“ auch *nach* entsprechenden Korrekturen machen kann. Dies ist im Bild 50 dargestellt: Wenn ein Prozeß abläuft, wird eine Prüfung am Prozeßergebnis vorgenommen. Ist das Ergebnis zufriedenstellend, wird das Produkt dem Kunden geschickt. Ist das Prüfungsergebnis nicht zufriedenstellend, wird eine Korrektur vorgenommen und die Prüfung wiederholt. Bei diskontinuierlichen Verfahren ist diese Prozedur regelrechter Bestandteil von Prozessen oder Vorschriften. Es kommt sogar vor, daß eine solche Korrektur mehrmals vorgenommen wird, bis eine Freigabe erfolgt. Diese Korrekturen werden aber unter der qualitätsorientierten Unternehmensführung als „vermeidbare Qualitätskosten“ angesehen. Eine Regelkarte, angelegt mit den Daten, die dem Ergebnis „gut“ entsprechen (*QnSPC* im Bild 50), kann nur den Sinn haben, ein möglichst positives Bild zu erzeugen. Nur hat dies nicht mehr viel mit statistischer Prozeßführung zu tun. Um sich vor solchen Überraschungen zu schützen, verlangen manche Firmen *Q1SPC* (siehe Bild 50). Dies bedeutet, daß eine Regelkarte mit den Daten nach dem ersten Durchgang angelegt wird und *systematisch die Variabilität des Prozesses beobachtet und reduziert wird.*

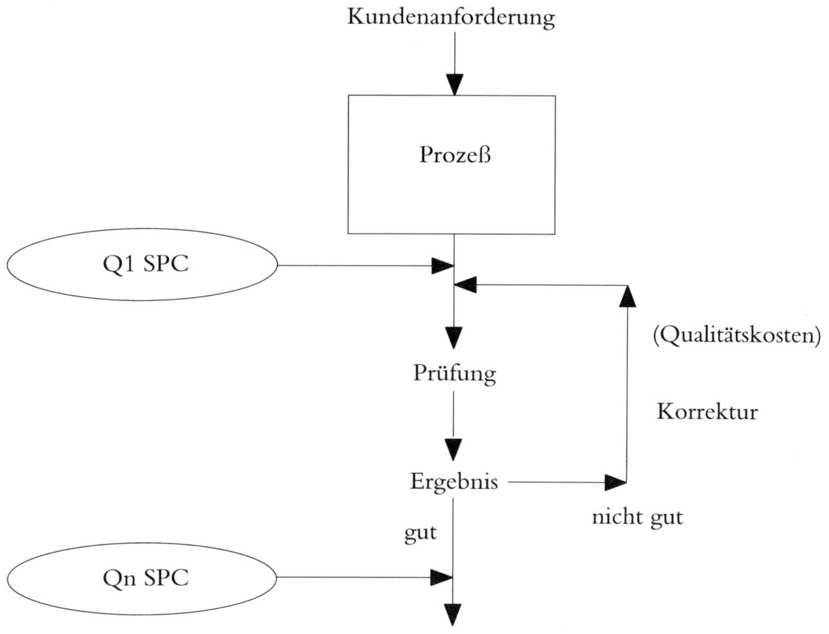

Bild 50

Manche Unternehmen sind mittlerweile dazu übergegangen, die Zertifizierung nach DIN ISO 9001, 9002 oder 9003 zu verlangen.

In diesem Zusammenhang muß auch eine Entwicklung in den USA erwähnt werden, die gerade in der letzten Zeit mehr und mehr an Bedeutung errang und sicherlich auch in Zukunft eine noch größere Rolle spielen wird. Gemeint ist hier der Malcom Baldrige National Quality Award. In der Broschüre heißt es:

> „Qualität der amerikanischen Güter und Dienstleistungen ist ausschlaggebend für den Handel, die Konkurrenzfähigkeit und den Lebensstandard.
> Manche US-Firmen haben die Herausforderung des Qualitätskampfes angenommen. Sie arbeiten hart, um die immer höheren Forderungen der Kunden zu erfüllen, wobei die Kunden mehr und mehr Alternativen haben.
> Mehr Unternehmen müssen sich diesen Bestrebungen der Qualtiätsverbesserung anschließen, um sich selbst und der Nation auf der Suche nach Exzellenz zu helfen.
> Als Teil der nationalen Kampagne zur Qualitätsverbesserung haben sich Industrie und Regierung zusammengetan und eine Auszeichnung für Qualität gegründet, den Malcolm Baldrige National Quality Award.
> Diese Auszeichnung dient zur Anerkennung von Exzellenz in Qualität und fördert ein verstärktes Qualitätsbewußtsein. Diese Auszeichnung, durch Gesetz erlassen, ist die höchste nationale Anerkennung für Qualität, welche eine amerikanische Firma erhalten kann.
> Bis zu zwei Auszeichnungen können pro Jahr vergeben werden, in den Kategorien: Industrie, Dienstleistungen und Kleinbetriebe.

Es können sich Firmen bewerben, die ihren Sitz in den USA haben und zum überwiegenden Teil in den USA fertigen. Bewerben müssen folgende Themen in Bezug auf Qualität im Detail beschreiben: Leitung, Information und Analyse, Planung, Einbeziehung aller Mitarbeiter, Qualitätssicherung, Ergebnisse der Qualitätssicherung, Kundenzufriedenheit.

Die Firmen, die 1988 diese Auszeichnung erhielten, waren:

Motorola Inc.
Commercial Nuclear Fuel Division
Westinghouse Electric Corporation
Globe Metallurgical Inc.

In diesem Zusammenhang ist es bemerkenswert, daß *keine* Auszeichnung auf dem Gebiet der Dienstleistungen erfolgte.

Der Grund, warum diese Qualitätsauszeichnung erwähnt wird, ist eine Entwicklung, die von Motorola angestoßen wurde. Motorala verlangt jetzt, daß alle seine Lieferanten sich um diese Auszeichnung bewerben. Jede Organisation, die sich daran bewirbt, erhält, auch wenn sie diese nicht bekommt, ein schriftliches Prüfungsergebnis. Somit erhält man eine Beurteilung, wo die Firma sich in Bezug auf die Qualitätsverbesserung befindet und wie groß die Verbesserungsmöglichkeiten auf diesem Sektor sind. Eine solche Bewertung scheint einerseits eine reelle Chance zu sein, seinen eigenen Standpunkt neutral beurteilen zu lassen. Andererseits aber dürfte auch eine gewisse Gefahr von einer solchen Bewertung ausgehen, besonders dann, wenn die eigenen Bemühungen noch in den Anfängen stecken oder noch darunter sind.

Die nächsten Jahre werden zeigen, ob die von Motorla angestoßene Entwicklung wirklich Fuß gefaßt hat. Aus diesen Gründen ist eine internationale Zertifizierung sicherlich vorteilhaft.

An dieser Stelle sei nochmals auf den C_{PK}-Wert eingegangen (Einzelheiten siehe Kapitel 4.2.9). Für Ford bedeutet im Jahre 1989 eine akzeptable Prozeßfähigkeit, bezogen auf variable Daten, daß der gefundene Mittelwert +/− 3 Standardabweichungen beidseitig innerhalb der bilateralen Spezifikationen fällt. Dies bedeutet einen C_{PK}-Wert von 1,0. Diese Forderung ist im Jahre 1989 für manche Lieferanten zu hoch, da in vielen Fällen zuerst einmal der Prozeß in statistische Kontrolle gebracht werden muß. Wenn man bedenkt, daß ca. 95 % aller Prozesse nicht in statistischer Kontrolle sind, wenn keine statistische Prozeßführung praktiziert wird, dann kann man sich vorstellen, welch eine Herausforderung ein C_{PK}-Wert von 1,0 darstellt.

Eine weitere interessante Anmerkung sollte an dieser Stelle erfolgen. Nicht nur die Prozesse in der Produktion, sondern auch die Prüfprozesse sind mit einzubeziehen. Auch hier gelten ähnliche Beobachtungen. Nicht selten ist ein Prüfverfahren außer statistischer Kontrolle. Ferner sollte die normale Variabilität der Prüfverfahren maximal 10 % der Spezifikationsbreite einnehmen. Hier wird der Praktiker noch etliche Überraschungen finden.

Oftmals sind im Laufe der Zeit die kundenseitigen Spezifikationen geändert, d. h. verschärft worden, ohne daß die Prozesse im gleichen Maße verbessert wurden, ganz zu schweigen von den Meßverfahren (die sind womöglich noch nach DIN und *dürfen* nicht angerührt werden). In der Praxis erlebt man auch häufig, daß die ersten „legalen" C_{PK}-Werte unter 1,0 liegen und erst im Laufe der Zeit verbessert werden.

Wie wichtig es ist, stetig die Qualität auch über das hinaus zu verbessern, was der Kunde verlangt, zeigt in diesem Zusammenhang das Beispiel der Firma Motorala, das sich für 1992 das

6-Sigma-Konzept

zum Ziel gesetzt hat. Motorola argumentiert folgendermaßen:

> „Ungefähr 2700 ppm der Teile werden außerhalb der normalen Variabilität von +/– 3 Sigma fallen. Dies allein ist nicht beunruhigend. Falls wir jedoch ein Produkt mit 1200 Teilen herstellen, können wir 3,24 Fehler pro Einheit (1200 x 0,0027) im Durchschnitt erwarten. Dies würde schrittweise nacheinander gerechnet eine Ausbeute von weniger als 4 % ergeben. Dies bedeutet, daß weniger als 4 von 100 Einheiten fehlerfrei durch den Herstellungsprozeß gehen. Um ein Produkt praktisch fehlerfrei herzustellen, muß die Herstellungsspezifikation wesentlich mehr als 3 Sigma vom Mittelwert entfernt sein. Es kann demonstriert werden, daß ein Entwurf, der das Zweifache der normalen Variabilität akzeptiert oder der auf +/– 6 Sigma aufgebaut ist, lediglich 3,4 ppm defekte Teile aufweist, auch wenn der Mittelwert sich um 1,5 Sigma verschieben würde. Bei +/– 6 Sigma und einer Verschiebung des Mittelwertes um 1,5 Sigma erwarten wir, schrittweise nacheinander gerechnet, daß 996 Teile von 1000 Teilen fehlerlos durch den ganzen Prozeß gehen."

Dieses 6-Sigma-Konzept von Motorola zeigt, daß die bisherigen Forderungen von Ford mittlerweile überholt sind. Ferner unterstützt dieses Beispiel die Strategie der qualitätsorientierten Unternehmensführung: Eine Organisation hat dann eine reale Chance in der Zukunft, wenn das gesamte Unternehmen die stetige Qualitätsverbesserung praktiziert, auch über das hinaus, was der Kunde im Moment verlangt. Diese Haltung der stetigen Qualitätsverbesserung ermöglicht das Erringen des Konkurrenzvorsprunges. In diesem Sinne ist es sogar gefährlich, sich gewisse absolute Werte, wie z. B. C_{PK}-Werte, als Ziel zu setzen. Jede Organisation muß sich an der Konkurrenz messen.

6. Beispiele und Ergebnisse/Widerstand gegen den Wandel

Da die qualitätsorientierte Unternehmensführung in den bisherigen Kapiteln ausführlich beschrieben wurde, erhebt sich jetzt die legitime Frage, warum qualitätsorientierte Maßnahmen noch nicht häufiger praktiziert werden.

Zunächst wird nochmals auf die bereits in den verschiedenen Kapiteln erwähnten Beispiele eingegangen und beschrieben, was in dem entsprechenden Fall erreicht wurde. Dann werden einige noch nicht erwähnte Fälle beschrieben. Daran anschließend wird dann auf den Widerstand gegen den Wandel eingegangen.

6.1 Beispiele und Ergebnisse

Das *Beispiel 1* betraf die diskontinuierliche Herstellung eines chemischen Zwischenproduktes. Am Ausgangspunkt der Betrachtung lag die Ausbeute bei ca. 68 % der Theorie, und nach der Bearbeitung, entsprechend der hier vorgestellten Methoden, betrug die Ausbeute 86 % der Theorie (siehe Bild 51). Diese signifikante Verbesserung ergab eine *jährliche* Einsparung von DM 260.000,–. Die Qualität wurde ebenfalls verbessert, was sich besonders drastisch in der Qualität der nächsten Verarbeitungsstufe zeigte. Vorher war die Hälfte (50 %) aller Ansätze nicht innerhalb der Spezifikationsgrenzen (92 %–100 %). Nach der Bearbeitung der Vorstufe waren alle (100 %) Ansätze innerhalb der Spezifikationsgrenzen (siehe Bild 52). Weitere bisher unerwähnte Nebeneffekte wurden beobachtet: Neben der höheren Qualität und den niedrigeren Kosten erhöhte sich die Kapazität der Anlage um ca. 26 %, und die Herstellungskosten wurden ebenfalls um diesen Betrag reduziert. Ferner sei noch erwähnt, daß die Lagerhaltungskosten drastisch gesenkt werden konnten, da es keiner Aufteilung in spezifikationsgerechte und nichtspezifikationsgerechte Ware mehr bedurfte.

Dies ist ein typisches Beispiel, daß *höhere* Qualität *weniger* kostet!

Das Beispiel 2 befaßte sich mit Reklamationen. Von den 70 bis 150 Reklamationen pro Jahr konnten die häufigsten als „Schwankungen der Wirkstoffkonzentration“ identifiziert werden. Die Bearbeitung erfolgte nach den hier beschriebenen Methoden. Die Ursache für dieses Problem lag in der großen Schwankungsbreite der Analysenmethode. Nachdem diese drastisch verbessert wurde, trat dieses Problem, das vorher ca. 28 % aller Reklamationen ausmachte, nicht mehr auf, d. h. es wurde komplett eliminiert. Das Vertrauen der Kunden in die Qualität dieses Lieferanten verbesserte sich und der Lieferant war in der Lage, seinen Marktanteil zu erhöhen.

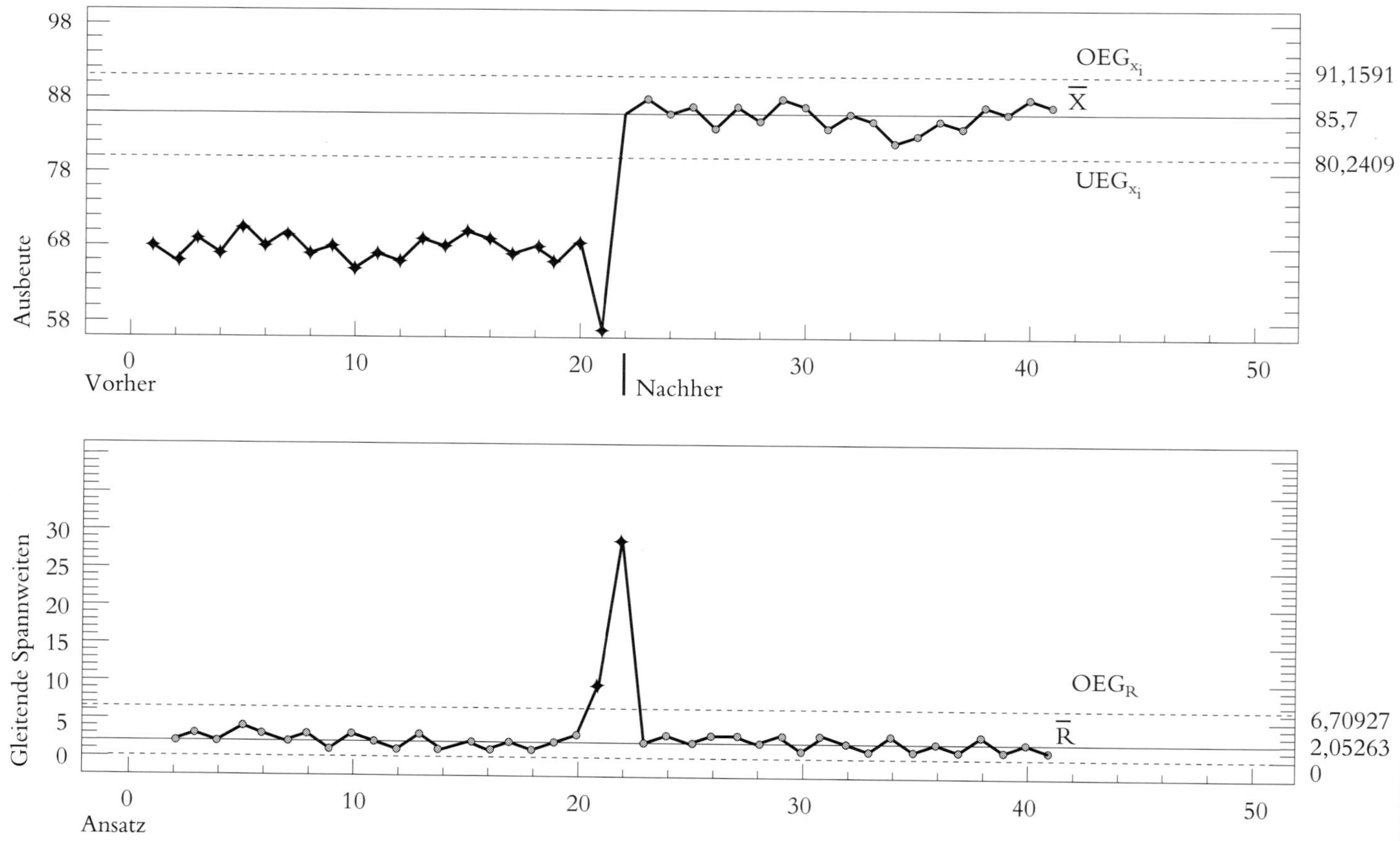

Bild 51: Ausbeute Zwischenprodukt Vorher-Nachher

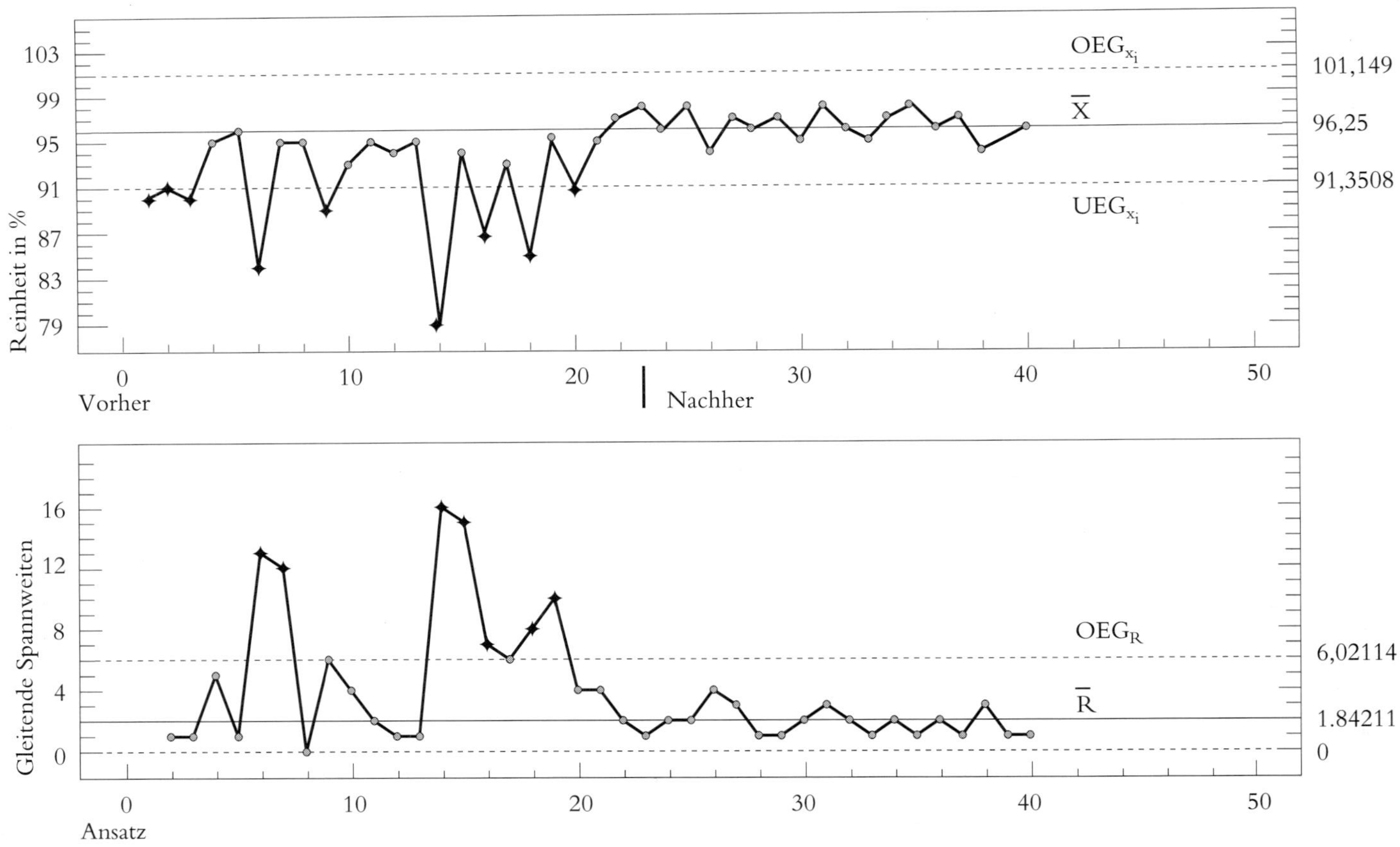

Bild 52: Qualität der Folgestufe des Zwischenproduktes

Das Beispiel 3 betraf die Herstellung vorfabrizierter Platten. Die Analyse der Qualitätskosten führte zur Identifikation eines signifikanten Problems: mechanisches Abheben der aktiven Schicht. Ein Team bearbeitete dieses Problem und errang einen Wissensdurchbruch, der zu einer irreversiblen Korrektur führte. Die Klebeschicht wurde (statt aufzusprühen) mittels einer Walze aufgetragen. Der Qualitätsmangel, vorher 19 % der externen Qualitätskosten, konnte komplett behoben werden. Zusätzlich konnte der negative Trend bezüglich des Ansehens des Herstellers bei den Kunden gestoppt und umgedreht werden. Der Marktanteil wurde vergrößert.

Die Herstellung von Formteilen durch Warmbehandlung wurde als *Beispiel 4* bereits mehrfach erwähnt. Hier war der Ausgangspunkt die Analyse der internen Qualitätskosten. Ein bestimmtes Produkt hatte den höchsten Anteil von 13,5 % der Qualitätskosten. Eine weitere Paretoanalyse der Fehlerarten ergab, daß Flachheit mit 46 % der häufigste Fehler war. Das Projekt war damit durch das Produkt und den auftretenden Fehler identifiziert. Auch in diesem Falle wurde ein Team ernannt, das dann die Diagnose durchführte. Der Wissensdurchbruch bestand in der Entdeckung, daß die Formteile während der Warmbehandlung die Kontur der Trägerplatten annahmen. Die Korrektur bestand in der Auswahl der zur Anwendung kommenden Trägerplatte. Das Problem Flachheit war damit vollständig gelöst.

Das *Beispiel 5* beschrieb eine Organisation, welche Chancen durch Brainstorming aufdeckte. Auch hier wurden mehrere Teams entsprechend der qualitätsorientierten Unternehmensführung ernannt. Diese führten die Diagnose durch, erzielten damit einen Wissensdurchbruch, der dann zur entsprechenden Therapie führte.

Als *weiteres* bisher nicht erwähntes *Beispiel* sei hier die Messung einer Eichsubstanz aufgeführt. Zur qualitativen Beurteilung der hergestellten Ansätze wurde jeweils eine Probe mit einer Standardsubstanz verglichen. Die Messung der zwei Proben erfolgte optisch mit einem Spektralphotometer, das mit einem Rechner zur Auswertung verbunden war. In diesem Falle sollte die Meßmethode selbst beurteilt werden. Es wurde von der Überlegung ausgegangen, daß die Eichmessung theoretisch immer denselben Wert ergeben müßte, da stets die gleiche Eichsubstanz, die gleiche Methode, die gleichen Instrumente zur Anwendung kamen. Daher wurde von den Werten der Eichmessungen eine Einzelwert-Regelkarte mit gleitender Spannweite angelegt. Das Ergebnis war überraschend. Der Prozeß der Qualitätsbestimmung war nicht in statistischer Kontrolle. Ein Team vom Labor bearbeitete dieses Problem entsprechend den hier vorgestellten Methoden. Die Ursachen für die unnatürliche Variabilität wurden gefunden und konnten korrigiert werden. Die Richtigkeit zeigte sich in der Regelkarte: Der Prozeß war anschließend a) in statistischer Kontrolle, d. h. vorhersagbar und b) die Schwankungsbreite wurde dadurch wesentlich reduziert (siehe Bild 53).

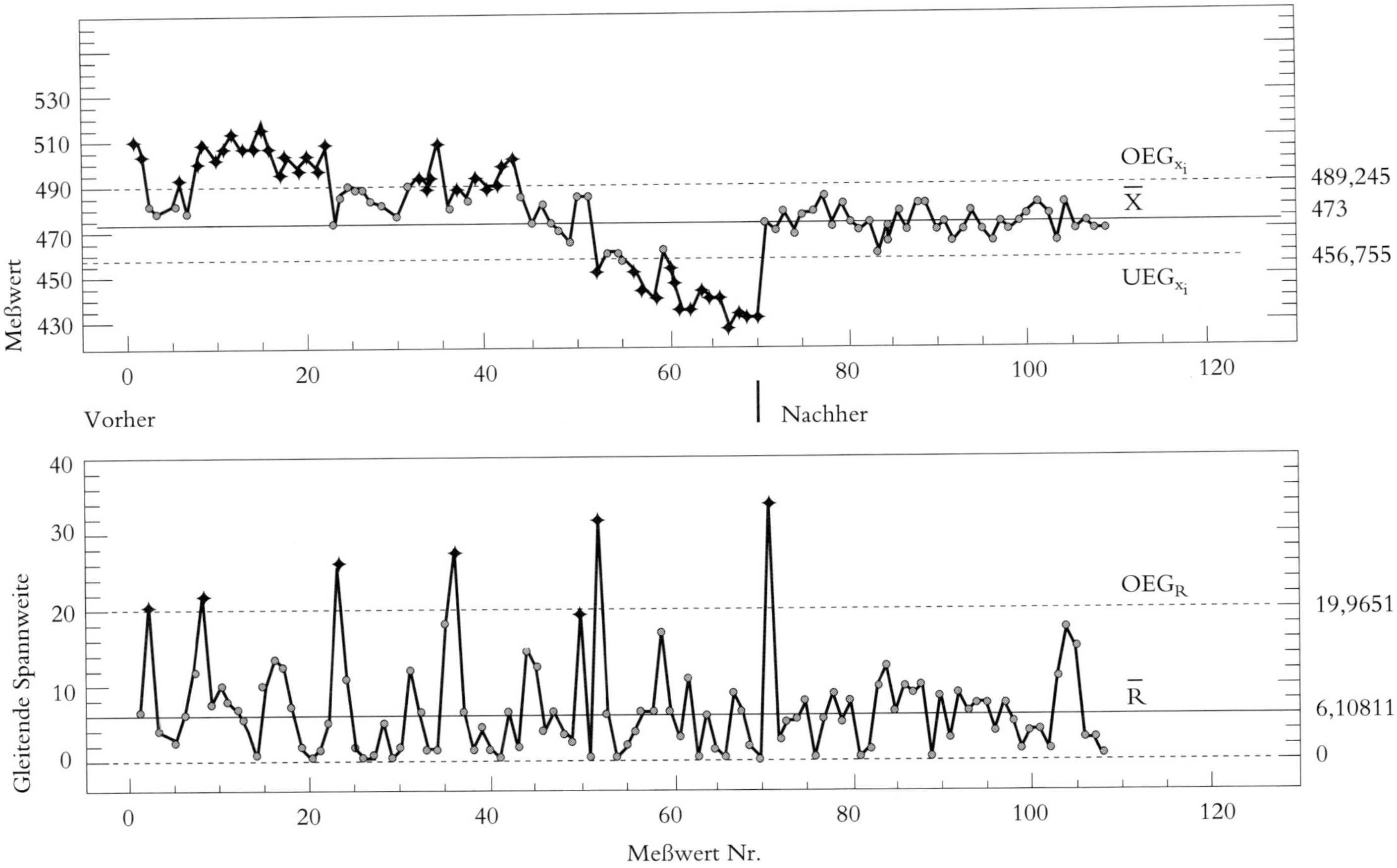

Bild 53: Eichmessungen des Standards

Die sich ergebende Konsequenz war, daß die Häufigkeit der Messung der Eichsubstanz fast bis auf Null reduziert werden konnte. Hierdurch wurden im Labor über 20 % der Messungen eingespart, wobei die Zuverlässigkeit der Betriebsmessungen erheblich erhöht wurde. Dies ist wiederum ein Beispiel, daß *höhere Qualität* mit *geringeren Kosten* verbunden ist.

Ein *weiteres Beispiel* mit Schwerpunkt auf dem Sektor statistische Prozeßführung sei hier erwähnt. Ein Unternehmen lieferte eine Spezialchemikalie an die Firma Kodak. Der Lieferant führte statistische Prozeßführung ein und wählte als ersten Prozeß den zur Herstellung dieser Spezialchemikalie. Zu Anfang war der Prozeß, wie zu erwarten, nicht in statistischer Kontrolle. Die Qualitätsdaten schwankten sehr stark, von 0 bis 45. Ein Team stellte sich das Ziel, die Ursachen der speziellen Variabilität zu ermitteln und Korrekturen vorzunehmen. Nach sechs Monaten war der Prozeß in statistischer Kontrolle und die spezielle Variabilität eliminiert. Die natürliche Variabilität lieferte Werte von 0 bis 2,24, d. h. die gesamte Variabilität wurde um 94 % reduziert. Kurze Zeit nach dieser Bearbeitung führte Kodak ein Audit durch. Diese Lieferfirma erhielt auf Grund der Qualitätsverbesserung die *goldene Kodak-Auszeichnung*.

Hier sei noch auf eine Besonderheit hingewiesen. Oftmals hört man das Argument: „Wir können keine signifikanten Verbesserungen mehr durchführen, dazu brauchen wir neue Anlagen und Maschinen, und dafür haben wir im Moment nicht die nötigen finanziellen Mittel." Wenn man sich die hier aufgeführten Beispiele in Bezug auf das soeben genannte Argument hin anschaut, stellt man fest, daß in allen Fällen die *bestehenden vorhandenen* Anlagen, Verfahren und Prozesse verbessert wurden, *ohne* daß signifikante Investitionen vorgenommen wurden.

Im Kapitel 2 wurde darauf hingewiesen, daß die traditionellen Methoden der Kostenreduzierung recht weit ausgeschöpft sind. Die obigen Beispiele sind geeignet, das Potential von bisher nicht systematisch bearbeiteten Chancen anzudeuten. Dies sind die „vermeidbaren Qualitätskosten". Die hier beschriebenen Methoden stellen das Handwerkzeug dar, diese Chancen in Angriff zu nehmen.

Die Qualitätsverbesserungen der vorliegenden Beispiele können ohne Ausnahme als signifikant angesehen werden. Das ganze Potential der Qualitätsverbesserungen und die Bedeutung für das jeweilige Unternehmen werden an den folgenden drei letzten Beispielen besonders deutlich.

Die Textilfima X war im Jahre 1980 nahe dem Konkurs. Als wesentliche Maßnahme wurde Dr. Deming als Berater hinzugezogen, und mit der Unterstützung von zwei weiteren Experten auf diesem Gebiet wurde probeweise die statistische Prozeßführung eingeführt. Die sich abzeichnenden Erfolge führten zur systematischen Einführung der statistischen Prozeßführung. Zusätzlich wurde das „Projektkonzept" mitverwendet und die Qualitätskosten wurden systematisch analysiert und reduziert. Diese kombinierten Anstrengungen führten dazu, daß im Jahre 1983 wieder Gewinne erwirtschaftet wurden, ohne daß Mitarbeiter entlassen und größere Investitionen getätigt wurden. Die Prozesse waren im Jahre 1983 stabil, erzielten höhere Ausbeuten und bessere Qualität. Im Jahre 1984 widmete sich diese Firma den Lieferanten und verlangte von ihnen, daß sie ihrerseits entsprechende Konzepte zur systematischen Qualitätsverbesserung einführen.

Im Jahre 1903 wurde die Firma Harley Davidson gegründet, eine Firma, die in den USA besonders als Hersteller schwerer Motorräder bekannt wurde. Diese Industrie kann wohl als ausgereift bezeichnet werden. Die Firma war mit der gesamten Produktpalette der japanischen Konkurrenz ausgesetzt. Besonders im Jahre 1974 und in den Jahren danach verlor Harley Davidson Marktanteile an die japanische Konkurrenz. Im Jahre 1981 kam dann die Krise für die Firma. Achtzehn Mitarbeiter kauften die Firma in einer Zeit auf, in der über einen Zeitraum von 16 Monaten Verluste von 30 Millionen Dollar auftraten. Die Vorräte in dieser Zeit betrugen ca. 60 % des Umsatzes. Es wurden die statistische Prozeßführung, die universelle Sequenz der Qualitätsverbesserungen sowie Just in Time eingeführt. Der negative Trend konnte hierdurch bald gestoppt werden. Im Jahre 1983 wurden erstmals wieder Gewinne erwirtschaftet und der Marktanteil konnte auf 12,5 % gehoben werden. Im Jahre 1986 war der Marktanteil bereits wieder auf 19,4 % gestiegen.

Als letztes Beispiel sei hier die amerikanische Automobilindustrie erwähnt. Alljährlich werden Untersuchungen über die Zufriedenheit der Autokäufer durchgeführt. Im Bild 54 sind die Untersuchungsergebnisse der Jahre 1980 bis 1985 dargestellt. Man sieht deutlich, daß Ford im Vergleich zu den Konkurrenten weitaus größere Erfolge erzielen konnte. Der scheinbar negative Trend der japanischen Automobilhersteller wird durch die Tatsache erklärt, daß zu Anfang relativ einfache Automobile und in den Folgejahren technisch anspruchsvollere Modelle importiert wurden, die dann jedoch absolut gesehen mehr Fehler aufzeigten. Dieses Bild zeigt eindrucksvoll, welchen Einfluß Qualität und Qualitätsverbesserung auf ganze Industriezweige haben kann.

An dieser Stelle sei auch auf den synergistischen Effekt hingewiesen, der bei den meisten Beispielen beobachtet werden konnte. Die Strategie der universellen Sequenz wird oftmals durch SPC ergänzt; dies kann an mehreren Stellen erfolgen: So ist es z. B. vorstellbar, daß die Durchführung der Diagnose durch die Anwendung von Regelkarten unterstützt wird, indem diese Regelkarten eine wichtige Entscheidungshilfe darstellen. Auch kann SPC sehr zur „Erhaltung der erreichten Verbesserung" beitragen. Andererseits kann die „universelle Sequenz" SPC sehr unterstützen: Der Zustand „nicht in statistischer Kontrolle" wird als chronische Situation aufgefaßt und es muß jetzt die „Diagnose" helfen, die Ursachen für die spezielle Variabilität zu ermitteln. Dieser Hinweis sollte besonders gegen den „Qualitäts-Totalitarismus" gedacht sein. Es gibt leider immer wieder Vorstellungen, die behaupten, nur diese eine Strategie sei die wirklich richtige.

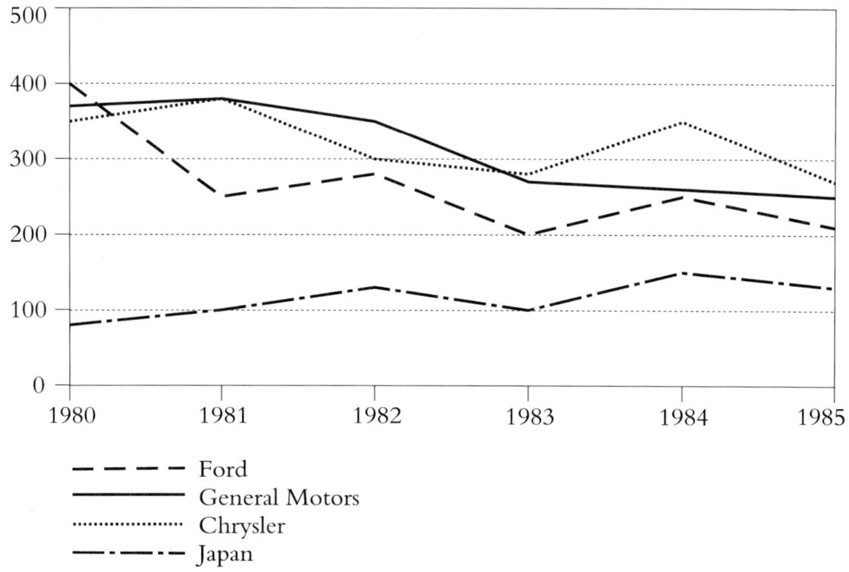

Bild 54: Der Kampf um die Qualität; Probleme pro 100 Autos

6.2 Widerstand gegen den Wandel

Die qualitätsorientierte Unternehmensführung ist, wie wir ausführlich anhand der Beispiele gesehen haben, hervorragend dazu geeignet, die Qualität der Güter und Dienstleistungen unter gleichzeitiger Reduzierung der Kosten zu verbessern.

Warum, könnte man dann fragen, wird denn die qualitätsorientierte Unternehmensführung nicht in jeder Organisation praktiziert? Die Gründe hierfür sind vielseitig, und es können hier gar nicht alle diskutiert werden. Trotzdem darf dieses wichtige Thema aber nicht umgangen werden, da auftretende Schwierigkeiten bei der Einführung und auch später beim Praktizieren der qualitätsorientierten Unternehmensführung manchmal auf Widerstand gegen den Wandel zurückzuführen sind.

Stößt man auf diesen Widerstand gegen den Wandel, so scheinen anfänglich die Gründe z. T. einleuchtend. Trotzdem sollte man sich deshalb nicht täuschen lassen. Oftmals werden Argumente gebraucht, doch die wirklichen

Gründe können ganz andere sein. Dies soll an dem folgenden Beispiel erläutert werden:

Der Marketingleiter erhält von einem bedeutenden Kunden einen Brief, in welchem auf die Bedeutung von SPC hingewiesen wird. Da man im eigenen Unternehmen (des Kunden) sehr positive Erfahrungen gemacht hat, möchte man auch die Lieferanten anregen, SPC einzuführen, und man erwartet mit jeder zukünftigen Lieferung die entsprechenden Regelkarten und den C_{PK}-Wert.

Die Lieferantenfirma, die diesen Brief erhält, hat keine Erfahrung mit SPC und auch keinen richtigen Überblick. Der Marketingleiter bespricht die Situation mit dem Produktionsleiter und beide kommen zu dem Ergebnis, diesen Wunsch des Kunden kategorisch abzulehnen. Die genannten Gründe sind fast plausibel: Das Produkt ist eine hochveredelte chemische Substanz, und in der nahen Zukunft läuft der Patentschutz aus. Man kann es sich nicht leisten, daß über die Kunden „Spionage" betrieben wird. Dies ist das Hauptargument.

Die wirklichen Gründe liegen vielleicht auf ganz anderem Gebiet. Es ist die Angst vor dem Ungewissen. Wie steht das Unternehmen da, falls mit diesen neumodischen Dingen tatsächlich Verbesserungschancen aufgedeckt und durchgeführt werden? Kann man sich eine solche Blöße leisten? Wie stehen wir als Mitarbeiter dar? Was werden die Vorgesetzten und Kollegen denken?

Die ausgesprochenen Behauptungen sind häufig:

- Wer bezahlt denn das?
- Dazu haben wir keine Zeit.
- Nur wenn der Kunde dafür mehr bezahlt.
- Das haben wir bisher immer so gemacht.
- Und weil wir das bisher erfolgreich gemacht haben, werden wir es auch in Zukunft so machen.
- Die Regeln der Wahrscheinlichkeitslehre lassen sich bei unseren komplizierten Verfahren mit den „Dutzenden" von Prozeßvariablen nicht anwenden.
- In der chemischen Industrie kann man so was schon anwenden, die können ja auch alle Fehler untermischen oder umkristallisieren, was bei uns leider nicht möglich ist.
- Wir würden das herzlich gerne machen, nur jetzt in dem Aufschwung, wo die Anlagen voll ausgelastet sind, können wir das nicht riskieren.
- Ja, vor zwei Jahren hätten wir das gerne gemacht, aber jetzt in der Flaute haben wir kein Geld dazu ...

Die Liste bzw. die Aufzählung könnte sicherlich noch stark verlängert werden. Die Tatsache ist, daß jede technologische Änderung auch soziale

Folgen hat. Oftmals sind es weniger die technischen Änderungen, sondern eher die sozialen Konsequenzen, die Schwierigkeiten bereiten.

Einige von den sozialen Konsequenzen wurden schon erwähnt:

- Was sagt mein Chef, wenn SPC etwas Positives bringt?
- Habe ich mich nicht all die Jahre voll für die Firma eingesetzt?
- Was wird mit der Abteilung für Qualitätskontrolle/-lenkung, wenn jeder hier seine eigene Regelkarte führt?
- Wozu einen Lenkungsausschuß für Qualitätsverbesserungen, dafür gibt es doch die Fachabteilungen!
- Wieso, in meiner Abteilung gibt es keine Qualitätskosten!
- Was macht denn eigentlich die Konkurrenz?
- Wir wollen uns doch nicht blamieren!

Wie gesagt, dieses Thema kann nur angedeutet werden.

Manchmal müssen, um zu einem Erfolg zu kommen, mindestens drei Dinge zusammenkommen:

Ein Druck von oben,
ein Zwang von außen und
ein Wille von innen!

Manchmal ist entweder die richtige Dosierung nicht gegeben oder der richtige Zeitpunkt ist nicht leicht zu erkennen. Andererseits stellt sich die Frage, ob der Druck von außen so groß werden muß wie im Falle von Harley Davidson oder Ford, bevor wir die richtigen Dinge tun?

Es gibt andererseits auch einige wenige Unternehmen mit viel Weitsicht, die eine Chance zur Erringung eines Konkurrenzvorsprunges erkennen und diese Chance in die Tat umsetzen, um sich die *Basis* für die nächsten Jahrzehnte *jetzt* zu schaffen ... Dieses Bemühen der stetigen Qualitätsverbesserung ist im Bild 55 optisch wiedergegeben.

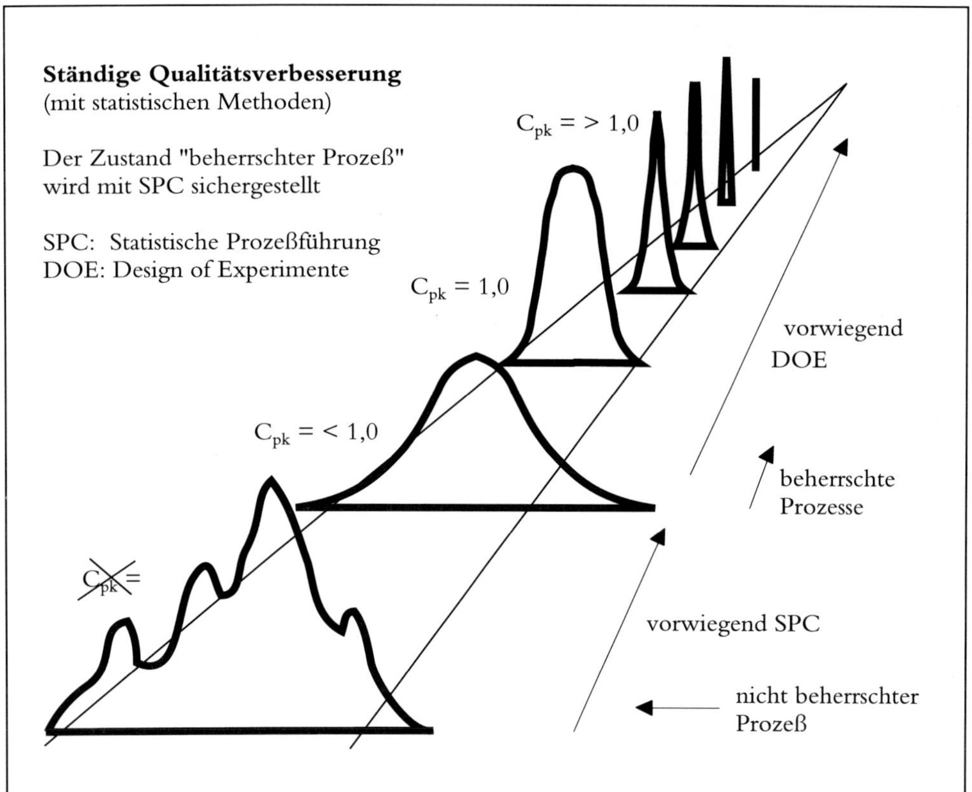

Bild 55: Ständige Qualitätsverbesserung (mit statistischen Methoden)

7. Quellenhinweise/Anhang, Qualitätsbekenntnisse

Diesem Buch lagen mehrjährige Erfahrungen des Autors zugrunde, der selbst an Projekten und der Einführung der Konzepte beteiligt war. Ferner sind die Veröffentlichungen, Bücher und Schriften von Dr. Joseph M. Juran sowie des Juran Institutes zu erwähnen. Interessant ist in diesem Zusammenhang die Videoserie *„Juran und Qualitätsverbesserungen"*. Interessenten, die sich näher über die Videobänder (16) sowie über die entsprechenden Arbeitsbücher informieren möchten, wird geraten, sich mit dem Institut in Verbindung zu setzen:

Juran Institute, Inc.
88 Danbury Road
Wilton, CT 06897 USA

Bei der Anwendung von SPC stößt man immer wieder auf den Wunsch, sich der Hilfe eines Computers oder „PC" oder sogar eines „Laptop" zu bedienen. Hier ist dann die Frage nach der richtigen Software zu beantworten. Mittlerweile gibt es eine ganze Reihe von Softwareprogrammen, die alle ihre Vor- und auch ihre Nachteile haben. So gibt es recht gute Softwareprogramme, mit denen man „on-line"-Daten analysieren kann. Andere Programme sind mehr auf Dateneingabe abgestimmt, andere wieder haben die Möglichkeit, vorhandene Daten in das Softwareprogramm zu importieren und Ergebnisse zu exportieren.

Der Autor hat sehr gute Erfahrungen mit „Statgraphics" gemacht. Die positiven Aspekte reichen von der sehr guten Weiterentwicklung hin bis zu einer sehr guten Unterstützung durch den Hersteller bzw. Vertrieb. So ist es schon recht interessant, wenn eine Software die „statistischen Regeln" beherrscht. Außer den Programmen zur Erstellung der Regelkarten verfügt dieses Programmpaket über viele andere Programme, die dazu dienen, Daten darzustellen und nach statistischen und anderen Gesichtspunkten zu analysieren. Zur Zeit existiert das Programm nur in der englischen Sprache, es gibt aber ein deutsches Lehr- und Übungsbuch. In der Zukunft ist eine deutsche Version geplant (die Bilder 51 bis 53 sind mit Statgraphics erstellt). Interessenten können sich an die folgende Adresse wenden:

ISE DATA GMBH
Herrnrainweg 5
6050 Offenbach/Main

oder an den örtlichen EDV-Händler.

Beispiel 1:

Nestors
Qualitätsverbesserungssystem

hat drei Ziele:

* Einrichtung eines kompetenten Qualitätsmanagementprozesses in allen Bereichen,
* Eliminierung von Nichtübereinstimmung mit Anforderungen,
* Nestor als Standard für Qualität – weltweit.
  (veröffentlicht 1984)

Beispiel 2:

Die XXX-Abteilung ist bestrebt, einen Qualitätsstandard am Markt zu setzen oder zu erhalten als Hersteller lithographischer Druckplatten mit höchster Qualitätskonstanz zu niedrigsten Kosten.

Beispiel 3:

Wir werden unseren Kunden Produkte und Dienstleistungen liefern, die stets den Kundenanforderungen entsprechen oder diese übertreffen.
Dies erfordert, daß wir unsere Produktions-, Marketing- sowie die technischen und administrativen Prozesse so auslegen, daß Abweichungen verhütet werden und daß alle Operations- und Stabsfunktionen richtig ausgeführt werden – richtig gleich das erste Mal.

8. Literaturhinweise

Als weiterführende bzw. vertiefende Literatur möchte ich nachfolgende Hinweise geben. Wenn diese vorwiegend englischsprachig sind, so liegt dies an der in Japan und USA bereits erheblich breiteren Diskussion und Publikation von Qualitätsthemen, -methoden und Fallbeispielen.

Da die Literatur aber überwiegend in einer gut verständlichen Weise geschrieben ist, möchte ich den Leser ermuntern, sein Interesse nicht an der Sprachbarriere scheitern zu lassen.

ANDERSON, VIRGIL L. and MCLEAN, ROBERT A. *Design of Experiments* American Society for Quality Control, 310 West Wisconsin Avenue, Milwaukee, WI 53203.

AT & T, Technologies. *Statistical Quality Control Handbook.* Charlotte, NC: Delmar Printing Company, 1956.

BARKER, THOMAS B. *Quality by Experimental Design.* American Society for Quality Control, 310 West Wisconsin Avenue, Milwaukee, WI 53203.

BHOTE, KEKI R. *World Class Quality.* AMA American Management Association, New York, N.Y. 10020.

BOX, GEORGE E. P., HUNTER, WILLIAM G., and HUNTER J. STUART. *Statistics for Experimenters.* John Wiley & Sons, Inc. 1978.

CROSBY, PHILIP B. *Quality is Free.* New York: McGraw-Hill. 1979.

CROSBY, PHILIP B. *Quality Without Tears.* New York: McGraw-Hill. 1984.

CROSBY, PHILIP B. *Running Things.* New York: McGraw-Hill. 1986.

DAVIES, OWEN L. and GOLDSMITH, PETER L. *Statistical Methods in Research and Production.* Great Britain: Oliver & Boyd 1972.

DEMING, W. EDWARDS. *Quality, Productivity and Competitive Position.* Cambridge, MA: Massachusetts Institute of Technology, 1982.

DEMING, W. EDWARDS. *Out of the Crisis.* 1987.

DIAMOND, WILLIAM J. *Practical Experiment Designs.* American Society for Quality Control, 310 West Wisconsin Avenue, Milwaukee, WI 53203.

DOWDY, SHIRLEY and WEARDEN, STANLEY. *Statistics for Research.* New York: John Wiley & Sons, Inc. 1983.

DYER, CONSTANCE E. *The Canon Production System.*

ENRICK, DR. NORBERT L., *Qualitätssicherung und Zuverlässigkeit.* Kent State University, 1980. Technischer Verlag Resch KG, Gräfelfing-München.

Grant, Eugene L. and Leavenworth, Richard S. *Statistical Quality Control.* McGraw-Hill 1974.

Guide for Reducing Quality Costs. American Society for Quality Control, 1977.

Guide for Managing Vendor Quality Costs. American Society for Quality Control, 1980.

Hicks, Charles R. *Fundamental Concepts in the Design of Experiments.* American Society for Quality Control, 310 West Wisconsin Avenue, Milwaukee, WI 53203.

How to establish effective Quality Control for the small supplier. American Society for Quality Control.

How to Evaluate a Supplier's Product. American Society for Quality Control, 1980.

How to Conduct a Supplier Survey. American Society for Quality Control, 1977.

Ishikawa, Dr. Kaoru. *Guide to Quality Control.* Tokyo: Asian Productivity Organization, 1976.

Ishikawa, Dr. Kaoru. *What is total Quality Control.*

J. Lu, David, *Inside Corporate Japan.* The Art of Fumble-Free Management.

Johnson, Ross. H., and Richard T. Weber. *Buying Quality.* New York and Toronto: Franklin Watts, 1985.

Juran, Joseph M. *Managerial Breakthrough.* Mc Graw-Hill, 1964.

Juran, Joseph M. *Management of Quality.* 1981.

Juran, Joseph M. *Upper Management and Quality.* Wilton, CT: Juran Institute Incorporated, 1982.

Juran, Joseph M. and Frank M. Gryna, Jr. *Quality Planning and Analysis.* McGraw-Hill. 1980.

Juran, Joseph M. *Quality Control Handbook.* McGraw-Hill. 1951.

Latzko, William J. *Quality and Productivity for Bankers and Financial Managers.* 1987.

Monden, Yasuhiro. *Toyota Production System.* Industrial Engineering & Management Press, Norcross, GA, 1983.

Montgomery, Douglas C. *Design and Analysis of Experiments.* American Society for Quality Control, 310 West Wisconsin Avenue, Milwaukee, WI 53203.

Oakland, John S. *Total Quality Management.* Heinemann Professional Publishing, Halley Court, Jordan Hill, Oxford OX2 8EJ, United Kingdom.

Peters, Thomas J., and Robert H. Waterman, Jr. *In Search of Excellence.* New York: Harper and Row Publishers, Inc. 1982.

PETRICK, Dr. Ing. KLAUS und REIHLEIN, Dr. Ing. HELMUT. *Die neuen internationalen und nationalen Normen zum Thema Qualitätssicherungssysteme.* DIN Mitt. 66, 1987, Nr. 5

SAYLE, ALLAN J., *Management Audits, The Assessment of Quality Management Systems.* Published by Quality Press.

SCHERKENBACH, WILLIAM W. *The Deming Route to Quality and Productivity.* Mercury Press/Fairchild Publications, 1987.

SNEE, RONALD D., HARE, LYNNE B., and TROUT, J. RICHARD. *Experiments in Industry: Design, Analysis and Interpretation of Results.* American Society for Quality Control, Chemical and Process Industries Division, 310 West Wisconsin Avenue, Milwaukee, WI 53203.

STAAL, ROLF. *Qualitätszirkel – Handbuch für Praktiker.* East Greenwich, RI. Schäffer Verlag Stuttgart, 1987.

TAGUCHI, GENICHI, *Introduction to Quality Engineering.* Asian Productivity Organization, 4–14, Akasaka 8-chome, Minato-ku, Tokyo 107, Japan.

TAGUCHI, GENICHI, *System of Experimental Design.* Volume one and two. UNIPUB, Kraus International Publications, White Plains, New York.

VAN HAM, KEES J. *European Quality Management in Perspective.* Eindhoven: European Foundation for Quality Management, 1989–5.

WALTON, MARY, *The Deming Management Method.* 1986.

WHEELER, DONALD J. *Understanding Statistical Process Control.* Volume One. Keeping Control Charts. Knoxville, TN: Statistical Process Controls, Inc. 1985.

WHEELER, DONALD J. and CHAMBERS, DAVID S. *Understanding Statistical Process Control.* Knoxville, TN: Statistical Process Controls, Inc. 1986.

WHEELER, DONALD J. and LYDAY, RICHARD W. EVALUATING THE MEASUREMENT PROCESS. Knoxville, TN: Statistical Process Controls, Inc. 1984.

9. Stichwortverzeichnis